講談社文庫

ダンス・ダンス・ダンス(上)

村上春樹

JN282037

講談社

ダンス・ダンス・ダンス(上)

一九八三年三月

1

よくいるかホテルの夢を見る。

夢の中で僕はそこに含まれている。つまり、ある種の継続的状況として僕はそこに含まれている。夢は明らかにそういう継続性を提示している。夢の中ではいるかホテルの形は歪められている。とても細長いのだ。あまりに細長いので、それはホテルというよりは屋根のついた長い橋みたいにみえる。その橋は太古から宇宙の終局まで細長く延びている。そして僕はそこに含まれている。そこでは誰かが涙を流している。僕の為に涙を流しているのだ。

ホテルそのものが僕を含んでいる。僕はその鼓動や温もりをはっきりと感じることができる。僕は、夢の中では、そのホテルの一部である。

そういう夢だ。

目が覚める。ここはどこだ？　と僕は考える。考えるだけではなく実際に口に出して自分自身にそう問いかける。「ここはどこだ？」と。でもそれは無意味な質問だ。問いかけるまでもなく、答えは始めからわかっている。ここは僕の人生なのだ。僕の生活。僕という現実存在の付属物。特に認めた覚えもないのにいつの間にか僕の属性として存在するようになったいくつかの事柄、事物、状況。隣に女が眠っていることもある。でも大抵は一人。部屋の真向かいを走る高速道路のうなりと、枕もとのグラス（底に五ミリほどウィスキーが残っている）と、敵意をもった――いや、それは単なる無関心さなんだろうか――塵だらけの朝の光。時には雨が降っている。雨が降っていると、僕はそのままベッドの中でぼんやりとしている。グラスにウィスキーが残っていれば、それを飲む。そして軒から落ちる雨垂れを眺めながら、いるかホテルのことを考える。手脚をゆっくりと伸ばしてみる。そして自分がただの自分であり、何処にも含まれてなんかいないことを確かめる。僕は何処にも含まれてはいない。でも夢の中の感触を僕はまだ覚えている。そこでは僕が手を伸ばそうとすれば、それに呼応して僕を含んだ全体像が動く。水を利用した細かい仕掛けのからくりのように、ひとつひとつゆっくりと注意深く、段階ごとにほんの微かな音を立てながら、それは順番に反応していく。僕が耳を澄ませれば、それが進行していく方向を聞き取ることができる。僕は耳を澄ます。そして誰かの静かな啜り泣きの声を聞き取る。とても静かな声。闇の奥の何処かから聞こえてくる啜り泣き。誰かが僕のために泣いているのだ。

　いるかホテルは現実に存在するホテルだ。札幌の街のあまりぱっとしない一角にある。僕は何年か前にそこに一週間ばかり泊まったことがある。いや、きちんと思い出そう。はっきりとさせておこう。あれは何年前だ？　四年前。いや、正確に言うと四年半前だ。僕はその時はまだ二十代だった。僕はある女の子と二人でそのホテルに泊まった。彼女がそのホテルを選んだ。そのホテルに泊まろうと彼女が言ったのだ。そのホテルに泊まらなくては、と彼女は言ったのだ。もし彼女が要求しなかったら、僕はいるかホテルになんてまず泊まらなかっただろうと思う。

　それは小さなみすぼらしいホテルで、僕らのほかには泊まり客の姿は殆ど見あたらなかった。僕がその一週間の滞在中にロビーで見掛けた客は二人か三人かそれくらいだったし、それだって泊まり客なのかどうかわかったものではない。でもフロントのボードに掛かった鍵がところどころ欠けていたから、僕らの他にも泊まり客はいたはずだと思う。それほど多くないにしても、少しくらいは。幾らなんでも仮にも大都市の一角にホテルの看板を掲げ、職業別電話帳にだってちゃんと番号が出ているのだ、まったく客が来ないということは常識的に考えてありえない。しかしもし僕らの他に客がいたとしても、彼らはおそろしく物静かでシャイな人々だったはずだ。僕らは彼らの姿を殆ど見掛けなかったし、その物音も聞かなかったし、気配も感じなかった。ボードの上の鍵の配置だけが毎日少しずつ変わった。彼らは息をひそめ、多分薄い影のように壁を這って廊下を行き来していたのだろう。ときどきかたかたかたかたかたというエレベーターの走行音が遠慮がちに響いたが、その音が止むと、沈黙は前よりかえって重くなったように感じられた。

とにかく不思議なホテルだった。

それは僕に生物進化の行き止まりのようなものを連想させた。遺伝子的後退。間違えた方向に進んだまま後戻りできなくなった奇形生物。進化のベクトルが消滅して、歴史の薄明の中にあてもなく立ちすくんでいる孤児的生物。時の溺れ谷。それは誰のせいでもない。誰が悪いというわけでもないし、誰にそれが救えるというものでもない。まずだいいちに彼らはそこにホテルを作るべきではなかったのだ。あやまちはまずそこから始まっていた。第一歩から、全てが間違っていた。最初のボタンがかけ違えられ、それにあわせて全てが致命的に混乱していた。混乱を正そうとする試みはあらたな細かい——洗練されているとは言えない、ただ細かいだけだ——混乱を生み出した。そしてその結果、何もかもが少しずつ歪んで見えた。そこにある何かをじっと見ようとすると、ごく自然に首が何度か傾いてしまうのだ。そのような歪み。傾けるといってもほんの僅かの角度だから特に実害はないし、べつに不自然さを感じるほどでもないし、ずっとそこにいればそれに馴れてしまうのかもしれないが、やはりいささか気になる歪み（それにそんなものに馴れてしまったら、今度はまともな世界を見る時に首を傾けることにもなりかねない）。

いるかホテルはそういうホテルだった。そしてそれがまともじゃないということは――そのホテルが混乱に混乱を重ねた末に飽和点に達して、やがて遠からぬ将来に時の大渦にすっぽりと飲み込まれていくであろうことは――誰が見たって一目瞭然だった。哀しげなホテルだった。十二月の雨に濡れた三本脚の黒犬みたいに哀しげだった。もちろん哀しげなホテルなんて世間には他にもいっぱいあるだろうが、いるかホテルはそういうのともまた少し違う。いるかホテルはもっと概念的に哀しげなのだ。だから余計に哀しい。

言うまでもないことだとは思うけれど、そんなホテルをえらんでわざわざ泊まろうなどという人間は、何も知らずに間違えてやってくる客を除けば、そんなにはいない。

いるかホテルというのは正式な名称ではない。正式にはそれは「ドルフィン・ホテル」というのだが、その名前と実体から受ける印象がかなり掛け離れているので（ドルフィン・ホテルという名前は僕にエーゲ海あたりの砂糖菓子のように真っ白なリゾート・ホテルを連想させる)、僕が個人的にそう呼んでいるだけだ。入り口には「ドルフィン・ホテル」と刻まれた銅板がかかっている。もしそんな看板がかかっていなければ、それは全然ホテルには見えないだろうと思う。看板があってさえ、なかなかそうは見えないくらいなのだ。何に見えるかというと、それはまるでうらぶれた博物館のように見える。特殊な展示物を見るために、特殊な好奇心を抱いた人々がひっそりやってくるような、そんな特殊な博物館。

でももし人がいるかホテルを眼前にしてそのような印象を抱いたとしても、それは決して的外れな想像力の飛翔ではない。実を言えば、いるかホテルの一部は博物館を兼ねているのである。

誰がそんなホテルに泊まるだろう? その一部がわけのわからない博物館になっているようなホテルに? 暗い廊下の奥に羊の剝製やら、埃だらけの毛皮やら、黴臭い資料やら、茶色く変色した古い写真やらが積みかさねてあるようなホテルに。果たされざる想いが乾いた泥のように隅々にしっかりとこびりついているようなホテルに?

全ての家具は色褪せ、全てのテーブルは軋み、全ての鍵は上手く閉まらなかった。廊下は磨り減り、電球は暗かった。洗面台の栓は歪んでいて、水がうまくたまらなかった。太ったメイド(彼女の脚は象を連想させた)は廊下を歩きながらコホコホと不吉な咳をした。いつもカウンターにいる支配人は哀しげな目をした中年の男で、指が二本なかった。この男は見るからに、何をやってもまずうまくは行かないというタイプだった。そういうタイプのまさに標本みたいな男だった。まるで淡い青インクの溶液に一日漬けておいてから引っ張り上げたみたいに、彼の存在の隅から隅までに失敗と敗退と挫折の影が染みついていた。ガラスの箱に入れて、学校の理科室に置いておきたくなるような男だった。「何をやっても上手くいかない男」という札をつけて。彼を見ているだけで大抵の人は多少の差こそあれ惨めな気持ちになったし、腹を立てる者も少なからずいた。ある種の人はそういうタイプの惨めな人間を見ているだけで意味もなく無性に腹が立ってくるのだ。誰がそんなホテルに泊まるだろう?

でも僕らは泊まった。我々はここに泊まるべきなのよ、と彼女は言った。そしてそのあとで彼女はいなくなってしまった。僕ひとりを残して消えてしまったのだ。彼女が行ってしまったことを僕に教えてくれたのは羊男だった。彼女は行ってしまったんだよ、と羊男は僕に教えてくれた。羊男は知っていたのだ。彼女が行かなくてはならなかったのだということを。僕にも今ではわかる。彼女の目的は僕をそこに導くことにあったからだ。それは運命のようなものだった。あたかもモルダウ河が海に達するように。僕は雨垂れを見ながら、そのことを考える。運命。

僕がいるかホテルの夢を見るようになった時に、まず思い浮かべたのは彼女のことだった。彼女が僕をまた求めているのだ、と僕はふと思った。そうでなければ、どうしてこんなに何度も同じ夢を見るのだ?

彼女、僕は彼女の名前さえ知らないのだ。彼女と一緒に何ヵ月か暮らしたというのに。僕は彼女について実質的には何ひとつ知らないのだ。僕が知っているのは彼女がある高級コールガール・クラブに入っているということだけだった。クラブは会員制で、身元の確かなきちんとした客しか相手にしなかった。ハイ・クラスの娼婦だ。彼女はそれ以外にもいくつかの仕事を持っていた。普段の昼間は小さな出版社でアルバイトの校正係をやっていたし、パートタイムに耳専門のモデルもやっていた。要するに彼女はとても忙しい生活を送っていたわけだ。彼女にはもちろん名前がないわけではなかった。実際の話彼女は幾つも名前を持っていた。でもそれと同時に彼女には名前がなかった。彼女の持ち物――殆どないも同然だったが――のどれにも名前は入っていなかった。定期券も、免許証も、クレジット・カードも持っていなかった。小さな手帳をひとつ持っていたが、そこには訳のわからない暗号がボールペンでぐしゃぐしゃと書きこんであるだけだった。彼女の存在にはとっかかりというものがなかった。娼婦は名前を持っているかもしれない。でも彼女たちは名前を持たぬ世界で生きているのだ。

とにかく僕は彼女について殆ど何も知らない。どこで生まれたのかも、歳がほんとうは幾つなのかも。誕生日だって知らない。学歴も知らない。家族がいるかどうかさえ知らない。何も知らない。彼女は雨ふりのようにどこかから来て、どこかに消えてしまったのだ。ただ記憶だけを残して。

でも今僕は僕のまわりで彼女の記憶が再びある種の現実性を帯び始めていることを感じる。僕はこう感じるのだ。彼女はいるかホテルという状況を通して僕を呼んでいる、と。そう、彼女は今また再び僕を求めているのだ。そして僕はいるかホテルにもう一度含まれることによってのみ、彼女ともう一度巡り合えるのだ。そしておそらく彼女がそこで僕の為に涙を流しているのだ。

僕は雨垂れを見ながら自分が何かに含まれるということについて考えてみる。そして誰かが僕の為に泣いていることについて考えてみる。それはひどくひどく遠い世界のことのように感じられる。まるで月か何かそういう所の出来事のように感じられる。結局のところ、それは夢なのだ。手をどれだけ長くのばしても、どれだけ早く走っても、僕はそこにたどりつけないような気がする。

どうして誰かが僕の為に涙を流したりするんだ？

いや、それでも、彼女は僕を求めているのだ。あのいるかホテルのどこかで。そして僕もやはり心のどこかでそれを望んでいるのだ。あの場所に含まれることを。あの奇妙で致命的な場所に含まれることを。

でもいるかホテルに戻るのは簡単なことではない。電話で部屋を予約し、飛行機に乗って札幌に行けばそれで終わりというものではないのだ。それはホテルであると同時にひとつの状況なのだ。それはホテルという形態をとった状況なのだ。いるかホテルに戻ることは、過去の影ともう一度相対することを意味しているのだ。それを考えると、僕はたまらなく陰鬱な想いに襲われた。そう、僕はこの四年のあいだ、その冷ややかでうす暗い影を捨て去ることに全力を傾けていたのだ。そしているかホテルに戻るということは、僕がこの四年間静かにこつこつとためこんできた全てをあらいざらい放棄し捨て去ることなのだ。もちろん僕はそれほど大したものを手に入れたわけではない。その殆どはどう考えてみても暫定的で便宜的ながらくただった。でも僕は僕なりにベストを尽し、そのようなガラクタをうまく組みあわせて現実と自分をコネクトし、僕なりのささやかな価値観に基づいた新しい生活を築きあげてきたのだ。もう一度もとのがらんどうに戻れということなのか？　窓を開けてなにもかもを放り出せというのか？

でも結局のところ、全てはそこから始まるのだ。僕にはそれがわかっていた。そこからしか始まらないのだ。

僕はベッドに寝転び、天井を眺めながら、深い溜め息をついた。あきらめろ、と僕は思った。あきらめろ、何を考えても無駄だ。それはお前の力を越えたものなんだ。お前が何を考えたところでそこからしか始まらないんだよ。決まってるんだ、ちゃんと。

＊

僕のことについて語ろう。

自己紹介。

昔、学校でよくやった。クラスが新しくなったとき、順番に教室の前に出て、みんなの前で自分についていろいろと喋る。僕はあれが本当に苦手だった。いや、苦手というだけではない。僕はそのような行為の中に何の意味を見出すこともできなかったのだ。僕が僕自身についていったい何を知っているだろう？　僕が僕の意識を通して捉えている僕は本当の僕なのだろうか？　ちょうどテープレコーダーに吹き込んだ声が自分の声に聞こえないように、僕が捉えている僕自身の像は、歪んで認識され都合良くつくりかえられた像なのではないだろうか？……僕はいつもそんな風に考えていた。自己紹介をする度に、人前で自分について語らなくてはならない度に、僕はまるで成績表を勝手に書き直している ような気分になった。いつも不安でしかたなかった。だからそういう時、僕はなるべく解釈や意味づけの必要のない客観的事実だけを語るように心掛けたが（僕は犬を飼っています。水泳が好きです。嫌いな食べ物はチーズです。等々）、それでもなんだか架空の人間についての架空の事実を語っているような気がしたものだった。そしてそんな気持ちで他のみんなの話を聞いていると、彼らもまた彼ら自身とはべつの誰かの話をしているように僕には感じられた。我々はみんな架空の世界で架空の空気を吸って生きていた。

でもとにかく、何か喋ろう。自分について何か喋ることから全てが始まる。それがまず第一歩なのだ。正しいか正しくないかは、あとでまた判断すればいい。僕自身が判断してもいいし、別の誰かが判断してもいい。いずれにせよ、今は語るべき時なのだ。そして僕も語ることを覚えなくてはならない。

僕は今ではチーズが好きだ。いつからかはわからないが、いつの間にか自然に好きになった。飼っていた犬は僕が中学校に上がった年に雨に打たれて肺炎で死んだ。それ以来犬は一匹も飼っていない。泳ぐのは今でも好きだ。

終わり。

でも物事はそんなに簡単には終わらない。人が何かを人生に求めるとき（求めない人間がいるだろうか？）、人生はもっと多くのデータを彼に要求する。明確な図形を描くための、より多くの点が要求される。そうしないことには、何の回答も出てこない。

でーたフソクノタメ、カイトウフカノウ。トリケシきいヲオシテクダサイ。取消キイを押す。画面が白くなる。教室中の人間が僕に物を投げ始める。もっと喋れ。もっと自分のことを喋れ、と。教師は眉をしかめている。僕は言葉を失って、教壇の上に立ちすくんでいる。

喋ろう。そうしないことには、何も始まらない。それもできるだけ長く。正しいか正しくないかはあとでまた考えればいい。

＊

時々、女が僕の部屋に泊まりにきた。そして朝食を一緒に食べ、会社に出勤していった。彼女にもやはり名前はない。でも彼女に名前がないのは、ただ単に彼女がこの物語の主要人物ではないからだ。彼女はすぐにその存在を消してしまう。だから混乱を避けるために僕は彼女に名前を与えない。しかしだからといって、僕が彼女の存在を軽んじていると考えてほしくない。僕は彼女のことがとても好きだったし、いなくなってしまった今でもその気持ちは変わっていない。

僕と彼女はいわば友達だった。少なくとも彼女は、僕にとって唯一友人と呼びうる可能性を持っていた人間である。彼女には僕の他にきちんとした恋人がいる。彼女は電話局に勤めていて、コンピューターで電話料金を計算している。職場について詳しいことは僕も訊かなかったし、彼女もとくには話さなかったが、だいたいそういう感じの仕事だったと思う。個人の電話番号ごとに料金を集計して請求書を作るとか、その手のことだ。だから毎月郵便受けの中に電話料金の請求書が入っているのを見る度に、僕はまるで個人的な手紙を受け取ったような気がしたものだった。

彼女はそういうこととは関係なく、僕と寝ていた。月に二回か、あるいは三回か、それくらい。彼女は僕のことを月世界人か何かだと考えていた。「ねえ、あなたまだ月に戻らないの？」と彼女はくすくす笑いながら言う。ベッドの中で、裸で、体をくっつけあいながら。彼女は乳房を僕の脇腹に押し付けている。僕らは夜明け前の時間によくそんなふうに話をしたものだった。高速道路の音がずっと切れ目なく続いている。ラジオからは単調なヒューマン・リーグの唄が聞こえている。**ヒューマン・リーグ**。馬鹿気た名前だ。なんだってこんな無意味な名前をつけるのだろう？　昔の人間はバンドにもっとまともな節度のある名前をつけたものだ。インペリアルズ、シュプリームズ、フラミンゴズ、ファルコンズ、インプレッションズ、ドアーズ、フォア・シーズンズ、ビーチ・ボーイズ。

僕がそう言うと彼女は笑う。そして僕のことを変わっていると言う。僕の何処が変わっているのか僕にはわからない。僕は自分自身を非常にまともな考え方をする非常にまともな人間だと思っている。**ヒューマン・リーグ。**

「あなたといるのって好きよ」と彼女は言う。「ときどきね、すごくあなたに会いたくなるの。会社で働いているときとかね」

「うん」と僕は言う。

「ときどき」と彼女は言葉を強調して言う。そして三十秒くらい間を置く。ヒューマン・リーグの唄が終わり、知らないバンドの曲になる。「それが問題点なのよ、あなたの」と彼女は続ける。「私はあなたとふたりでこうしているのって大好きなんだけど、毎日朝から晩までずっと一緒にいたいとは思えないのよ。どういうわけか」

「うん」と僕は言う。

「あなたといると気づまりだとかそういうんじゃないのよ。ただ一緒にいるとね、時々空気がすうっと薄くなってくるような気がするのよ。まるで月にいるみたいに」

「これは小さな一歩だけれど——」

「ねえ、これ冗談じゃないのよ」と彼女は体を起こして僕の顔をじっとのぞきこんだ。「私、あなたの為に言ってるのよ。誰かあなたの為に何か言ってくれる人、他にいる？　どう？　そういうこと言ってくれる人、他にいる？」

「いない」と僕は正直に言う。一人もいない。

彼女はまた横になって、乳房をやさしく僕の脇腹につける。僕は手のひらで彼女の背中をそっと撫でる。

「とにかく時々、月にいるみたいに空気が薄くなるのよ、あなたと一緒にいると」

「月の空気は薄くない」と僕は指摘する。「月面には空気は全く存在しないんだ。だから――」

「薄いのよ」と彼女は小さな声で言う。彼女が僕の発言を無視したのか、あるいは全然耳に入らなかったのかは、僕にはわからない。でも彼女の声の小ささが僕を緊張させる。どうしてかはわからないけれど、そこには僕を緊張させる何かがふくまれている。「ときどきすうっと薄くなるのよ。そして私とはぜんぜん違う空気をあなたが吸っているんだと思うの。そう認識するの」

「データが不足しているんだ」と僕は言う。

「私があなたについて何も知らないということかしら、それ？」

「僕自身も自分についてよくわかってないんだ」と僕は言う。「本当にそうなんだよ。別に哲学的な意味で言ってるんじゃない。もっと実際的な意味で言ってるんだ。全体的にデータが不足している」

「でもあなたもう三十三でしょう？」と彼女は言う。彼女は二十六だ。

「三十四」と僕は訂正する。「三十四歳と二ヵ月」

彼女は首を振る。そしてベッドを出て、窓のところに行き、カーテンを開ける。窓の外には高速道路が見える。道路の上には骨のように白い午前六時の月が浮かんでいる。彼女は僕のパジャマを着ている。

「月に戻りなさい、君」と彼女はその月を指し示して言う。

「寒いだろう?」と僕は言う。

「寒いって、月のこと?」

「違うよ。今の君のことだよ」と僕は言う。今は二月なのだ。彼女は窓際に立って白い息を吐いている。僕がそう言うと、彼女はやっと寒さに気づいたようだった。

彼女は急いでベッドに戻る。僕は彼女を抱き締める。そのパジャマはすごくひやりとしている。彼女は鼻先を僕の首に押し付ける。その鼻先もとても冷たい。「あなたのこと好きよ」と彼女は言う。

僕は何か言おうと思うのだけれど、上手く言葉が出てこない。僕は彼女に好意を抱いている。こうしてふたりでベッドの中にいると、とても楽しく時を過ごすことができる。僕は彼女の体を温めたり、髪をそっと撫でていたりするのが好きなのだ。彼女の小さな寝息を聞いたり、朝になって彼女を会社に送りだしたり、彼女が計算した——と僕が信じている——電話料金の請求書を受け取ったり、僕の大きなパジャマを彼女が着ているのを見たりするのが好きなのだ。でもそういうことって、いざとなると一言で上手く表現できない。愛しているというのではもちろんないし、好きというのでもない。

何と言えばいいのだろう？

でもとにかく僕には何も言えない。言葉というものがまったく浮かんでこない。そして僕が何も言わないことで彼女が傷ついていることが感じられる。彼女はそれを僕に感じさせまいとしているのだが、でも僕には感じられる。柔らかな皮膚の上から彼女の背中の骨の形を辿りながら、僕はそれを感じるのだ。とてもはっきりと。僕らはしばらく何も言わずに抱き合って、題もわからない唄を聴いている。彼女は僕の下腹にそっと手のひらをあてる。

「月世界の女の人と結婚して立派な月世界人の子供を作りなさい」と彼女は優しく言う。

「それがいちばんよ」

開け放しになった窓からは月が見えた。僕は彼女を抱いたまま、その肩越しにじっと月を見ていた。時折何かひどく重い物を積んだ長距離トラックが崩壊し始めた氷山のような不吉な音を立てて高速道路を走り抜けていった。いったい何を運んでいるのだろう、と僕は思った。

「朝御飯、何がある？」と彼女は僕に尋ねる。

「特に変わったものはないね。いつもとだいたい同じだよ。ハムと卵とトーストと昨日の昼に作ったポテト・サラダ、そしてコーヒー。君のためにミルクを温めてカフェ・オ・レを作る」と僕は言う。

「素敵」と彼女は言って微笑む。「ハムエッグを作って、コーヒーをいれて、トーストを焼いてくれる？」

「もちろん。喜んで」と僕は言う。

「私のいちばん好きなことって何だと思う？」

「正直言って見当がつかない」

「私がいちばん好きな事、何かというとね」と彼女は僕の目を見ながら言う。「冬の寒い朝に嫌だな、起きたくないなと思いつつ、コーヒーの香りと、ハムエッグの焼けるじゅうじゅういう匂いと、トースターの切れるパチンという音に我慢しきれずに、思い切ってさっとベッドを抜け出すことなの」

「よろしい。やってみよう」と僕は笑って言う。

＊

僕は変わった人間なんかじゃない。

本当にそう思う。

僕は平均的な人間だとは言えないかもしれないが、でも変わった人間ではない。僕は僕なりにしごくまともな人間なのだ。とてもストレートだ。矢のごとくストレートだ。僕は僕としてごく必然的に、ごく自然に存在している。それはもう自明の事実なので、他人が僕という存在をどう捉えたとしても僕はそれほど気にはしない。他人が僕をどのように見なそうと、それは僕には関係のない問題だった。それは僕の問題というよりはむしろ彼らの問題なのだ。

ある種の人間は僕を実際以上に愚鈍だと考えるし、ある種の人間は僕を実際以上に計算高いと考える。でもそれはどうでもいいことだ。それに「実際以上に」という表現は、僕の捉えた僕自身の像に比べてということに過ぎないのだ。彼らにとっての僕はあるいは現実的に愚鈍であり、あるいは計算高い。それは別にどちらでもいい。たいした問題ではない。世の中には誤解というものはない。考え方の違いがあるだけだ。それが僕の考え方だ。

しかしそれとは別に、その一方で、僕の中のそのまともさに引かれる人間がいる。とても数少なくはあるけれど、でも確かに存在する。彼ら／彼女たち、と僕とは、まるで宇宙の暗い空間に浮かぶ二つの遊星のようにごく自然に引き合い、そして離れていく。彼らは僕のところにやってきて、僕と関わり、そしてある日去っていく。彼らは僕の友人になり、恋人になり、妻にもなる。ある場合には対立する存在にもなる。でもいずれにせよ、みんな僕のもとを去っていく。彼らはあきらめ、あるいは絶望し、あるいは沈黙し（蛇口をひねってももう何も出てこない）、そして去っていく。僕の部屋には二つドアがついている。一つが入り口で、一つが出口だ。互換性はない。入り口からは出られないし、出口からは入れない。それは決まっているのだ。人々は入り口から入ってきて、出口から出ていく。いろんな入り方があり、いろんな出方がある。しかしいずれにせよ、みんな出ていく。あるものは新しい可能性を試すために出ていったし、あるものは時間を節約するために出ていった。あるものは死んだ。残った人間は一人もいない。部屋の中には誰もいない。僕がいるだけだ。そして僕は彼らの不在をいつも認識している。去っていった人々を。彼らの口にした言葉や、彼らの息づかいや、彼らの口ずさんだ唄が、部屋のあちこちの隅に塵のように漂っているのが見える。

彼らが見た僕の像はおそらくかなり正確なものだったのではないかという気がする。だからこそ彼らはみんな僕のところにまっすぐやってきて、そしてやがて去っていったのだ。彼らは僕の中にまともさを認め、僕がそのまともさを維持していこうとする僕なりの誠実さ——という以外の表現を思いつけないのだ——を認めた。彼らは僕に対して何かを言おうとしたり、心を開こうとしたりした。彼らの殆どは心優しい人々だった。でも僕には彼らに何かを与えることはできなかった。もし与えることができたとしても、それだけでは足りなかった。僕はいつも彼らに出来る限りのものを与えようと努力した。できるだけのことは全部やった。僕も彼らに何かを求めようとした。でも結局は上手くいかなかった。そして彼らは去っていった。

それはもちろん辛いことだった。

でももっと辛いのは、彼らが入ってきた時よりずっと哀し気に部屋を出ていくことだった。彼らが体の中の何かを一段階磨り減らせて出ていくことだった。僕にはそれがわかった。変な話だけれど、僕よりは彼らの方がより多く磨り減っているように見えた。どうしてだろう？　何故いつも僕が残されるのだ？　そして何故いつも僕の手の中に磨り減った誰かの影が残されているのだ？　何故だろう？　わからないな。

データが不足しているのだ。

だからいつも回答がでてこないのだ。

何かが欠けているのだ。

ある日仕事の打ち合わせから戻ってみると、郵便受けに絵はがきが入っていた。宇宙飛行士が宇宙服を着て月面を歩いている写真の絵はがきだった。差しだし人の名前は書いてなかったけれど、それが誰からのはがきなのかは一目で理解できた。

「もう私たちは会わないほうがいいだろうと思います」と彼女は書いていた。「私はたぶん近いうちに地球人と結婚することになると思うから」

ドアの閉まる音が聞こえる。

でーたフソクノタメ、カイトウフカノウ。トリケシきいヲオシテクダサイ。

画面が白くなる。

いつまでこんなことが続くのだろう？　と僕は思った。僕はもう三十四だ。いつまでこれが続くのだ？

僕は哀しくはなかった。だってそれは明らかに僕の責任なのだ。彼女が僕のもとを離れていくのは当然のことだし、それは始めからわかっていたのだ。彼女にもわかっていたし、僕にもわかっていた。でも我々はささやかな奇跡を求めてもいたのだ。ちょっとしたきっかけで根本的な転換がやってくるかもしれないというようなことを。しかしもちろんそんなものはやってはこなかった。そして彼女は出ていった。彼女がいなくなったことで僕は寂しい気持ちになったが、それは以前にも経験したことのある寂しさだった。そして自分がその寂しさを上手くやりすごせるということもわかっていた。

僕は馴れつつあるのだ。

そう思うと僕は嫌な気持ちになった。内臓から黒い液がどっぷりと絞り出されて喉もとまで上がってくるような気がした。僕は洗面所の鏡の前に立って、これが俺自身だと思った。これがお前だ。お前が自分自身を磨り減らせてきたのだ。お前が思っているよりはずっと多くお前は磨り減ってきたんだ、と。僕の顔はいつもよりずっと汚く、ずっと老けて見えた。僕は石鹼で丁寧に顔を洗い、ローションを肌に擦り込み、それからまた手をゆっくり洗い、新しいタオルで手と顔をよく拭いた。そしてキッチンに行って缶ビールを飲みながら冷蔵庫の整理をした。萎びたトマトを捨て、ビールをきちんと並べ、容器をうつしかえ、買い物のリストを作った。

明け方に僕は一人でぼんやりと月を眺めながら、これがいつまで続くんだろうと思った。僕はやがてまたどこかで別の女にめぐりあうだろう。我々は遊星のように自然に引き合うのだ。そして我々はまたむなしく奇跡を期待し、時を食み、心を磨り減らせ、別れていくのだ。

それがいつまでつづくのだ？

2

彼女から月面の絵はがきが届いた一週間後に、僕は仕事で函館に行くことになった。例によってあまり魅力的とは言いがたい仕事だったが、僕は仕事のよりごのみが出来るような立場にはなかった。それにだいたい僕のところに回ってくるどの仕事をとってみても、そこにはよりごのみをするほどの差はないのだ。幸か不幸か一般的に物事というのは端っこに行けば行くほど、その質の差が目立たなくなってくる。周波数と同じことだ。あるポイントを越してしまうと、隣接する二つの音のどちらが高いかなんて殆ど聴きわけられないし、やがては聴きわけるまでもなく何も聞こえなくなってしまう。

それはある女性誌のために函館の美味い食べ物屋を紹介するという企画だった。僕とカメラマンとで店を幾つか回り、僕が文章を書き、カメラマンがその写真を撮る。全部で五ページ。女性誌というのはそういう記事を求めているし、誰かがそういう記事を書かなくてはならない。ごみ集めとか雪かきとかと同じことだ。だれかがやらなくてはならないのだ。好むと好まざるとにかかわらず。

僕は三年半の間、こういうタイプの文化的半端仕事をつづけていた。文化的雪かきだ。

ある事情でそれまで友人と二人で経営していた事務所を辞めたあと、僕は半年ばかり殆ど何もせずにただぼんやりと生きていた。何をする気も起きなかったのだ。その前の年の秋から冬にかけては実にいろんなことがあった。離婚した。友達が死んだ。不思議な死だった。女が何も言わずに去っていった。奇妙な人々に会い、奇妙な事件に巻き込まれた。そして全てが終わった時、僕はそれまでに経験したこともないくらい深い静寂にすっぽりと包みこまれていた。恐ろしいほどの濃密な不在感が僕の部屋の中に漂っていた。僕はその部屋の中に半年間じっと閉じこもっていた。生存に必要な最低限の買い物をすることを除けば、昼間は殆ど外に出なかった。人気のない明け方の時間に僕は街をあてもなく散歩した。人々が街に姿を見せ始めるころになると部屋に戻って眠った。

そして夕方前に目を覚まして簡単な食事を作って食べ、猫にもキャット・フードをやった。食事が終わると床に座って僕の身に起こったことを何度も何度も思い返して、整理してみた。順番を並べかえたり、そこに存在したはずの選択肢をリスト・アップしたり、自分の行動の正否について考えを巡らせたりした。それを明け方まで続けた。そしてまた外に出てあてもなく無人の街を彷徨い歩いた。

僕は半年間それを毎日毎日続けた。そう、一九七九年の一月から六月まで。僕は一冊の本も読まなかった。新聞さえ開かなかった。音楽も聞かなかった。TVも見なければ、ラジオも聞かなかった。誰とも会わなかったし、誰とも話をしなかった。酒も殆ど飲まなかった。飲みたいという気になれなかったのだ。世の中で何が起こっているのか、誰が有名になって誰が死んだのか、僕は何ひとつ知らなかった。一切の情報をかたくなに拒否していたというわけではない。ただとくに知りたいとも思わなかっただけだ。世界が動いていることは僕にも感じられた。部屋のなかにじっとしていても、僕はその動きを肌に感じることはできた。でもそれに対して僕は何の興味も抱けなかった。全ては無音の微風のごとく、僕のまわりを吹き過ぎていった。

僕はただ部屋の床に座って、頭の中に過去を再現しつづけていた。不思議な話だけれど、半年間それを毎日毎日続けても僕は退屈や倦怠というものをまるで感じなかった。何故なら、僕が体験したその出来事は余りにも巨大であり、余りにも多くの断面を有していたからだ。巨大で、そしてリアルだった。手を触れられるくらいに。それはまるで夜の闇の中にそびえたつモニュメントのようだった。そしてそのモニュメントは僕ひとりのためにそびえていたのだ。僕は全てを限なく検証した。僕はその出来事を通り抜けたことによってもちろんそれなりのダメージを受けてはいた。少なくはないダメージだった。多くの血が音もなく流れた。いくつかの痛みは時がたてば消えたが、いくつかの痛みはあとになってやってきた。しかし僕が半年間じっとその部屋の中に籠もり続けていたのは、その傷のためではなかった。僕はただ時間を必要としていただけなのだ。その出来事に関わる全てを具体的に——実際的に——整理し、検証するのに半年という時間が必要だったのだ。僕は決して自閉的になっていたり、外的世界をかたくなに拒否していたりしていたわけではない。ただ単にそれは時間的な問題だった。もう一度自己をきちんと回復し、立て直すための純粋に物理的な時間が僕には必要だったのだ。

自己を立て直すことの意味と、その後の方向性についてまでは考えないようにした。それはまた別の問題だ、と僕は思った。それについてはまたあとで考えればいい。まず第一に平衡性を回復するのだ。

僕は猫とさえ話をしなかった。

何度か電話がかかってきたが、僕は受話器を取らなかった。

誰かが時々ドアをノックしたが、僕は応えなかった。

手紙も何通か来た。僕のかつての共同経営者が僕の事を心配していると書いてきた。どこにいて何をしているのかわからない。とりあえずここの住所に手紙を書いておく。何か出来ることがあったら言ってほしい。こちらの仕事は今のところまずまず順調である、と書いてあった。共通の知人の消息についても触れてあった。僕は何度かそれを読み返してみて、内容を把握してから(把握するまでに四回か五回読みかえさなくてはならなかった)机の引きだしにしまった。

別れた妻からの手紙も来た。手紙には幾つか実際的な用事が書いてあった。非常に実際的なトーンの手紙だった。しかし終わりの方に自分は再婚することになった、再婚の相手はあなたの知らない人だ、と書いてあった。この先知ることもないだろう、と言いたそうなそっけのない書き方だった。ということは、僕と離婚した時につきあっていた相手とは別れたということだった。まあそうだろうな、と僕は思った。僕はその男のことをよく知っていたが、それほど大した男ではなかったからだ。ジャズ・ギターを弾いていたが、特に驚くような才能を持っていたわけでもなかった。特に面白い人物でもなかった。彼女がどうしてそんな男に引かれたのか僕にはぜんぜん見当がつかなかった。でもまあ、それは他人と他人の間の問題だ。僕については何も心配していない、と彼女は書いていた。あなたは何をしてでもちゃんとやっていく人だから。私が心配しているのはこの先あなたが関わっていくであろう人々のことです。私は最近そういうことが何だかとても心配なのです、と。

僕はその手紙も何度か読みかえし、それからやはり机の引きだしに入れた。

そんな具合に時が流れていった。

金銭面での問題はなかった。とりあえず半年暮らしていけるくらいの蓄えはあったし、その先のことは先になって考えればよかった。冬が去り、春がやってきた。春は僕の部屋を温かい平和な光で満たした。窓から差し込む光が描く線を毎日じっと眺めていると、太陽の角度が少しずつ変化していくのがわかった。春はまた僕の心を様々な古い思い出で満たした。去っていった人々、死んでしまった人々。僕は双子のことを思い出した。僕は彼女たちと三人でしばらく暮らした。一九七三年のことだ、たしか。そのころ僕はゴルフ場のわきに住んでいた。日が暮れると、僕らは金網を乗り越えてゴルフ場の中に入り、あてもなく散歩し、ロスト・ボールを拾った。春の夕暮れは僕にそんな情景を思い起こさせた。みんな何処に行ってしまったんだろう？

入り口と出口。

死んでしまった友達と二人で通った小さなスナック・バーのことも思い出した。僕らはそこでとりとめもなく時を過ごしたものだった。でも今になってみれば、それがこれまでの人生でいちばん実体のある時間であったような気がする。変なものだ。そこでかかっていた古い音楽のことも思い出した。我々は大学生だった。我々はそこでビールを飲み、煙草を吸った。我々はそういう場所を必要としていたのだ。そしていろんな話をした。でもどんな話をしたかは思い出せない。ただいろんな話をしたとしか思い出せないのだ。

彼はもう死んでしまった。

あらゆる物を抱え込んで、彼は死んでいった。

入り口と出口。

春はどんどん深まっていった。風の匂いが変わっていった。夜の闇の色合いも変化した。音も違った響きを帯びるようになっていった。そして季節は初夏に変わった。

五月の終わりに猫が死んだ。唐突な死だった。何の予兆もなかった。ある朝起きてみたら猫は台所の隅で丸くなって死んでいた。たぶん本人にもよくわからないまま死んでしまったのだろう。体は冷えたロースト・チキンみたいにかちかちになり、毛なみは生きていた時よりもっと汚く見えた。「いわし」という名の猫。彼の人生は決して幸せな代物ではなかった。とくに誰かから深く愛されたわけでもないし、とくに何かを深く愛したわけでもなかった。彼はいつも不安そうな目で人の顔を見た。自分はこれから何を失おうとしているのだろう、というような目で。そんな目つきのできる猫は他にはちょっといない。でもとにかく死んでしまった。一度死んでしまえば、それ以上失うべきものはもう何もない。それが死の優れた点だ。

僕は猫の死骸をスーパーマーケットの紙袋に入れて車の後部席に置き、近くの金物屋でシャベルを買った。そして実に久し振りにラジオのスイッチを入れ、ロック・ミュージックを聴きながら西に向かった。大抵はつまらない音楽だった。フリートウッド・マック、アバ、メリサ・マンチェスター、ビージーズ、KCアンド・ザ・サンシャインバンド、ドナ・サマー、イーグルズ、ボストン、コモドアズ、ジョン・デンヴァー、シカゴ、ケニー・ロギンズ……。そんな音楽が泡のように浮かんでは消えていった。くだらない、と僕は思った。ティーン・エイジャーから小銭を巻き上げるためのゴミのような大量消費音楽。

でもそれからふと哀しい気持ちになった。

時代が変わったのだ。それだけのことなのだ。

僕はハンドルを握りながら、僕らがティーン・エイジャーだったころにラジオからながれていた下らない音楽を幾つか思い出してみようとした。ナンシー・シナトラ、うん、あれは屑だった、と僕は思った。モンキーズもひどかった。エルヴィスだってずいぶん下らない曲をいっぱい歌っていた。トリニ・ロペスなんていうのもいたな。パット・ブーンの大方の曲は僕に洗顔石鹸を思い起こさせた。フェビアン、ボビー・ライデル、アネット、それからもちろんハーマンズ・ハーミッツ。あれは災厄だった。次から次へと出てきた無意味なイギリス人のバンド。髪が長く、奇妙な馬鹿気た服をきていた。いくつ思い出せるかな？　ハニカムズ、デイブ・クラーク・ファイブ、ジェリーとペースメーカーズ、フレディーとドリーマーズ……きりがない。死後硬直の死体を思わせるジェファーソン・エアプレイン。トム・ジョーンズ——名前を聞いただけで体がこわばる。そのトム・ジョーンズの醜いクローンであるエンゲルベルト・フンパーディンク。何を聞いても広告音楽に聞こえるハーブ・アルパートとティファナ・ブラス。あの偽善的なサイモンとガーファンクル。神経症的なジャクソン・ファイブ。

同じようなものだった。

何も変わってやしない。いつだっていつだっていつだって、物事の在り方は同じなのだ。ただ年号が変わって、人が入れ替わっただけのことなのだ。こういう意味のない使い捨て音楽はいつの時代にも存在したし、これから先も存在するのだ。月の満ち干と同じように。

僕はぼんやりとそんなことを考えながらずいぶん長く車を走らせた。途中でローリング・ストーンズの「ブラウン・シュガー」がかかった。僕は思わず微笑んだ。素敵な曲だった。「まともだ」と僕は思った。「ブラウン・シュガー」が流行ったのは一九七一年だったかな、と僕は考えた。しばらく考えてみたが、正確には思い出せなかった。でも別にどうでもいいことだった。一九七一年だろうが一九七二年だろうが、今となってはどっちでもいいことなのだ。どうしてそんなことをいちいち真剣に考えるのだろう?

適当に山深くなったところで僕は高速道路を下り、適当な林をみつけてそこに猫を埋めた。林の奥の方にシャベルで一メートルほどの深さの穴を掘り、西友ストアの紙袋でくるんだままの「いわし」を放り込み、その上に土をかけた。悪いけど、俺たちにはこれが相応なんだよ、と僕は最後に「いわし」に声をかけた。僕が穴を埋めているあいだ、どこかで小鳥がずっと啼き続けていた。フルートの高音部のような音色の声で啼く鳥だった。

穴をすっかり埋めてしまうと、僕はシャベルを車のトランクに入れ、高速道路にもどった。そしてまた音楽を聴きながら東京に向けて車を走らせた。

何も考えなかった。僕はただ音楽に耳を澄ませていた。

ロッド・スチュアートとJ・ガイルズ・バンドがかかった。それからアナウンサーがここでオールディーズを一曲、と言った。レイ・チャールズの「ボーン・トゥー・ルーズ」だった。それは哀しい曲だった。「僕は生まれてからずっと失い続けてきたよ」とレイ・チャールズが歌っていた。「そして僕は今君を失おうとしている」。その唄を聴いていて、僕は本当に哀しくなった。涙が出そうなほどだった。ときどきそういうことがある。何かがちょっとした加減で、僕の心の一番柔らかな部分に触れるのだ。僕は途中でラジオを消して、サービス・エリアに車を停め、レストランに入って野菜のサンドイッチとコーヒーを注文した。洗面所に入って手についた土を綺麗に洗い、サンドイッチをひときれだけ食べ、コーヒーを二杯飲んだ。

猫は今頃どうしているだろう、と僕は思った。あそこは真っ暗だろうな、と僕は思った。西友ストアの紙袋に土の当たる音を思い出した。でもそれが相応なんだよ。僕にもお前にも。

僕は一時間、そのレストランで野菜サンドイッチの盛られた皿をぼんやりと見つめていた。ちょうど一時間後に菫色の制服を着たウェイトレスがやってきて、その皿を下げていいか、と遠慮がちに僕に聞いた。僕は肯いた。

さて、と僕は思った。

社会に戻るべき時だった。

3

この巨大な蟻塚のような高度資本主義社会にあっては仕事を見つけるのはさほど困難な作業ではない。その仕事の種類や内容について贅沢さえ言わなければ、ということだ、もちろん。

僕は事務所を持っていたころ編集の仕事にはけっこう関わっていたし、その過程でこまごまとした文章も自分で書いていた。そういう業界の知り合いも何人かはいた。だからフリーのライターとして自分一人ぶんの生活費を稼ぎ出すくらいはまあ簡単なことだった。もともと僕はあまり生活費のかからない人間なのだ。

僕は昔の手帳をひっぱりだして何人かに電話をかけてみた。そして率直に、何か僕にできる仕事はないだろうかと聞いてみた。事情があってしばらくぶらぶらしてたんだけれど、できたらまた仕事をしたいんだと僕は言った。彼らはすぐにいくつか仕事をまわしてくれた。たいした仕事ではない。大体はＰＲ誌や企業パンフレットの穴埋め記事の仕事だった。ごく控え目に言って、僕の書かされた原稿の半分はまったく無意味で、誰の役にも立ちそうもない代物だった。パルプとインクの無駄遣い。でも僕は何も考えずに、殆ど機械的にきちんきちんと仕事を片付けていった。最初のうちは仕事量は大したものではなかった。一日に二時間ほど仕事をして、あとは散歩したり、映画を見にいったりしていた。ずいぶん沢山の映画を見た。三ヵ月ほどそんな調子で僕はのんびりとやっていた。何はともあれとにかく少しは社会と関わっているのだと思うと僕はほっとした気持ちになれた。

僕のまわりの状況が変化を見せ始めたのは秋に入って間もなくだった。仕事の依頼が突然激増したのだ。僕の部屋の電話はひっきりなしに鳴り、郵便物の量も増えた。僕は仕事の打ち合わせで沢山の人間に会い、一緒に食事をした。彼らは僕に親切にしてくれたし、これから先もどんどん仕事を回すからと言ってくれた。

理由は簡単だった。僕は仕事のよりごのみをしなかったし、まわってくる仕事は片っ端から引受けた。期限前にちゃんと仕上げたし、何があっても文句を言わず、字もきれいだった。仕事だって丁寧だった。他の連中が手を抜くところを真面目にやったし、ギャラが安くても嫌な顔ひとつしなかった。午前二時半に電話がかかってきてどうしても六時までに四百字詰め二十枚書いてくれ(アナログ式時計の長所について、あるいは四十代女性の魅力について、あるいはヘルシンキの街——もちろん行ったことはない——の美しさについて）と言われれば、ちゃんと五時半には仕上げた。書き直せと言われれば六時までに書き直した。評判が良くなって当然だった。

雪かきと同じだった。

雪が降れば僕はそれを効率良く道端に退かせた。

一片の野心もなければ、一片の希望もなかった。来るものを片っ端からどんどんシステマティックに片付けていくだけのことだ。正直に言ってこれは人生の無駄遣いじゃないかと思うこともないではなかった。でもパルプとインクがこれだけ無駄遣いされているのだから、僕の人生が無駄遣いされたとしても文句を言える筋合いではないだろう、というのが僕の到達した結論だった。我々は高度資本主義社会に生きているのだ。そこでは無駄遣いが最大の美徳なのだ。政治家はそれを内需の洗練化と呼ぶ。僕はそれを無意味な無駄遣いと呼ぶ。考え方の違いだ。でもたとえ考え方に相違があるにせよ、それがとにかく我々の生きている社会なのだ。それが気にいらなければ、バングラデシュかスーダンに行くしかない。

僕はとくにバングラデシュにもスーダンにも興味が持てなかった。

だから黙々と仕事を続けた。

そのうちにＰＲの仕事だけではなく、一般誌の仕事の依頼も来るようになった。どういうわけか女性誌の仕事が多かった。インタビューの仕事や、ちょっとした取材記事を手掛けるようになった。でもそういうのがPR誌にくらべてとくに仕事として面白いわけではなかった。僕がインタビューする相手は雑誌の性格上、大半が芸能人だった。誰に何を聞いても、判で押したような答えしか返ってこなかった。彼らがどう答えるかは質問する前から予想がついた。ひどい時には、まずマネージャーが僕を呼びつけて、どんな質問をするのか、前もって教えてくれと言った。だから僕がする質問の答えは始めから全部きちんと答えが用意されていた。僕がその十七歳の女性歌手に決められた以外の質問をすると、隣にいるマネージャーが「そういうことは話が違うからちょっと答えられない」と口を出した。やれやれこの女の子はマネージャーなしには十月の次に何月がくるのかもわからないんじゃないだろうかと僕は時々真剣に心配したものだった。そんな代物はもちろんインタビューとも言えない。でも僕はベストをつくしてやった。インタビューの前にはできるだけ綿密な調査をしたし、他人があまりやらないような質問を考えた。構成に細かく工夫を凝らした。そんなことしたって特に評価されるわけでもないし、誰かから温かい言葉をかけられるわけでもない。僕がそういう風に一所懸命やったのはそうすることが、僕にとってはいちばん楽だったからだ。自己訓練。しばらく働かせていなかった指と頭を実際的な――そして出来ることなら無意味な――物事に向けて酷使すること。

社会復帰。

僕はそれまでに経験したことがないような忙しい日々を送るようになった。定期的な仕事を幾つか抱えたうえに、飛び込みの仕事も多かった。誰も引き受け手のみつからない仕事は必ず僕のところに回ってきた。トラブルを抱えたややこしい仕事も必ず僕のところに回ってきた。僕はその社会の中では町はずれの廃車置き場のような位置をしめていた。何かの具合が悪くなると、みんな僕のところにそれを捨てにきた。誰もが寝静まった夜更けに。

おかげで僕の貯金通帳の数字は僕がそれまで見たこともないような額に膨れあがっていったし、忙しすぎてそれを使う暇もなかった。僕は問題の多かったこれまでの車を処分して、知り合いからスバル・レオーネを安く譲ってもらった。ひとつ前のモデルだったが、それほどの距離は走ってなかったたし、カー・ステレオとエアコンまでついていた。そんなものがついた車に乗るなんて生まれて初めてのことだった。これまでのアパートは都心から離れすぎていたので、渋谷の近くに引っ越した。窓のすぐ前が高速道路で少々うるさくはあったけれど、それさえ気にしなければなかなか良いアパートだった。

仕事のうえで知り合った何人かの女の子と寝た。

社会復帰。

僕は自分がどんな女の子と寝ればいいのかがわかっていた。そして誰と寝ることができて誰と寝ることができないのかもわかっていた。誰と寝るべきじゃないのかも。年をとればそういうのが自然にわかるようになってくるものなのだ。そしてどこが切り上げ時かもわかっていた。そういうのはとても自然で楽なことだった。だれも傷つけなかったし、僕の方も傷つかなかった。あの締め付けられるような心の震えがないだけだった。

ぼくがいちばん深く関わったのは、例の電話局につとめる女の子だった。彼女とはどこかの年末のパーティーで知り合った。二人とも酔っぱらっていて、冗談を言いあって、意気投合して、僕のアパートに行って寝た。彼女は頭が良くて、脚がとても綺麗な子だった。僕らは中古のスバルに乗って、いろんなところにドライブにも行った。彼女は気が向いた時に僕に電話をかけてきて、泊まりにいっていいかと聞いた。そういう一歩つっこんだ関係になった相手は彼女だけだった。そんな関係が何処にも到達しないことは僕にも彼女にもわかっていた。でも人生のある種の猶予期間のようなものを、僕らは二人で静かに共有した。それは僕にとっても久し振りに心おだやかな日々だった。僕らは優しく抱き合い、小さな声で話をした。僕は彼女の為に料理を作り、誕生日にはプレゼントを交換した。僕らはジャズ・クラブに行って、カクテルを飲んだ。僕らは口論ひとつしなかった。僕らはお互いが何を求めているのかを心得ていた。でもそれも結局は終わってしまった。

それはある日突然フィルムが切れるみたいにぷつんと終わってしまったのだ。

彼女が去っていったことは、僕の中に予想以上の喪失感をもたらした。しばらくの間、自分自身がたまらなく空虚に感じられた。僕は結局どこにも行かない。みんなが次々に去っていき、僕だけが引き延ばされた猶予期間の中にいつまでもとどまっていた。現実でありながら現実でない人生。

でもそれが僕が空虚さを感じたいちばん大きな理由ではなかった。

いちばんの問題は僕が心の底からは彼女を求めてはいなかったということだった。僕は彼女のことが好きだった。彼女と一緒にいるのが好きだった。彼女と二人でいると、僕は心地好い時間を送ることができた。優しい気持ちにもなれた。でも結局のところ僕は彼女を求めてはいなかったのだ。彼女が去ってしまった三日ばかり後で、僕はそのことをはっきりと認識した。そう、結局のところ彼女の隣にいながら僕は月の上にいたのだ。脇腹に彼女の乳房の感触を感じながら僕が本当に求めていたのはもっと別のものだったのだ。

僕は四年かけてなんとか自らの存在の平衡性を取り戻した。僕は与えられた仕事をひとつひとつきちんと片付けてきたし、人々は僕に信頼感を抱いてくれた。それほど数多くないにせよ、何人かは僕に好意のようなものを抱いてくれた。でも、言うまでもないことだけれど、それだけでは足りなかったのだ。全然足りなかったのだ。要するに僕は時間をかけてやっと出発点に戻りついたというだけなのだ。

さて、と僕は思った。三十四にして僕は再び出発点に戻ったわけだ。さて、これからどうすればいいのだろう？　まず何をすればよいか？

考えるまでもなかった。何をすればよいかは、はじめからわかっていた。結論はずっと前から固い雲のように僕の頭上にぽっかりと浮かんでいた。僕はただそれを実行に移す決心をつけることができなくて、一日また一日と後回しにしていただけなのだ。いるかホテルに行くのだ。それが出発点なのだ。

そして僕はそこで彼女に会わなくてはならない。僕をいるかホテルに導いた、あの高級娼婦をしていた女の子に。何故ならキキは今僕にそれを求めているからだ（読者に・彼女は名前を必要としている。たとえそれがとりあえずの名前であったとしてもだ。彼女の名はキキという。片仮名のキキ。僕はその名前を後になって知ることになる。その事情は後で詳述するが、僕はこの段階で彼女にその名前を付与することにする。彼女はキキなのだ。少なくとも、ある奇妙な狭い世界の中で、彼女はそういう名前で呼ばれていた）。そしてキキがスターターの鍵を握っているのだ。僕は彼女をもう一度この部屋に呼び戻さなくてはならない。一度出ていったものはもう二度と戻ってはこないこの部屋に。そんなことが可能なのかどうか、僕にはわからない。でもとにかくやってみるしかないのだ。そこから新しいサイクルが始まるのだ。

僕は荷物をまとめ、とりあえず締切の迫っていた仕事をおお急ぎで片っ端から片付けてしまった。そして予定表に書いてあった来月の仕事を全部キャンセルした。みんなに電話をかけ、家庭の事情でどうしても一ヵ月東京を離れなくてはならないことになった、と言った。何人かの編集者はぶつぶつと文句を言ったが、僕がそんなことをするのはこれが初めてだったし、日程もまだずっと先のことだったから、彼らとしても今からならなんとでも手の打ちようがあった。だから、結局みんな了承してくれた。一ヵ月後にはちゃんと帰ってきてまた仕事をするからと僕は言った。そして僕は飛行機に乗って北海道に向かった。一九八三年の三月の始めのことだった。

でももちろん僕のその戦場離脱は一ヵ月では終わらなかった。

4

僕はタクシーを二日借りきって、カメラマンと二人で雪の降り積もった函館の食べ物屋を片っ端からまわっていった。

僕の取材はシステマティックで効率の良いものだった。この手の取材でいちばん大事なことは下調べと綿密なスケジュールの設定である。それが全てと言ってもいい。僕は取材前に徹底的に資料を集める。僕のような仕事をしている人間のために様々な調査をしてくれる組織がある。会員になって年会費を納めれば、たいていのことは調べてくれる。たとえば函館の食べ物屋についての資料をほしいといえば、かなりの量を集めてくれる。大型のコンピューターを使って情報の迷宮の中から効果的に必要な物をかきあつめてくるわけだ。そしてコピーをとって、きちんとファイルして、届けてくれる。もちろんそれなりの金はかかるが、時間と手間を金で買うのだと思えば決して高い金額ではない。

それとは別に、僕は自分の足を使って歩きまわり、独自の情報も集める。旅行関係の資料を集めた専門図書館もあるし、地方新聞・出版物を集めている図書館もある。そういう資料を全部集めれば相当な量になる。その中から物になりそうな店をピックアップする。それぞれの店に前もって電話をかけて、営業時間と定休日をチェックする。これだけ済ませておけば、現地に行ってからの時間が相当節約される。ノートに線を引いて一日の予定表を組む。地図を見て、動くルートを書き込む。不確定要素は最小限に押さえる。

現地についてから、カメラマンと二人で店を順番に回っていく。全部で約三十店。もちろんほんの少し食べてあとはあっさり残す。味を見るだけだ。消費の洗練化。この段階では我々は取材であることを隠している。写真も写さない。店を出てから、カメラマンと僕とで味について討議し、十点満点で評価する。良ければ残すし、悪ければ落とす。だいたい半分以上を落とす見当でやる。そしてそれと平行して、地元のミニコミ誌と接触してリストからこぼれている店を五つばかり推薦してもらう。ここも回る。選ぶ。そして最終的な選択が終わるとそれぞれの店に電話をかけ、雑誌の名前を言って、取材と写真撮影を申し込む。これだけを二日で済ませる。夜のうちに僕はホテルの部屋で大体の原稿を書いてしまう。

翌日はカメラマンが料理の写真を手早く写し、その間に僕が店主に話を聞く。手短に。全ては三日で片付く。もちろんもっと早くすませてしまう同業者もいる。でも彼らは何も調べない。適当に有名店を選んで回るだけだ。中には何も食べないで原稿を書く人間だっている。書こうと思えば書けるのだ、ちゃんと。率直に言って、この種の取材を僕みたいに丁寧にやる人間はそれほどはいないだろうと思う。真面目にやれば本当に骨の折れる仕事だし、手を抜こうと思えば幾らでも抜ける仕事なのだ。そして真面目にやっても、手を抜いてやっても、記事としての仕上がりには殆ど差は出てこない。表面的には同じように見える。でもよく見るとほんの少し違う。

僕は別に自慢したくてこういう説明をしているわけではない。

僕はただ僕の仕事の概要のようなものを理解してほしいだけなのだ。僕の関わっている消耗がどのような種類の消耗であるかというようなことを。

そのカメラマンと僕とは前にも何度か一緒に仕事をしたことがあった。我々は割に気があっていた。我々はプロである。清潔な白手袋をはめ、大きなマスクをつけ、染みひとつないテニス・シューズをはいた死体処理係のように。我々はてきぱきと簡潔に仕事をする。余計なことは言わないし、お互いの仕事に敬意を払う。これが生活の為にやっているつまらない仕事だということはどちらもわかっている。でもそれが何であれ、やるからにはきちんとやる。そういう意味で我々はプロなのだ。三日めの夜には僕は原稿を全部仕上げてしまった。

四日めは予備に空けておいた日だった。仕事も終わったし特にやることもないので、僕らはレンタカーを借りて近郊にでかけ、一日クロスカントリー・スキーをした。そして夜はふたりで鍋をつつきながら、ゆっくり酒を飲んだ。のんびりとした一日だった。僕は原稿を彼に託した。これで僕がいなくても他の人間があとの仕事を引き継いでやってくれることになっていた。寝る前に僕は札幌の番号案内に電話をかけて、ドルフィン・ホテルの番号を聞いた。番号はすぐにわかった。僕はベッドの上に座りなおしてふうっと溜め息をついた。まあこれでまだいるかホテルが潰れていないことだけはわかった。一安心と言うべきだろう。いつ潰れても不思議はないホテルだったのだ。僕は一度深呼吸をしてから、その番号をまわした。すぐに人が出た。まるで待ち構えていたみたいに、すぐだった。それで僕はいささか混乱した。何だかちょっと手際が良すぎる。

電話に出た相手は若い女の子だった。女の子？　おいよせよ、と思った。いるかホテルはカウンターに若い女の子がいるようなホテルではないのだ。

「ドルフィン・ホテルでございます」と彼女は言った。

僕はよく訳がわからなかったので、念のために住所を確認してみた。住所はちゃんと昔どおりの住所だった。たぶん新しく女の子を雇ったんだろう。考えてみれば特に気にするほどのことでもない。予約をお願いしたい、と僕は言った。

「ありがとうございます。少々お待ち下さい。ただいま予約係におまわしいたします」と彼女ははきはきした明るい声で僕に言った。

予約係？　僕はまた混乱した。ここまでくるとどうにも解釈のしようがない。いったいあのいるかホテルに何が起こったのだ？

「お待たせいたしました。予約係でございます」とこれも若そうな男の声がした。てきぱきとした愛想のいい声だった。どう考えてもプロのホテルマンの声だ。

僕はとにかく三日間シングル・ルームを予約した。名前と東京の電話番号を教えた。

「かしこまりました。明日から三日間、シングル・ルームをお取りいたします」と男が確認した。

それ以上話すべきことも思いつかなかったので、僕は礼を言って、混乱したままの状態で電話を切った。電話を切ってしまうと、余計に混乱の度合いが深まった。そしてしばらく電話機をじっと眺めていた。誰かが電話をかけてきて、それについて何かを説明してくれるんじゃないか、というような感じで。でも説明はなかった。まあいいや、なるようになるさ、と僕はあきらめた。実際に行ってみれば全てははっきりする。行ってみるしかない。いずれにせよ、そこに行かないわけにはいかないのだ。他に特に際だった選択肢があるわけでもないのだ。

僕はホテルのフロントに電話して札幌行きの列車の出発時刻を調べてもらった。昼前のちょうどいい時間に一本特急があった。それから僕はルーム・サービスの係に電話をかけて、ウィスキーのハーフ・ボトルと氷を持ってきてもらい、それを飲みながらＴＶの深夜映画を見た。クリント・イーストウッドの出てくる西部劇だった。クリント・イーストウッドはただの一度も笑わなかった。微笑みさえしなかった。苦笑さえしなかった。僕が何度か笑いかけてみても、彼は動じなかった。映画が終わり、ウィスキーもあらかた飲んでしまってから、僕は電気を消して朝までぐっすりと眠った。夢ひとつ見なかった。

＊

特急列車の窓からは雪しか見えなかった。よく晴れた日で、しばらく外を見ていると目がちくちくと痛んだ。僕の他には外を見ている乗客なんてひとりもいなかった。みんな知っているのだ。外を見たって雪しか見えないということを。

僕は朝食を抜かしたので十二時前に食堂車に行って昼食を食べた。ビールを飲み、オムレツを食べた。僕の向かいにはきちんとネクタイを締め、スーツを着込んだ五十前後の男が座って、やはりビールを飲み、ハムのサンドイッチを食べていた。彼はどことなく機械技師みたいに見えたが、実際に機械技師だった。彼は僕に話しかけてきて、自分は機械技師で、自衛隊の航空機の整備の仕事をしているのだと言った。そして、ソビエトの爆撃機や戦闘機の領空侵犯についていろいろと詳しく僕に教えてくれた。でも彼はソビエト機の領空侵犯の違法性については気にかけていないようだった。彼が気にしているのはF4ファントムの経済性についてだった。それが一度のスクランブルでどれくらい燃料を食うかということを、彼は僕に教えてくれた。燃料のひどい無駄遣いだ、と彼は言った。「日本の航空機会社に作らせれば、もっとずっと安上がりにできますよ。F4に性能的に負けない、安上がりのジェット戦闘機なんて作ろうと思えば作れるんですよ、すぐにでも」

それで僕は無駄というものは、高度資本主義社会における最大の美徳なのだと彼に教えてやった。日本がアメリカからファントム・ジェットを買って、スクランブルをやって無駄に燃料を消費することによって、世界の経済がそのぶん余計に回転し、その回転によって資本主義はより高度になっていくのだ。もしみんなが無駄というものを一切生み出さなくなったら、大恐慌が起こって世界の経済は無茶苦茶になってしまうだろう。無駄というものは矛盾を引き起こす燃料であり、矛盾が経済を活性化し、活性化がまた無駄を作りだすのだ、と。

そうかもしれない、と彼は少し考えてから言った。でも自分は物資不足の極とも言うべき戦争中に子供時代を送ったせいか、そういう社会構造が実感としてよく摑めないのだ、と言った。

「私らは、どうもあなたがた若い人とは違って、そういう複雑なのにはどうも上手く馴染めんですな」と彼は苦笑しながら言った。

僕も決して馴染んでいるわけではなかったが、話がこれ以上長くなっても困るので、別に反論もしなかった。馴染んでいるのではない。把握、認識しているだけなのだ。そのふたつの間には決定的な差がある。でもとにかく僕はオムレツを食べ終え、彼に挨拶をして席を立った。

札幌までの列車の中で、僕は三十分ほど眠り、函館の駅近くの書店で買ったジャック・ロンドンの伝記を読んだ。ジャック・ロンドンの波瀾万丈の生涯に比べれば、僕の人生なんて樫の木のてっぺんのほらで胡桃を枕にうとうとと春をまっているリスみたいに平穏そのものに見えた。少なくとも一時的にはそういう気がした。伝記というのはそういうものなのだ。いったい何処の誰が平和にことも無く生きて死んでいった川崎市立図書館員の伝記を読むだろう？　要するに我々は代償行為を求めているのだ。

僕は札幌の駅につくと、ぶらぶらいるかホテルまで歩いてみることにした。風のない穏やかな午後だったし、荷物はショルダー・バッグひとつだけだった。街の方々に汚れた雪がうずたかく積み上げられていた。空気はぴりっと張り詰めていて、人々は足元に注意を払いながら簡潔に歩を運んでいた。女子高校生はみんな頬を赤く染めて、勢いよく白い息を空中に吐き出していた。その上に字が書けそうなくらいぽっかりとした白い息だった。僕はそんな街の風景を眺めながら、のんびりと歩いた。札幌に来たのは四年半ぶりだったが、それはずいぶん久し振りに見る風景のように感じられた。

僕は途中でコーヒー・ハウスに入って一服し、ブランディーの入った熱くて濃いコーヒーを飲んだ。僕のまわりではごく当たり前の都市における人々の営みが続けられていた。恋人同士が小さな声で語り合い、ビジネス・マンが二人で書類を広げて数字を検討し、大学生が何人か集まってスキー旅行やらポリスの新しいLPやらについて話していた。それは日本中のどこの都市でも日常的に繰り広げられている光景だった。この店の内部をそっくり横浜なり福岡なりに持っていっても全然違和感はないはずだった。でもそれにもかかわらず、いやそれが外面的にはまったく同じであるからこそ、僕はその店の中に座ってコーヒーを飲みながら、激しい焼けつくような孤独を感じることになった。僕一人だけが完全な部外者だという気がした。この街にも、これらの日常生活にも、僕はまったく属していないのだ。

もちろん東京のコーヒー・ハウスの何処に僕が属しているかといえば、そんなものの何処にも属してはいない。でも僕は東京のコーヒー・ハウスでそのような激しい孤独を感じることはない。僕はコーヒーを飲み、本を読み、ごく普通に時を過ごす。何故ならそれはとりたてて深く考えるまでもない日常生活の一部だからだ。

しかしこの札幌の街で、僕はまるで極地の島に一人で取り残されてしまったような激しい孤独を感じた。情景はいつもと同じだ。どこにでもある情景だ。でもその仮面を剥いでしまえば、この地面は僕の知っているどの場所にも通じていないのだ。僕はそう思った。似ている――でも違う。まるで別の惑星みたいだ。言語も服装も顔つきもみんな同じだけれど、何かが決定的に違う別の惑星。ある種の機能がまったく通用しない別の惑星――でもどの機能が通用してどの機能が通用しないかはひとつひとつ確かめてみるしかないのだ。そして何かひとつしくじれば、僕が別の惑星の人間だということはみんなにばれてしまう。みんなは立ち上がって僕を指さしなじることだろう。**お前は違う**、と。**お前は違うお前は違うお前は違う。**

僕はコーヒーを飲みながらぼんやりとそんなことを考えていた。妄想だ。でも僕が孤独であること――これは真実だった。僕は誰とも結びついていない。それが僕の問題なのだ。僕は僕を取り戻しつつある。でも僕は誰とも結びついていない。

この前誰かを真剣に愛したのはいつのことだったろう?

ずっと昔だ。いつかの氷河期といつかの氷河期との間。とにかくずっと昔だ。歴史的過去。ジュラ紀とか、そういう種類の過去だ。そしてみんな消えてしまった。恐竜もマンモスもサーベル・タイガーも。宮下公園に打ち込まれたガス弾も。そして高度資本主義社会が訪れたのだ。そういう社会に僕はひとりぼっちで取り残されていた。

僕は勘定を払って外に出た。そして何も考えずにいるかホテルまでまっすぐ歩いた。いるかホテルの場所を僕ははっきりとは覚えていなかったので、それがすぐにみつかるかどうかいささか心配だったのだけれど、心配する必要なんて何もなかった。ホテルはすぐにみつかった。それは二十六階建ての巨大なビルディングに変貌を遂げていた。バウハウス風のモダンな曲線、光り輝く大型ガラスとステンレス・スティール、車寄せに立ち並ぶポールとそこにはためく各国旗、きりっとした制服を着込んでタクシーを手招きしている配車係、最上階のレストランまで直行するガラスのエレベーター……そんなものを誰が見落とすだろう？　入り口の大理石の柱にはいるかのレリーフがうめこまれ、その下にはこう書かれていた。

「ドルフィン・ホテル」と。

僕は二十秒ばかりそこに立ちすくんで、口を半分開けて、そのホテルをただじっと見上げていた。そしてそれからまっすぐ延ばせば月にだって届きそうなくらい長く深い溜め息をついた。僕はすごく驚いたのだ——ごく控え目に表現して。

5

いつまでもホテルの前にぼうっと立ちすくんでいるわけにはいかないので、とにかく中に入ってみることにした。住所もあっているし、ホテルの名前もあっている。予約だって取ってあるのだ。入るしかない。

僕はなだらかな坂になった車寄せを歩いて上り、ぴかぴかに磨きあげられた回転ドアから中に入った。ロビーは体育館みたいに広く、天井は吹き抜けになっていた。ずっと上の方までガラスの壁が続き、そこから陽光が燦々と降り注いでいた。フロアには大きなサイズのいかにも高価そうなソファが並び、その間に観葉植物の鉢が気前よくたっぷりと配されていた。ロビーの奥にはゴージャスなコーヒー・ルームがあった。こういうところでサンドイッチを注文すると名刺くらいのサイズの上品なハム・サンドイッチが大きな銀の皿に四つもられて出てくる。ポテト・チップとピックルスが芸術的に配されている。そしてそれにコーヒーをつけると、慎み深い四人家族の昼食代くらいの値段になるのだ。壁には北海道の何処かの湿原を描いたらしい三畳間くらいの大きさの油絵がかかっていた。特に芸術的とはいえないが、とにかく見栄えのする大きな絵であることは確かだった。何かの集まりがあるらしく、ロビーはけっこう混み合っていた。身なりの良い中年の男の一団がソファに座って、肯いたり、鷹揚に笑ったりしていた。みんな同じような顎の突き出し方をし、同じような脚の組み方をしていた。たぶん医者か大学の先生の団体だろうと僕は思った。それとは別に——いや同じ集まりなんだろうか？——盛装した若い女性のグループもいた。半分は和服を着て、半分はワンピースを着ていた。外国人も何人かいた。ビジネス・スーツに身を包み、目立たないネクタイを締め、アタッシェ・ケースを抱えて誰かと待ち合わせているビジネス・マンの姿も見えた。

一言で言えば、新・いるかホテルは繁盛しているホテルだった。

きちんと資本を投下し、きちんとそれを回収しているホテルなのだ。こういうホテルがどのようにして作られるのか、僕は知っていた。一度あるホテル・チェーンのPR誌の仕事をしたことがあるのだ。こういうホテルを作るにあたって、人は前もって何から何まで全部きちんと計算するのだ。プロが集まってコンピューターを使って、あらゆる情報を打ち込み、徹底的に試算する。トイレット・ペーパーの仕入れ値段とその使用量まで試算するのだ。学生アルバイトを使って札幌の街の各々の通りの通行人の数も調べる。結婚式の数を算定するために札幌の適齢期の男女の数も調べあげる。とにかく何から何まで調べるのだ。そして営業上のリスクをどんどん減らしていく。彼らは長い時間をかけて綿密な計画を練り、プロジェクト・チームを作り、土地を買収する。人材を集め、派手な宣伝を打つ。金で解決することなら——そしてその金がいつか戻ってくるという確信があれば——彼らはそこに幾らでも金を注ぎ込む。そういう種類のビッグ・ビジネスなのだ。

そういうビッグ・ビジネスを扱えるのは、様々な種類の企業を傘下に収めた大型複合企業だけだ。何故ならどれだけリスクを削っていっても、そこには計算の出来ない潜在的リスクが残るし、そういうリスクを吸収できるのは、その手のコングロマリットだけだからだ。

新・いるかホテルは正直なところ、僕の好みのホテルとは言えなかった。少なくとも、普通の状況であれば僕は自分の金を出してこんなホテルには泊まらない。値段が高いし、余計な物が多すぎる。でも仕方ない。何はともあれとにかくこれが変貌を遂げた新しいいるかホテルなのだ。

僕はカウンターに行って名前を告げた。ライト・ブルーの揃いのブレザー・コートを着た女の子たちが歯磨きの宣伝みたいににっこりと笑って僕を迎えてくれた。こういう笑い方の教育も資本投下の一部なのだ。女の子たちはみんな処女雪のごとく真っ白なブラウスを着て、髪をきちんとセットしていた。女の子は三人いたが、僕のところに来た子だけが眼鏡をかけていた。眼鏡がよく似合う感じの良い女の子だった。彼女が来てくれたことで僕はちょっとほっとした。三人の中では彼女がいちばん綺麗だったし、僕は一目で彼女のことを気に入っていたからだ。彼女の笑顔の中にはなにかしら僕の心をひきつけるものがあった。まるでホテルのあるべき姿を具現化したホテルの精みたいだ、と僕は思った。手に小さな金の杖を持ってさっと振ると、ディズニー映画みたいに魔法の粉が舞って、ルーム・キイが出てくるのだ。

でも彼女は金の杖のかわりにコンピューターを使った。キイ・ボードで僕の名前とクレジット・カードのナンバーを手際良くインプットし、画面を確認してからまたにっこり微笑んでカード式のキイをくれた。1523というのが僕の部屋番号だった。僕は彼女に頼んでホテルのパンフレットをひとつもらった。そして、このホテルはいつから営業しているのかと訊いてみた。昨年の十月でございます、と彼女は反射的に答えた。まだ五ヵ月しか経っていないのだ。

「ねえ、ちょっと聞きたいんだけど」と僕は言った。僕も営業用の感じの良い微笑みをきちんと顔に浮かべていた。僕だってちゃんとそういうのを持っているのだ。「昔ここの同じ場所に同じ名前の『ドルフィン・ホテル』という小さなホテルがあったでしょう？　それがどうなったか知ってる?」

　彼女の笑顔が少しだけ乱れた。上品な静かな泉にビール瓶のふたを放り込んだみたいに静かな波紋が彼女の顔に広がり、そして収まった。収まった時、笑顔は以前のそれよりも幾分後退していた。僕はそういうこみいった変化を感心して観察していた。泉の精が現れて、あなたが今投げ込んだのは金のふたですか、それとも銀のふたですか、と質問するんじゃないかという気がしたくらいだった。でももちろんそんなものは出てこなかった。

「さあ、いかがでしょう」と彼女は言って、ひとさし指で眼鏡のブリッジを軽くさわった。「なにぶん開業前のことですので、私どもはちょっとそういうことは……」

　彼女はそこで言葉を切った。僕はその続きを待ったが、続きはなかった。

「申し訳ございません」と彼女は言った。

「ふむ」と僕は言った。僕は時間が経つにつれてますます彼女に対して好感を持ち始めていた。僕もひとさし指で眼鏡をさわりたかったけれど、残念ながら僕は眼鏡をかけていなかった。「じゃあ、誰に聞けばわかるだろう、その辺の経緯が?」

　彼女はしばらく息をとめて考えこんでいた。笑顔はもう消えていた。笑いながら息をとめるのはすごくむずかしいのだ。やってみればわかる。

「申し訳ございません。少々お待ち下さい」と彼女は言って、奥に引っ込んだ。三十秒ほどあとで彼女は四十前後の黒服の男を伴って戻ってきた。見るからにホテル・ビジネスのプロという雰囲気の男だった。こういう人物には前にも何度か仕事で会ったことがある。彼らは奇妙な人々である。彼らは大体いつも笑みを浮かべているのだが、状況に応じて笑顔を二十五種類くらい使いわけられるのだ。丁寧な冷笑から、適度に抑制された満足の笑みまで。その笑顔のグラデーションには全部番号が振ってある。ナンバー1からナンバー25まで。そういうのを、彼らは状況に応じてゴルフ・クラブを選ぶみたいに使いわける。そういうタイプの男だった。

「いらっしゃいませ」と言って彼は中間的な笑顔を僕に向けて丁寧に頭を下げた。僕の服装は彼にあまり良い印象を与えなかったようで、笑顔が三段階ほど下降した。僕は裏に毛皮のついた温かいハンティング用のハーフコート（胸にキース・ヘリングのバッジをつけている）に毛糸の帽子（オーストリア陸軍のアルプス部隊がかぶっているやつ）をかぶり、ポケットがいっぱいついたタフなズボンをはき、雪道を歩くための頑丈なワーク・ブーツを履いていた。どれもきちんとした立派な、そして現実的な品物だったが、そのホテルのロビーにはいささかヘビー・デューティーに過ぎた。でもそれは僕のせいではない。そういうのは生き方の違いであり、考え方の違いなのだ。

「なにか手前どものホテルに関して御質問がおありということですが」と彼はとても丁寧

な口調で言った。

僕はカウンターに両手を置いて、さっき女の子にしたのと同じ質問をした。男は捻挫した猫の前足を眺める獣医のような目付きで、僕のはめているディズニー・ウォッチをちらりと見た。

「失礼でございますが」と彼はちょっと間をおいて言った。「どのようなわけで以前のホテルのことをお知りになりたいのでしょうか？　もしよろしければ、その理由をうかがわせて頂きたいのですが」

僕は簡単に説明した。何年か前に以前のドルフィン・ホテルに泊まって、そこの主人と親しくなった。今回久し振りに訪ねてみたら、このとおりがらりと変わってしまっていた。それで彼がどうなったのか知りたい。いずれにせよまったく個人的なことなのだ、と僕は言った。

彼は何度か肯いた。

「実を申しまして、わたくしも細かい事情まではよく存じません」と男は注意深く言葉を選びながら言った。「ただ簡単に御説明申し上げますと、以前のそのドルフィン・ホテルがございました土地を手前どもが買い上げまして、その跡に新しくホテルを建てたということです。たしかに名前は同じですが、経営的にはまったく別のホテルでございまして、具体的な関係のようなものは一切ございません」

「どうして名前が一緒なんだろう?」と僕は聞いてみた。

「申し訳ございませんが、その辺の事情まではちょっと……」と彼は言った。

「以前の主人がどこに行ったかもわからないでしょうね?」

「申し訳ございません」と彼は笑顔をナンバー16に切り換えて答えた。

「誰に聞けばわかるでしょうね、そういういろんなことが?」

「そうでございますねえ」と彼は言って、少し首をひねった。「わたくしどもは現場の人間でございまして、開業以前の事情というのは全くノー・タッチなんでございます。ですから誰に聞けばと言われましても、急にはちょっと、なんとも」

彼の言うことにも確かに一理あったが、何かが頭にひっかかった。その男の受け答えにも、女の子の受け答えにも、何かしら人工的な匂いが漂っているのだ。どこがいけないというのでもない。でもすんなりと飲み込めない。インタビューをしていると自然にこういう職業的な勘がついてくる。何かを隠しているときの口調、嘘をついているときの表情。根拠はなにもない。ただふと感じるのだ。ここには何か言外に隠されたものがある、と。

でもこれ以上ここで彼らを押しても何も出てこないだろうということだけははっきりしていた。僕は男に礼を言った。彼は軽く一礼して奥にひっこんだ。黒服の男がいなくなってしまってから、僕は女の子に食事とルーム・サービスのことを訊いた。彼女は丁寧に教えてくれた。彼女が喋っているあいだ、僕はじっとその目をのぞきこんでいた。とても綺麗な目だった。じっとのぞきこんでいると何かが見えそうだった。僕と視線が合うと、彼女は顔を赤らめた。僕はそれで彼女のことがもっと好きになった。どうしてだろう？　彼女がホテルの精のように見えるからだろうか？　とにかく僕は礼を言ってカウンターを離れ、エレベーターで部屋に上がった。

1523号室はなかなか立派な部屋だった。シングル・ルームにしてはベッドも風呂もひろびろとしていた。冷蔵庫にはいろんなものがたっぷりと入っていた。便箋も封筒もいっぱいあった。書きもの机も立派なものだった。バスルームにはシャンプーからリンスからアフター・シェーブからバスローブまで揃っていた。クローゼットも広かった。絨毯は新しくてふかふかしていた。僕はコートとブーツを脱いでソファに座り、ホテルのパンフレットを読んでみた。パンフレットも立派なものだった。僕もこういうものを作ったことがあるからよくわかる。どこも手を抜いていない。

このドルフィン・ホテルはまったく新しいタイプの高級都市ホテルなのだ、とパンフレットに書いてあった。すべての現代的な設備を備え、二十四時間切れ目のない万全のサービスを提供する。そして部屋はすべてゆったりと余裕をもって作られている。選びぬかれた調度品、静けさ、温かみのある居住性。「ヒューマンな空間」とパンフレットにはあった。要するに金がかかっていて、料金が高いのだ。

パンフレットを詳しく読んでみると、ここはたしかにいろんなものが実によく揃ったホテルだった。地下には大きなショッピング・センターがあった。室内プールもあれば、サウナもあれば、日焼け室もあった。インドア・テニス場があり、運動器具を並べたコーチつきのヘルス・クラブがあり、同時通訳ができる会議室があり、レストランが五つあり、バーが三つあった。終夜営業のカフェテリアもあった。リムジン・サービスまであった。あらゆる種類の文具・事務用品を完備したスタディー・スペースがあって、誰でもそこを利用することができた。考えつけるものはみんなあった。屋上にはヘリ・ポートまであった。

ないものがなかった。

最新の設備・ゴージャスな内装。

でもいったいどこの企業がこのホテルを所有し経営しているのだろう？　僕はパンフレットやら何やらかやらを隅々まで読んでみた。でも経営母体についてはどこにも何も書いてなかった。どう考えても変な話だった。これだけのスーパーAクラスの豪華ホテルを建てて経営することはホテル・チェーンを持っているプロの企業にしか不可能だし、そういう企業なら必ず社名を入れて、自社の他のホテルの宣伝もするはずだからだ。たとえばプリンスホテルに泊まれば、そのパンフレットには全国のプリンスホテルの住所と電話番号が印刷してある。そういうものなのだ。

それにこんな立派なホテルが何故「ドルフィン・ホテル」なんていう昔あったちっぽけなホテルの名前をわざわざ引き継いだりするのだ？

どれだけ考えても答えのかけらも浮かんでこなかった。

僕はパンフレットをテーブルの上に放り投げ、ソファにゆったりともたれて足を投げ出し、十五階の窓の外に広がる空を眺めた。窓の外には真っ青な空しか見えなかった。じっと空を眺めていると自分がとんびになったような気がした。

何はともあれ、僕は昔のいるかホテルが懐かしかった。あそこの窓からはいろんなものが見えた。

6

夕方まで僕はホテルの中を見物して時間を潰した。レストランやバーをチェックし、プールやらサウナやらヘルス・クラブやらテニス場やらを覗き、ショッピング・センターに行って本を買ったりした。ロビーをうろつき、ゲーム・センターでパックマンを何ゲームかやった。そんなことをしているだけでたちまち夕方になってしまった。まるで遊園地じゃないか、と僕は思った。世の中にはこういう時間の潰し方もあるのだ。

それから僕はホテルを出て、夕方の街をぶらぶらと歩いてみた。歩いているうちにだんだんそのあたりの地理についての記憶がよみがえってきた。昔のいるかホテルに泊まっていたとき、僕は毎日毎日うんざりするくらい、街を歩きまわったのだ。どこを曲がれば何があるかも、大体は覚えていた。いるかホテルには食堂がなかったので——もしあったとしてもそこで何かを食べる気なんておそらく起きなかっただろうけれど——僕と彼女は（キキだ）いつも二人で近所の食堂に入って食事をした。僕は昔住んでいた家の近くをたまたま通りかかったみたいな気分で、一時間ばかりあてもなく見覚えのある街路から街路へと歩いた。日が暮れて冷気が肌にはっきりと感じられるようになった。路面にこびりつくように残っていた雪が足元でぱりぱりと音を立てるようになった。でも風はまったくなかったし、街を歩くのは楽しかった。空気はきりっとして澄みわたり、街角のいたるところに蟻塚のようにつみあげられ、排気ガスで灰色に染まった雪も、夜の街の光の下では清潔で、幻想的にさえ見えた。

昔に比べると、いるかホテルのある地域ははっきりとした変化を見せていた。もちろん昔といってもたかだか四年ちょっと前のことだから、僕らが昔見かけたり入ったりした店の大方はそのままの形で残っていた。街の雰囲気も基本的には昔どおりのものだった。しかしそれでもこの近辺で何かが進行しつつあるということは一目で見てとれた。何軒かの店は戸を閉ざし、そこに建築予定の札がかかっていた。実際に建築中の大きなビルもあった。ドライブ・スルーのハンバーガー・ショップやら、デザイナーズ・ブランドのブティックやら、欧州車のショールームやら、中庭に沙羅の樹を植えた斬新なデザインの喫茶店やら、ガラスをふんだんにつかったスマートなオフィス・ビルやら、そういう以前にはなかった新しいタイプの店や建物が、昔ながらの古ぼけた色あいの三階建てのビルや暖簾のかかった大衆食堂やいつもストーブの前で猫が昼寝をしている菓子屋などを押しのけるような格好で次々に現れていた。まるで子供の歯がはえかわる時のように、町並みには一時的な奇妙な共存が見受けられた。銀行も新しく店舗を開いていた。それはあるいは新しいドルフィン・ホテルの波及効果かもしれなかった。あれほどの大きなホテルが何もないごく普通の――いささか取り残されたような趣さえある――街の一角に突然降って湧いたように出現したのだから、当然ながら街のバランスは大きく変化することになる。人の流れが変わり、活気が出てくる。地価も上がる。

あるいはその変化はもっと総合的なものかもしれない。つまりドルフィン・ホテルの出現が街に変化をもたらしたのではなく、ドルフィン・ホテルの出現もその街の変化の一過程であるのかもしれない。たとえば長期的に計画された都市の再開発というような。

僕は昔一度入ったことのある飲み屋に入って酒を少し飲み、簡単な食事をした。汚くて、うるさくて、安くて、美味い店だった。僕は一人で外で食事をするときはいつもなるべくうるさそうな店を選ぶことにしていた。その方が落ち着くのだ。淋しくないし、独り言を言っても誰にも聞こえない。

食事を終えてもまだ何となく物足りなかったので、僕はもう少し酒を注文した。そして熱い日本酒を胃の中にゆっくり流し込みながら、僕はいったいこんなところで何をやっているんだろうと思った。いるかホテルはもう存在しないのだ。僕がそこに何を求めていたにせよ、とにかくいるかホテルはさっぱりと消えてなくなってしまったのだ。もう存在していないのだ。そのあとには「スター・ウォーズ」の秘密基地みたいなあの馬鹿気たハイテク・ホテルが建っている。すべてはただの時期遅れの夢だったのだ。僕は取り壊されて消滅してしまったいるかホテルの夢を見て、出口から出ていって消えてしまったキキの夢を見ていたにすぎないのだ。たしかにそこでは誰かが僕のために泣いていたかもしれない。でももうそれも終わってしまったのだ。もうこの場所には何も残ってはいない。これ以上ここでお前は何を求めようというのだ？

そうだな、と僕は思った。あるいは口に出してそう独り言を言ったかもしれない。確かにそうだ。ここにはもう何も残ってはいない。ここには僕が求めるべき何物もない。

僕は唇を固く結んでしばらくじっとカウンターの上の醬油さしを眺めていた。

長く一人で生活していると、いろんなものをじっと眺めるようになる。ときどき独り言を言うようになる。賑やかな店で食事をするようになる。中古のスバルに親密な愛情を抱くようになる。そして少しずつ時代遅れになっていく。

僕は店を出て、ホテルに戻った。けっこう遠くまで来ていたが、ホテルに戻る道をみつけるのは簡単だった。首を上にあげれば街のどこからでもドルフィン・ホテルが見えたからだ。東方の三博士が夜空の星を目標に簡単にエルサレムだかベツレヘムだかにたどりついたみたいに、僕も簡単にドルフィン・ホテルに帰りついた。

部屋に戻って風呂に入り、髪を乾かしながら窓の外に広がる札幌の街を眺めた。昔のいるかホテルに泊まったときは、そういえば窓の外に小さな会社が見えたなと僕は思った。何の会社かは全然わからなかったけれど、でもとにかく会社だった。人々が忙しそうに働いていた。僕は部屋の窓から一日そういう風景を眺めていたものだった。あの会社はどうなったんだろう？　綺麗な女の子が一人いた。あの子はどうなったんだろう？　でも、あれはそもそも何をしている会社だったんだろうな？

やることがないので、僕はしばらく部屋の中をあてもなくうろうろと歩きまわった。それから椅子に座ってＴＶを見た。ひどい番組しかやっていなかった。いろんな種類のつくりものの反吐を見せられているみたいな気がした。つくりものだから別に汚くはないのだが、じっと見ていると本物の反吐に見えてくるのだ。僕はＴＶを消して服を着て、二十六階にあるバーに行った。そしてカウンターに座ってソーダで割ってレモンをしぼったウォッカを飲んだ。バーの壁は全部ガラス窓になっていて、そこから札幌の夜景が見えた。ここにある何もかもが僕に「スター・ウォーズ」の宇宙都市を思い起こさせた。でもそれを別にすれば感じの良い静かなバーだった。酒の作り方もきちんとしていた。グラスも上等なものだった。グラスとグラスが触れあうととても良い音がした。客は僕の他には三人しかいなかった。ふたりづれの中年の男が奥まったテーブル席でウィスキーを飲みながらひそひそと声をひそめて話をしていた。何だかはわからなかったけれど、見たところすごく大事な話みたいだった。あるいはダースヴェーダーの暗殺計画を練っているのかもしれない。

僕のすぐ右手のテーブル席には十二か十三くらいの女の子がウォークマンのヘッドフォンを耳にあてて、ストローで飲み物を飲んでいた。綺麗な子だった。長い髪が不自然なくらいまっすぐで、それがさらりと柔らかくテーブルの上に落ちかかり、まつげが長く、瞳はどことなく痛々しそうな透明さをたたえていた。彼女は指でテーブルをこつこつと叩いてリズムをとっていたが、その華奢な細い指先だけが他のものから受ける印象に比べて妙に子供っぽかった。別に彼女が大人びていたというのではない。でもその女の子の中にはなにかしら全てを上から見おろしているというような趣があった。悪意があるわけでもないし、攻撃的なわけでもない。ただ、何というか中立的に、見おろしているのだ。窓から夜景を見おろすみたいに。

でも実際には彼女は何も見ていなかった。まわりのことは全然目にも入らないようだった。彼女はブルージーンズに白いコンヴァースのスニーカーを履き、「GENESIS」というレタリングの入ったトレーナー・シャツを着ていた。トレーナーは肘のあたりまでひっぱりあげられていた。彼女はこつこつとテーブルを叩きながら、ウォークマンのテープに意識を集中させていた。時々、小さな唇がかすかな言葉の断片を形作った。

「レモン・ジュースです、あれは」と言い訳するように、バーテンダーが僕の前に来て言った。「あの子はあそこでお母さんが戻ってくるのを待ってるんです」

「うん」と僕は曖昧に返事をした。確かに考えてみれば、十二か十三の女の子が夜の十時にホテルのバーで一人ウォークマンを聴きながら飲み物を飲んでいるなんて、不思議な光景だった。でもバーテンダーにそう言われるまで、僕にはとくにそれが不自然だというふうには感じられなかった。僕はごく当たり前のものを見るように彼女を見ていたのだ。

僕はウォッカをおかわりし、バーテンダーと世間話をした。天気とか、景気とか、そういうとりとめのない話だ。それから僕は何気なくこの辺もかわったね、と言ってみた。バーテンダーは困ったように微笑んで、実は自分はこのホテルの前は東京のホテルで働いていたので、札幌のことは殆ど何も知らないのだ、と言った。そこで新しく客が入ってきたので、その会話も結局実りのないままに終わってしまった。

僕はウォッカ・ソーダを全部で四杯飲んだ。幾らでも飲めそうな気がしたが、きりがないので四杯でやめて、勘定書きにサインした。僕が立ち上がってカウンターを離れた時にも、その女の子はまだテーブル席でウォークマンを聴き続けていた。母親はまだ現れていなかったし、レモン・ジュースの氷はすっかり溶けてしまっていたけれど、彼女はそんなことは全然気にならないみたいだった。僕が立ち上がると、彼女はふと目を上げて僕を見た。そして二秒か三秒僕の顔を見てから、ほんの少しだけにっこりと微笑んだ。あるいはそれはただの唇の微かな震えだったかもしれない。でも僕には彼女が僕に向かって微笑みかけたように見えたのだ。それで――とても変な話なのだけれど――胸が一瞬震えた。僕は何となく自分が彼女に選ばれたような気がしたのだ。それはこれまで一度も経験したことのない奇妙な胸の震えだった。僕は自分の体が五センチか六センチ宙に浮かんでいるような気がした。

僕は混乱したままエレベーターに乗って十五階まで下り、部屋にもどった。どうしてそんなにどぎまぎするんだ？　と僕は思った。十二かそこらの女の子に微笑みかけられたくらいで。娘と言ってもおかしくない歳なんだぜ、と僕は思った。

ジェネシス――また下らない名前のバンドだ。

でも彼女がそのネーム入りのシャツを着ていると、それはひどく象徴的な言葉であるように思えてきた。**起源**。

でも、と僕は思った、どうしてたかがロック・バンドにそんな大層な名前をつけなくてはならないのだ？

僕は靴を履いたままベッドに横になって、目を閉じて彼女のことを思い出してみた。ウォークマン。テーブルをこつこつと叩く白い指。ジェネシス。溶けた氷。

起源。

目を閉じてじっとしていると、体の中をアルコールがゆっくりと回っていくのが感じられた。僕はワーク・ブーツの紐をほどき、服を脱いで、ベッドにもぐりこんだ。僕は自分で感じていたよりもずっと疲れて、ずっと酔っぱらっているようだった。僕は隣にいる女の子が「ねえ、ちょっと飲みすぎよ」と言ってくれるのを待った。でも誰も言ってくれなかった。僕は一人なのだ。

起源。

僕は手をのばして電灯のスイッチを切った。いるかホテルの夢を見るだろうか、と僕は暗闇の中でふと思った。でも結局夢なんて何も見なかった。朝、目覚めた時、僕は自分がどうしようもなく空っぽに感じられた。ゼロだ、と僕は思った。夢もなく、ホテルもない。見当違いな場所で、見当違いなことをしている。

ベッドの足元にはワーク・ブーツが行き倒れた二匹の子犬のような格好でごろんと横たわっていた。

窓の外には暗い色の雲が低くたれこめていた。今にも雪が降りだしそうなさむざむしい空だった。そんな空を見ていると、何をする気も起きなかった。時計の針は七時五分を指していた。僕はリモコンでTVをつけ、しばらくベッドに入ったまま朝のニュースを見ていた。アナウンサーが来るべき選挙について話していた。それを十五分ほど見てから、あきらめてベッドを出て、浴室に行って顔を洗い髭を剃った。元気を出すために「フィガロの結婚」序曲をハミングまでした。でもそのうちに、それが「魔笛」序曲であるような気がしてきた。考えれば考えるほど、その違いがわからなくなってきた。どっちがどっちだったんだろう？　何をやっても上手くいきそうにない日だった。髭を剃っていて顎を切り、シャツを着ようとすると袖のボタンが取れた。

朝食の席で、僕は昨日バーで見かけた少女にまた会った。彼女は母親らしい女性と一緒だった。彼女は今朝はウォークマンを持ってはいなかった。そして昨夜と同じ「ジェネシス」のトレーナー・シャツを着て、退屈そうに紅茶を飲んでいた。彼女はパンにもスクランブルド・エッグにも殆ど手をつけていなかった。彼女の母親——だろう、多分——は四十代前半の小柄な女性だった。髪を後ろでぎゅっとまとめ、白いブラウスの上にキャメルのカシミア・セーターを着ていた。眉毛の形が娘とそっくりだった。鼻のかたちがすらりとして品がよく、大儀そうにトーストにバターを塗る仕種には何かしら人の心を引き付けるものがあった。他人から注目されることに慣れている女性だけが身につけることのできる種類の身のこなしだった。

僕がそのテーブルの隣を通りかかったとき、少女はふと目を上げて僕の顔を見た。そしてにっこりと微笑みかけた。今度の微笑みは昨夜のよりはずっときちんとした微笑みだった。見間違えようのない微笑みだった。

僕は一人で朝食を食べながら、何かを考えようとしたが、その少女に微笑みかけられたあとでは何も考えられなかった。何を考えてみても、頭の中で同じ言葉が同じところをぐるぐると回っているだけだった。だから僕はぼんやりと胡椒入れを眺めながら、何も考えずに朝食を食べた。

7

何もやることがなかった。やるべきこともなければ、やりたいこともなかった。僕はいるかホテルに泊まるべくわざわざここまでやって来たのだ。その根本命題のいるかホテルがなくなってしまったわけだから、どうしようもなかった。お手あげだ。

とにかくロビーに下りて、そこの立派なソファに座って今日一日の計画を立ててみることにした。でも計画なんて立たなかった。街を見物したいわけでもないし、何処か行きたいところがあるわけでもなかった。映画を見て暇を潰すことも考えたが、見たい映画もなかったし、だいたい札幌まで来て映画館で時間潰しをするというのも馬鹿馬鹿しい話だった。じゃあ何をすればいい？

何もすることがなかった。

そうだ、床屋に行こうと僕はふと思った。考えてみれば東京にいるあいだは仕事が忙しくて床屋に行く暇さえなかったのだ。もう一ヵ月半近く散髪をしていない。まともな考えだった。現実的で健全な考え方だ。暇になったから、床屋に行く。筋が通っている。何処に出しても恥ずかしくない発想だ。

僕はホテルの理髪室に行ってみた。清潔で感じの良い床屋だった。混んでいて待たされるといいのにと期待していたのだが、平日の朝だったからもちろんすいていた。ブルーグレーの壁には抽象画がかかり、BGMに小さくジャック・ルーシェのプレイ・バッハがかかっていた。そんな床屋に入ったのは生まれて初めてだった。そんなのはもう床屋とも呼べない。そのうちに風呂屋でグレゴリオ聖歌が聞けるかもしれない。税務署の待合室で坂本龍一が聞けるかもしれない。僕の髪を切ってくれたのは二十歳過ぎくらいの若い理髪師だった。彼も札幌のことはよく知らなかった。このホテルが出来る前に同じ名前の小さなホテルがここにあったんだと言っても、はあと言っただけで特に感心もしなかった。そんなことはどうでもいいみたいだった。クールだった。おまけにメンズ・ビギのシャツを着ていた。でも腕の方は悪くなかったので、僕は一応満足してそこを出た。

床屋を出ると、僕はまたロビーに戻ってさてこれから何をしようかと考えた。四十五分が潰れただけだった。

何も思いつかなかった。

仕方なくロビーのソファに座ってしばらくぼんやりとあたりを眺めていた。フロントには昨日の眼鏡をかけた女の子の姿が見えた。僕と目が合うと、彼女はちょっと緊張したみたいに見えた。何故だろう？　僕の存在が彼女の中の何かを刺激するのだろうか？　わからない。そのうちに時計が十一時を指した。昼食について考えてもおかしくない時刻だった。僕はホテルを出てどこで何を食べようかと考えながら街を歩きまわった。でもどの店を見ても心が動かなかった。だいたい食欲というものが湧いてこないのだ。仕方なく適当に目についた店に入ってスパゲッティとサラダを注文した。そしてビールを飲んだ。今にも雪が降りそうだったが、まだ降り始めてはいなかった。雲はぴくりとも動かず、「ガリバー旅行記」に出てくる空に浮かぶ国みたいに、都市の頭上を重く覆っていた。地上にある何もかもが灰色に染まって見えた。フォークもサラダもビールもみんな灰色に見えた。こういう日にはまともな事なんて何も思いつけない。

結局タクシーを拾って中心地に行き、デパートで買い物をして暇を潰すことにした。靴下と下着を買い、予備の電池を買い、旅行用の歯ブラシと爪きりを買った。夜食用のサンドイッチを買い、ブランディーの小瓶を買った。どれも特に必要というものでもなかった。ただの暇潰しのための買い物だった。それでとにかく二時間が潰れた。

それから僕は大通りを散歩し、特に目的もなく店のウィンドウを覗き、それにも飽きると喫茶店に入ってコーヒーを飲みジャック・ロンドンの伝記の続きを読んだ。そうこうしているうちにやっと夕暮れがやってきた。長い退屈な映画を見ているような一日だった。時間を無駄に潰すというのもなかなか骨の折れるものなのだ。

ホテルに戻ってフロントの前を通りすぎようとしたとき、誰かが僕の名を呼んだ。例の眼鏡をかけた受付の女の子だった。彼女がそこから僕を呼んでいた。僕がそちらに行くと、彼女はちょっと離れたカウンターの隅の方に僕をつれていった。そこはレンタカーの受付デスクになっていたが、看板のわきにパンフレットが積んであるだけで、係員は誰もいなかった。

彼女はしばらくボールペンを手の中でくるくると回しながら、何か言いたそうだがどう言えばいいのかわからないといった顔つきで僕を見ていた。彼女は明らかに混乱して迷って恥ずかしがっていた。

「申しわけないんですが、レンタカーの相談してるみたいなふりをしてて下さい」と彼女は言った。そして横目でちらりとフロントの方を見た。「お客様と個人的に話しちゃいけないって規則で決められているんです」

「いいよ」と僕は言った。「僕がレンタカーの値段を君に訊いて、君がそれに答えてる。個人的な話じゃない」

彼女は少し赤くなった。「ごめんなさい。ここのホテル、すごく規則がうるさいんです」

僕はにっこりした。「でも眼鏡がすごくよく似合ってる」

「失礼？」

「その眼鏡が君によく似合っている。とても可愛い」と僕は言った。

彼女は指で眼鏡の縁をちょっと触った。それから咳払いした。たぶん緊張しやすいタイプなのだろう。「実はちょっとうかがいたいことがあったんです」と彼女は気をとりなおして言った。「個人的なことなんです」

僕はできることなら彼女の頭を撫でて気持ちを落ち着けてやりたかったけれどそうもいかないので、黙って相手の顔を見ていた。

「昨日話してらっしゃった、以前ここにあったホテルのことなんですけど」と彼女は小さな声で言った。「同じ名前の、ドルフィン・ホテルっていう……。それはどんなホテルだったんですか？　まともなホテルだったんですか？」

僕はレンタカーのパンフレットを一枚手にとって、それを眺めているふりをした。「まともなホテルというのはどういうことを意味するんだろう、具体的に？」

彼女は白いブラウスの両方の襟を指でつまんでひっぱって、それからまた咳払いした。

「その……上手く言えないんですけど、変な因縁のあるホテルとかそういうんじゃないんですか？　私、どうも気になって仕方ないんです、そのホテルのことが」

僕は彼女の目を見た。前にも思ったように、それは素直で綺麗な目だった。僕がじっと目を見ていると彼女はまた赤くなった。

「君が気になるというのがどういうことなのか僕にはよくわからないけれど、いずれにせよ話し始めるとかなり長い話になると思うんだ。ここで話すのはちょっと無理なんじゃないかな。君も忙しそうだし」

彼女はフロント・デスクで働いている同僚たちの方にちらりと目をやった。そして下唇をきれいな歯で軽く噛んだ。彼女は少し迷ってたが、やがて決心したように肯いた。

「じゃあ私の仕事が終わったあとで、会ってお話しできませんか？」

「君の仕事は何時に終わるの？」

「八時には終わります。でもこの近くで会うのは無理です。規則がうるさいから。遠くだったらいいけど」

「どこか離れたところで、ゆっくり話ができるような場所があったら、そこに行くよ」

彼女は肯いて、少し考えてからデスクに備えつけられたメモ用紙にボールペンで店の名前と簡単な地図を書いた。「ここで待っていて下さい。八時半までに行きます」と彼女は言った。

僕はそのメモをコートのポケットに仕舞った。

今度は彼女が僕の目をじっと見た。「私のこと、変な風に思わないでくださいね。こういうことするの初めてなんです。規則を破ったりするのは。でも本当にそうしないわけにいかないんです。その理由は後で話しますけど」

「変な風に思ったりしないよ。だから心配しなくていい」と僕は言った。「僕は悪い人間じゃない。あまり人には好かれないけれど、人の嫌がることはしない」

彼女は手の中でボールペンをくるくるまわしながら、それについて少し考えていたが、僕の言った意味はよく理解できなかったようだった。彼女は口もとに曖昧な微笑を浮かべ、それからまたひとさし指を眼鏡のブリッジにやった。「じゃあ、あとで」と彼女は言った。そして僕に営業用の会釈をしてから持ち場に戻っていった。魅力的な女の子だ。そして精神的に多少不安定なところがある。

部屋に戻ると冷蔵庫からビールを出して飲み、デパートの地下食料品売り場で買ってきたロースト・ビーフのサンドイッチを半分食べた。さて、と僕は思った。これでとりあえずの行動が決定されたわけだ。ギヤがローに入り、何処に行くのかはわからないにせよ、状況がゆっくりと動き始めた。悪くない。

僕は浴室に行って、顔を洗い、また髭を剃った。黙って、静かに、何の唄も唄わないで髭を剃った。アフター・シェーブをつけ、歯を磨いた。そして久し振りにじっと鏡の中の自分の顔を眺めた。大した発見はなかったし、別に勇気も湧いてこなかった。いつもの僕の顔だった。

僕は七時半に部屋を出てホテルの玄関でタクシーに乗り、彼女のメモ用紙を運転手に見せた。運転手は黙って肯いて僕をその店の前まで運んでくれた。タクシーで千円ちょっとの距離だった。五階建てのビルの地下にあるこぢんまりとしたバーで、ドアを開けると程よい音量でジェリー・マリガンの古いレコードがかかっていた。マリガンがまだクルー・カットで、ボタンダウン・シャツを着てチェット・ベイカーとかボブ・ブルクマイヤーが入っていた頃のバンド。昔よく聴いた。アダム・アントなんていうのが出てくる前の時代の話だ。

アダム・アント。

なんという下らない名前をつけるんだろう。

僕はカウンターに座って、ジェリー・マリガンの品の良いソロを聴きながら、J&Bの水割りを時間をかけてゆっくりと飲んだ。八時四十五分をまわっても彼女は現れなかったが、僕は別に気にしなかった。たぶん仕事が長引いているのだろう。店の居心地は悪くなかったし、一人で時間を潰すのには馴れていた。僕は音楽を聴きながら水割りをすすり、飲み終えると二杯めを注文した。そして特に見るべき物もないので、前に置かれた灰皿を眺めていた。

彼女がやってきたのは九時五分前だった。

「ごめんなさい」と彼女は早口で謝った。「仕事がのびちゃったんです。急にたてこんだうえにかわりの人の来るのが遅れたもので」

「僕のことならかまわないよ。気にしなくていい」と僕は言った。「どうせどこかで時間を潰さなくちゃならなかったんだ」

奥の席に移りましょうと彼女は言った。僕は水割りのグラスを持って移動した。彼女は革の手袋を脱ぎ、チェックのマフラーを取り、グレーのオーバーコートを脱いだ。そして黄色の薄いセーターとダーク・グリーンのウールのスカートという格好になった。セーター姿になると、彼女の胸は思ったよりずっと大きいことがわかった。そして耳には上品な金のイヤリングをつけていた。彼女はブラディー・マリーを注文した。

飲み物が来ると、彼女はそれをとりあえず一口すすった。食事は済んだかと僕は訊いてみた。まだだけれど、それほどおなかは空いていない、四時に軽く食べたから、と彼女は答えた。僕はウィスキーを一口飲み、彼女はブラディー・マリーをもう一口飲んだ。彼女は急いでやってきたらしく、それから三十秒ほどじっと黙って息を整えていた。僕はナッツをひとつ手に取ってそれを検分して齧り、またひとつ手に取って検分しては齧りというのを繰り返しながら、彼女が落ち着きを取り戻すのを待っていた。

彼女は最後にひとつゆっくりと溜め息をついた。すごく長い溜め息だった。自分でも長すぎると思ったのか、あとで顔を上げて神経質そうな目で僕を見た。

「仕事が大変なの？」と僕は訊いてみた。

「ええ」と彼女は言った。「けっこう大変なんです。まだよく仕事に馴れてないし、ホテル自体開業して間もないから、上のほうもいろいろピリピリしてるし」

彼女はテーブルの上に両手を出して、指を組んだ。小指に一本だけ小さな指輪がはまっていた。飾り気のない、ごくあたり前の銀の指輪だった。僕と彼女は二人でしばらくその指輪を見ていた。

「その古いドルフィン・ホテルのことなんですけど」と彼女は言った。「でも、あなた、取材とかそういう関係の人じゃないですよね？」

「取材？」と僕はびっくりして聞き返した。「どうしてまた？」

「ちょっと訊いただけ」と彼女は言った。

僕は黙っていた。彼女は唇を嚙んだままひとしきり壁の一点を眺めていた。

「少しごたごたがあったらしくて、それで上の方がすごく警戒してるんです。マスコミのことを。土地の買収とか、そういうことで……。わかるでしょ？　そういうの書きたてられるとホテルとしては困るわけ。客商売だから。イメージが悪くなるでしょう？」

「これまでに何か書かれたことはあるの？」

「一度、週刊誌にね。汚職まがいのこととか、立ち退き拒否してた人を会社がヤクザか右翼を使って追い出したとか、そういうようなこと」

「それで、そのごたごたに昔のドルフィン・ホテルが絡んでいるわけ？」

彼女は小さく肩をすくめて、ブラディー・マリーをすすった。「多分そうじゃないかしら。だからマネージャーもそのホテルの名前が出てきて、警戒したんだと思うの、あなたのことを。ね、警戒してたでしょう？　でも本当に私それについては詳しいことは知らないんです。ただこのホテルにドルフィン・ホテルっていう名前がついたのは、その前のホテルとの絡みがあったからだって話は聞いたことがあります。誰かから」

「誰から？」

「黒ちゃんの一人から」

「黒ちゃん？」

「黒服を着た連中のこと」

「なるほど」と僕は言った。「それ以外に何かドルフィン・ホテルについて耳にしたことはある?」

　彼女は何度か首を振った。そして左手の指で右手の小指のリングをいじった。「怖いんです、私」と彼女は囁くように言った。「怖くてたまらないの。どうしようもないくらい」

「怖い?　雑誌に取材されることが?」

　彼女は小さく首を振った。そしてしばらくグラスの縁に唇をそっとつけていた。どう説明すればいいものか、思い悩んでいるみたいだった。

「違うんです。そうじゃないの。別に雑誌のことなんてどうでもいいんです。だって、雑誌に何が出たって私は関係ないもの。そうでしょう?　上の方の人が慌てるだけだわ。私が言ってるのは全然別のことなの。あのホテル全体のこと。あのホテルには、つまりね、何かちょっとおかしいところがあるんです。ちょっとまともじゃないっていうのかな……歪んでいるところがあるの」

　彼女は黙った。僕はウィスキーを飲み干し、おかわりを注文した。そして彼女のためにも二杯めのブラディー・マリーを取った。

「どんな風に歪んでいると感じるわけ、具体的に言って?」と僕は訊いてみた。「もし何か具体的にあればということだけれど」

「もちろんあります」と彼女は心外そうに言った。「あるけれど、それを上手く言葉にするのがむずかしいんです。だからそれについては今まで誰にも話したことがないの。感じたことはすごく具体的なんだけど、いざそれを言葉にしてみるとそういう具体性みたいなのがどんどん薄れていっちゃうんじゃないかという気がするんです。だから上手く話せないの」

「リアルな夢みたいに？」

「夢とはまた違うの。夢というのは、私もよく見るけれど、時間が経つと後退していくの。そのリアルさが。でもあれはそうじゃない。いつまで経っても同じなんです。いつまでもいつまでもいつまでも、リアルなの。いつまで経っても、そこにそのままあるの。さっと目の前に浮かぶんです」

僕は黙っていた。

「いいわ、何とか話してみます」と彼女は言って、酒を一口飲んだ。そして紙ナプキンで口を拭った。「一月だったわ。一月の始め。お正月が終わってちょっと経った頃。その日私は遅番で——遅番ってあまりやらないんだけど、その日は人がいなくて仕方なかったわけ——それでとにかく、仕事が終わったのが夜中の十二時ごろだったの。その時間に仕事が終わると、会社がタクシーを呼んで、みんなを順番に家に送り届けてくれるの。もう電車もないから。それで、十二時前に仕事が終わって、私服に着替えて、十六階まで従業員用のエレベーターで上がったんです。十六階には従業員の仮眠室があって、私そこに本を忘れてきたからなの。別にそんなの明日でもよかったんだけど、まあ読みかけだったし、それにもう一人いっしょのタクシーで帰ることになっていた女の子の仕事がちょっと手間取ってたんで、だからまあいいやついでだからと思って取りに上がったの。十六階には客室とは別にそういう従業員用の設備があるんです。仮眠室とか、ちょっとやすんでお茶を飲むところとか。だからちょくちょく行くことあるんです。

それでね、エレベーターのドアが開いて、私ごく普通に外に出たわけ。何も考えないで。ほら、そういうことってあるでしょう？　いつもいつもやり馴れていることとか、行き馴れている場所とかって、特に何も考えないで行動するでしょう、反射的に？　私もさっとごく自然に足を踏み出したの。考え事してたんだと思う、何かきっと。何だったかは覚えてないけど。コートのポケットに両手を突っ込んだまま、廊下に立ってふと気づくと、あたりが真っ暗なの。まったくの真っ暗。はっとして後ろを見ると、エレベーターのドアはもう閉まってるの。停電かな、と思ったわ、もちろん。でもそんなことありえない。まず第一にホテルはしっかりした自家発電装置を持ってるの。だからもし停電があったとしても、すぐにそっちに切り換えられるわけ。自動的に、ぱっと。本当にすぐに。私もそういう訓練に立ち会ってるから、よく知ってるの。だから原理的に、停電というのは存在しないの。それにね、もし万が一、自家発電装置も故障したとしても、廊下の非常灯は点いてるはずなのよ。だから、こんな真っ暗になるわけがないの。廊下は緑色の光で照らされているはずなの。そうでなくてはならないの。あらゆる状況を考慮しても。

ところが、その時、廊下は真っ暗だったの。見える光といえばエレベーターのボタンと階数表示だけ。赤いデジタルの数字。私はもちろんボタンを押したわよ。でもエレベーターはどんどん下に行っちゃって、戻ってこないの。やれやれと思って、私はまわりを見回してみたの。もちろん怖かったけれど、でもそれと同時に面倒だなあとも思ったの。どうしてかわかる?」

僕は首を振った。

「つまりね、こんな風に真っ暗になっちゃうというのは、何かホテルの機能に問題があったということでしょう? 機械的にとか、構造的にとか、そういうこと。するとまたえらい騒ぎになるのよ。休日返上で仕事させられたり、訓練訓練で明け暮れたり、上がぴりぴりしたり。そういうの、もううんざり。やっと落ち着いたばかりなのにね」

なるほど、と僕は言った。

「それで、そういうことを考えていると、だんだん腹が立ってきたわけ。怖いよりも腹立たしさの方が強かったわけ。それで私、どうなっているかちょっと見てやろう、と思ったの。で、二、三歩歩いてみたの。ゆっくりと。するとね、何か変なの。つまり、足音がいつもと違うのよ。私はその時ローヒールの靴を履いていたんだけれど、いつもとは歩き心地も違うの。いつものカーペットの感触じゃないのよ。もっとゴツゴツしてるの。そういうのって、私敏感だから、間違えたりしないわ。本当よ。それからね、空気がいつもと違うの。何と言えばいいのかな、黴っぽいのね。ホテルの空気とは全然違う。うちのホテルはね、完全に空気を空調でコントロールしているの。すごく気をつかってるの。普通の空調じゃなくて、良い空気を作って送ってるの。他のホテルみたいに乾燥しすぎて鼻が乾いたりしないように、自然な空気を送っているの。だから、黴臭いなんてことは、考えられないのよ。そこにあった空気はね、一口でいうと、古い空気。何十年も前の空気。子供のころ、田舎のおじいさんの家に遊びに行って、古いお蔵を開けて嗅いだような、そんな臭いなの。いろんな古いものが混じり合って、じっと澱んでいるようなね。

私はもう一度エレベーターを振り返ってみたの。でもこんどはもうエレベーターのスイッチ・ランプも消えちゃっているの。何も見えないの。全部死んじゃったのよ、完全に。そりゃ怖かったわ。当たり前でしょう？　真っ暗な中に私一人きりなんですもの。怖いわよ。でもね、変なの。あまりにもあたりが静かすぎるの。しーんと静まりかえっているの。物音ひとつしないの。変でしょう？　だって停電して真っ暗になっちゃったのよ。みんな騒ぎだすはずでしょう？　ホテルはほぼ満室だったし、そんなことになったらえらい騒ぎになってるはずですもの。なのに、気味が悪いくらい静かなわけ。それで私、何が何だか訳がわからなくなったの」

飲み物が運ばれてきた。僕と彼女は一口ずつそれをすすった。彼女はグラスを下に置いて、眼鏡に手を触れた。僕は黙って、彼女の話のつづきを待っていた。

「今までの感じはわかってもらえたかしら？」

「大体わかる」と僕は言って肯いた。「十六階でエレベーターを下りた。真っ暗だった。匂いが違う。静かすぎる。何かおかしい」

彼女は溜め息をついた。「自慢するわけじゃないけど、私はそれほど臆病な人間じゃないんです。少なくとも女の子にしては勇敢な方だと思うわ。電気が消えたからって、それだけで普通の子みたいにきゃあきゃあわめいたりしないわよ。そりゃ怖いことは怖いけれど、そういうのに負けちゃいけないとも思うの。だから何にせよ確かめてやろうと思ったの。それで手探りで廊下を進んでみたの」

「どっちの方に？」

「右」と言ってから、彼女は右手を上げて、それが間違いなく右であったことを確かめた。「そう、右の方に進んだのよ。ゆっくりと。廊下はまっすぐだった。壁沿いにしばらく進むとね、廊下が右に曲がっていたの。そしてその先の方に、ぼんやりと光が見えたの。すごく弱い光よ。ずっと奥の方から洩れてくる蠟燭の光みたいなの。それで私、誰かが蠟燭をみつけて、それをつけてるんだなと思ったわけ。それで、とにかくそこに行ってみようと思ったの。近づいてみると、その蠟燭の光はほんの少し開いたドアからこぼれていたわ。変なドア。見覚えがないドア。うちのホテルにはそんなドアないはずなのよ。でもとにかくそこから光がこぼれてたの。私はそこの前に立って、それからどうしたらいいのかわかんなくなっちゃったの。中に誰がいるかもわからないし、変な人が出てきても困るし、それにドアにも全然見覚えがないし。それで試しに小さくドアをノックしてみたんです。聞こえるか聞こえないくらいそっと、コンコンと。でもその音は私が予想していたよりずっと大きく響いたのよ。あたりがすごく静かだったから。でも何の反応もなかった。十秒くらいね。その十秒くらいのあいだ、私はそのドアの前でじっとしていたの。どうすればいいのかわからなかったから。でもそれから中でかさこそという音がしたの。何というか、重い服を着た人が床から立ち上がるような、そういう音。そして足音が聞こえたの。すごくゆっくりとした足音。さら……さら……さら……、そういうスリッパをひきずって歩くような足音。それが一歩一歩とドアの方に近づいて来るわけ」

彼女はその音を思い出すように、宙を見つめた。そして首を振った。

「その音を聞いた途端に私ぞっとしちゃったの。これは人間の足音じゃないっていう気がした。根拠はないんだけど、直観的にそう思ったの。これは人間の足音じゃないって。背筋が凍りつくっていう感じが初めてわかったわ、その時。背筋って本当に凍りつくのよ。修辞的誇張じゃなくて。私、走って逃げたわ。一目散に。途中で一度か二度転んだと思う。ストッキングが破れてたから。でもそんなこと全然覚えてないの。ただ走って逃げたっていうただそれだけしか思いだせないの。走ってるあいだずっとエレベーターがまだ死んでたらどうしようとそのことばかり考えていたわ。でもちゃんとエレベーターは動いていた。階数表示もボタンもちゃんと電気がついていた。エレベーターは一階に停まってたわ。思いきりボタンを押すと、エレベーターは上がってきた。でもその上がり方がすごくゆっくりなの。本当に信じられないくらいのんびりしてるの。二階……三階……四階……っていう感じよ。早く来い、早く来い、とずっと念じていたけど、駄目なのよ。ものすごく時間がかかるの。なんだか人をじらしているみたいに」

彼女は一息ついて、ブラディー・マリーをまた一口すすった。そして指輪をくるくると回した。

僕は黙って話の続きを待った。音楽は消えていた。誰かが笑っていた。

「でもね、聞こえるのよ。足音が。さら……さら……さら……とそれは近づいてくるの。

ゆっくりと、でも確実に。さら……さら……さら……と。部屋を出て、廊下を歩いて、私の方にやってくるの。怖かったわ。いや、怖いなんてものじゃないわね。きゅっと胃がせりあがってきてね、喉のすぐ近くまで来ているのよ。そして体じゅうから汗が吹き出すの。嫌な臭いのする冷たい汗。寒気。まるで肌の上を蛇が這っているみたい。エレベーターはまだ来ないの。七階……八階……九階……。そして足音は近づいてくる」

二十秒か三十秒彼女は黙っていた。そして相変わらずゆっくりと指輪を回していた。まるでラジオのチューニングをしているみたいに。カウンター席で女が何かを言い、男がまた笑った。早く音楽をかけてくれないかなと僕は思った。

「そういう怖さってね、経験してみないとわからないわよ」と彼女は乾いた声で言った。

「それでどうなったの？」と僕は聞いた。

「気がついたら、エレベーターのドアが開いていたの」と彼女は言って、肩をちょっとすくめた。「ドアが開いて、そこから懐かしい電灯の光がこぼれていたの。私そこに文字通り転がり込んだわ。そしてがたがた震えながら一階のボタンを押したの。ロビーに戻るとみんなびっくりしたわ。だってそうでしょ、私は真っ青で、口もきけないくらいぶるぶる震えているんだもの。マネージャーが来て、おい、どうしたんだ、って尋ねた。それで私、息を詰まらせながら説明したの。十六階が何だか変だって。マネージャーはそれだけ聞くとすぐに男の子を一人呼んで、私と三人で十六階まで上がったの。何が起こったのかチェックするために。でも十六階はなんともなかった。電灯もあかあかとついていたし、変な臭いもしなかった。いつもとまったく同じよ。仮眠室に行ってそこにいた人にも訊いてみたの。その人はずっと起きてたけれど、全然停電なんかしてないって言うのよ。念のために十六階を隅から隅まで歩いてみたけれど、変わったところは何もなかった。狐につままれたみたいだったわ。

下に降りるとマネージャーは私を自分の部屋に呼んだの。で、私てっきり怒られるものとおもっていたの。でも彼は怒らなかった。そしてもっと詳しく状況を説明しろって言うの。だから私、細かく全部説明したわよ。そのさらさらっていう足音のことまで。何だか馬鹿馬鹿しいような気がしたけれど。きっと夢でも見てたんだろうって笑いとばされるんじゃないかって思いながら。

でも彼、笑わなかった。それどころかすごく真剣な顔してるの。そして私にこう言ったの。『今のこと誰にも何も言うんじゃないよ』って。優しい言いきかせるような口調で。『何かの間違いだと思うけれど、他の従業員が怖がったりするといけないから、黙っていなさい』って。うちのマネージャーって、そういう優しい言葉づかいする人じゃないのよ。もっと頭ごなしに話す人なの。それでその時私はこう思ったわ。ひょっとして、こういう経験したのは私が初めてじゃないんじゃないかって」

彼女は黙った。僕は彼女の話を頭の中で整理してみた。何か質問した方が良さそうな雰囲気だった。

「ねえ、他の従業員がそういう話をしているのを聞いたことはある？」と僕は訊いた。「何か君の体験に通じるような異様なこととか、変わったこととか、不思議なこととか？ただの噂でもいいんだけど」

彼女は少し考えてから首を振った。「ないと思う。でもね、私は感じるのよ。あそこには何か普通じゃないものがあるって。私の話を聞いた時のマネージャーの反応もそうだったし、それにあそこはなんだかひそひそ声の話が多すぎるのよ。上手く説明できないけど、何かが変なの。私がこの前に勤めていたホテルなんて全然そんなことなかったもの。もちろんこれほど大きなホテルじゃなかったから、事情は少しは違うでしょうけど、それにしても違いすぎるの。前のホテルにも怪談話みたいなのはあったけれど——どこのホテルにもひとつくらいはそういうのがあるのよ——私たちそんなもの笑いとばしていたもの。でもここはそうじゃないのよ。笑いとばすような雰囲気がないの。だから余計に怖いの。マネージャーだって、あの時笑いとばしてくれればよかったのよ。それとも怒鳴りつけるとかね。そうすれば私だってひょっとしたら何かの間違いだったんじゃないかとも思えたかもしれないのに」

彼女は目を細めて、手に持ったグラスをじっと見た。

「そのあとで十六階に行ったことはある？」と僕は訊いた。

「何度も」と彼女は平板な声で言った。「仕事場だから行きたくなくても行かなくちゃならない時はあるでしょう？　でも行くのは昼間だけ。夜は行かない。何があっても行かない。もう二度とあんな目にはあいたくないもの。だから遅番もやらないことにしたの。やりたくないって上の人に言ったの。はっきりと」

「これまで誰にもその話をしてないんだね？」

彼女は一度だけ短く首を振った。「さっきも言ったように誰かに話したのは今日が初めてよ。話そうにも話す相手がいなかったの。それにひょっとしてあなたがそのことについて何か心当たりでもあるんじゃないかと思ったから。その十六階の出来事について」

「僕が？　どうしてそう思ったの？」

彼女は漠然とした目で僕を見た。「よくわからないけど……あなたは前のドルフィン・ホテルのことを知っていたし、そのホテルがなくなった事情について聞きたがっていたし……それで何か私の経験したことについて思いあたることがあるんじゃないかという気がしたの」

「とくに思い当たることはないようだね」と僕は少し考えてから言った。「それに僕もそのホテルについて特に詳しく知っているわけじゃないんだ。小さな、あまりはやっていないホテルだった。四年ほど前にそのホテルに泊まって、そこの主人と知り合って、それでまた訪ねてきたんだ。それだけだよ。昔のドルフィン・ホテルはごく普通のホテルだった。別に何かの因縁があったというような話も聞いてないね」

いるかホテルが普通のホテルだとはとても思えなかったけれど、僕としては今のところはこれ以上話の間口を広げたくなかった。

「でも今日の午後私がドルフィン・ホテルってまともなホテルだったんですかって訊いた時、あなたは話が長くなるって言ったでしょう。それはどうしてかしら?」

「その話というのはとても個人的なことなんだ」と僕は説明した。「それを話し始めると長くなる。でも今君が話してくれたこととはたぶん直接的な関係はないと思うんだ」

僕がそう言うと彼女は少しがっかりしたようだった。彼女は唇をゆがめてしばらく自分の両手の甲を見ていた。

「役に立てなくて申し訳ないね。せっかく話してくれたのに」と僕は言った。

「いいの」と彼女は言った。「あなたのせいじゃない。それにとにかく話せてよかったわ。話しちゃって幾分すっきりしたから。こういうのってじっと一人で抱え込んでると、気持ちが落ち着かないの」

「そうだろうね」と僕は言った。「誰にも言わないで一人で抱えこんでると、頭の中でそれがどんどん膨れあがってくるんだ」僕は両手を広げて風船が膨らむ真似をした。

　彼女は黙って肯いた。そしてリングをくるくる回して最後に指から引き抜き、またもとに戻した。

「ねえ、私の話を信じてくれる？　その十六階の話？」と彼女は自分の指を見ながら言った。

「もちろん信じる」と僕は言った。

「本当に？　でもそういうのって、異常な話じゃない？」

「たしかに異常かもしれない。でもそういうことってあるんだよ。僕にはわかる。だから君の言うことは信じるよ。何かと何かがふと繫がっちゃうんだ。何かの加減で」

　彼女はそれについてひとしきり考えていた。

「あなたはそういうのをこれまでに経験したことあるの？」

「ある」と僕は言った。「あると思う」

「怖かった、その時？」と彼女が訊いた。

「いや、怖いというんじゃないな」と僕は答えた。「つまりね、いろんな繫がり方があるんだよ。僕の場合は……」

でもそこで言葉が突然ふっと消えてしまった。遠くの方で誰かが電話のコードを引き抜いたような感じだった。僕は一口ウィスキーを飲んでから、わからないと言った。「上手く言えない。でもそういうことってたしかにあるんだよ。だから信じる。他の誰が信じなくても、僕は君の言うことを信じる。嘘じゃない」

彼女は顔を上げて微笑んだ。これまでの微笑みとは少し感じの違う微笑みだった。個人的な微笑み、と僕は思った。彼女は話をしてしまったことで少しリラックスしたのだ。

「どうしてかしら？　あなたと話してるとなんだかよくわからないけれど、気持ちが落ち着いてくるみたいなの。私、すごく人見知りする方で、初対面の人とはあまりうまく話すことができないんだけれど、あなたにはすんなり話せる」

「それは我々二人のあいだにどこかしら相通じるところがあるからじゃないかな」と僕はにっこりと笑って言った。

彼女はそれに対してどう答えようかとしばらく迷っていたが、結局何も言わなかった。大きくため息をついただけだった。でも悪い感じのするため息ではなかった。ただ単に呼吸を調整しただけだった。「ねえ、何か食べない？　急におなかが空いてきたような気がする」

僕は何処かにきちんと夕食を食べにいこうと誘ってみたが、彼女はここで軽く食べるくらいでいいと言った。それで僕らはウェイターを呼んでピッツァとサラダを注文した。

食事をしながら僕らはいろんな話をした。彼女のホテルの仕事のことや、札幌での生活について。彼女は自分自身について話してくれた。彼女は二十三だった。高校を出て、ホテルの従業員教育をする専門学校で二年勉強した後、東京のホテルで二年働き、それからドルフィン・ホテルの募集広告に応募して採用され、札幌にやってきたのだ。札幌に来るのは彼女にとっては好都合だった。というのは、彼女の実家は旭川の近くで旅館を経営していたからだ。

「わりにいい旅館なのよ。古くからやっていて」と彼女は言った。

「じゃあここで君は見習いとか修業のようなことをやっているわけ、家業を継ぐための?」と僕は訊いてみた。

「というのでもないの」と彼女は言った。そしてまた眼鏡のブリッジに手をやった。「継ぐとかそういう先のことまでは全然考えてないの、まだ。私はただただ単純に好きなのよ、ホテルで働くのが。いろんな人が来て、泊まって、去っていく、そういうのが。そういう中にいるととてもほっとするの。安心できるの。子供の頃からそういう環境にいるでしょう。馴れてるのね」

「なるほどね」と僕は言った。

「どうしてなるほどなの？」

「フロントに立っていると君は何だかホテルの精みたいに見える」

「ホテルの精？」と彼女は言って笑った。「素敵な言葉。そういうのになれたら素敵でしょうね」

「君なら、努力すればなれる」と僕は言って微笑んだ。「でも、ホテルには誰も留まらないよ。それでいいの？　みんなやってきてただ通り過ぎて行くだけだよ」

「そうね」と彼女は言った。「でも何かが留まると、怖いような気がするの。どうしてかしら？　臆病なのかしら？　みんながやってきて、そして去っていくの。でもそれでほっとするの。変よね、そんなのって。普通の女の子ってそんな風には思わないでしょう？　普通の女の子って何か確かな物を求めているものなのよ。違う？　でも私はそうじゃない。どうしてだろう？　わからないわ」

「君は変じゃないと思う」と僕は言った。「まだ定まってないだけなんだ」

彼女は不思議そうに僕を見た。「ねえ、どうしてそんなことがあなたにわかるの？」

「どうしてだろう？」と僕は言った。「でも何となくわかるんだ」

彼女はしばらくそれについて考えていた。

「あなたの話をして」と彼女は言った。

「面白くない話だよ」と僕は言った。それでもいいから聞きたいと彼女は言った。それで僕は少しだけ自分のことを話した。三十四で、離婚経験があって、文章を書く半端仕事をして生計を立てている。スバルの中古に乗っている。中古だけれど、カー・ステレオとエアコンがついている。

自己紹介。客観的事実。

でも彼女は僕の仕事の内容についてもっと知りたがった。隠す必要もないので、僕は説明した。最近やった女優のインタビューの話と、函館の食べ物屋の取材の話をした。

「そういう仕事ってとても面白そうだわ」と彼女は言った。

「面白いと思ったことなんて一度もないよ。文章を書くこと自体は別に苦痛じゃない。文章を書くのは嫌いじゃないんだ。書いているとリラックスする。でも書いている内容はゼロなんだよ。何の意味もない」

「たとえばどういうところが？」

「たとえば一日に十五軒もレストランやら料理屋やらを回って、出てきた料理を一口ずつ食べて、あとは全部残すなんてことが。そういうのってどこかが決定的に間違ってると僕は思うんだ」

「でも全部食べるわけにもいかないんでしょう?」

「もちろんいかない。そんなことしたら三日で死んでしまう。みんな僕のことを馬鹿だと思う。そんなことして死んでも誰も同情してくれない」

「じゃあ、仕方ないでしょう?」と彼女は笑いながら言った。

「仕方ないよ」と僕は言った。「それはわかっているんだ。だから雪かきのようなものだよ。仕方ないからやってるんだ。面白くてやっているわけじゃない」

「雪かき」と彼女は言った。

「文化的雪かき」と僕は言った。

それから彼女は僕の離婚について知りたがった。

「僕が離婚しようと思って離婚したわけじゃない。彼女の方がある日突然出ていったんだ。男と一緒に」

「傷ついた?」

「そういう立場に立てば普通の人間なら誰でも多少傷つくんじゃないかな」

彼女はテーブルに頰杖をついて僕の目を見た。「ごめんなさい。変な訊きかたをして。でもあなたはどういうふうに傷つくのか、うまく想像できなかったの。あなたってどういう風に傷つくのかしら? 傷つくとどうなるのかしら?」

「キース・ヘリングのバッジをコートにつけるようになる」

彼女は笑った。「それだけ?」

「僕が言いたいのは」と僕は言った。「そういうのって慢性化するってことなんだ。日常に飲み込まれて、どれが傷なのかわからなくなっちゃうんだ。でもそれはそこにある。傷というのはそういうものなんだ。これといって取り出して見せることのできるものじゃないし、見せることのできるものは、そんなの大した傷じゃない」

「あなたの言いたいことはすごくよくわかる」

「そう?」

「そうは見えないかもしれないけれど、私だっていろんなことで傷ついたのよ、ずいぶん」と彼女は小さな声で言った。「それでいろいろあって結局東京のホテルも辞めちゃったの。傷ついたの。辛かったし。私ってある種のことが上手く人並みに処理できないの」

「うん」と僕は言った。

「今でもまだ傷ついている。そのこと考えると今でも時々ふっと死んでしまいたくなる」

彼女はまた指輪を外して、またもとに戻した。それからブラディー・マリーを飲み、眼鏡をいじった。そしてにっこりと笑った。

僕らはけっこう酒を飲んでいた。何杯注文したのかわからなくなるくらい飲んでいた。

時計はもう十一時を回っていた。彼女は腕時計を見て、明日の朝早いからもう帰ると言った。家までタクシーで送ると僕は言った。彼女のアパートは車で十分ほどのところにあった。僕が勘定を払った。外に出るとまだ雪がちらついていた。たいした雪ではないが、路面は凍りついてつるつると滑った。それで僕らは腕をしっかりと組んでタクシー乗り場まで歩いた。彼女は少し酔っぱらってふらふらしていた。

「ねえ、その土地買収のごたごたについて書いた週刊誌のことだけどね」と僕はふと思い出して言った。「その週刊誌の名前は覚えてる？　それと大体の発売日と」

彼女はその週刊誌の名前を教えてくれた。新聞社系の週刊誌だった。「たしか去年の秋くらいだったと思うわ。私が直接読んだわけじゃないから、詳しいことはよくわからないけれど」

僕らは小雪の舞うなかで五分ほどタクシーがやってくるのを待った。そのあいだ、彼女は僕の腕をずっと摑んでいた。彼女はリラックスしていた。僕もリラックスしていた。

「こんなにのんびりしたのは久し振り」と彼女は言った。僕の方もそんなにのんびりしたのは久し振りだった。我々二人の間には何かしら相通じるところがある、と僕はあらためて思った。だからこそ一目会った時から僕は彼女に好意をいだいていたのだ。

タクシーの中で僕らはあたりさわりのない世間話をした。雪のこととか、寒さのこととか、彼女の勤務時間のこととか、東京のこととか、そういうことだった。そういう話をしながら、僕はこのあと彼女をどうしたものかと思い悩んでいた。もうひと押しすれば彼女と寝られるだろうということは僕にはわかっていた。そういうのはただわかるのだ。彼女が僕と寝たがっているかどうかまではもちろんわからない。でも僕と寝てもいいと思っていることはわかった。そういうのは目つきや呼吸や喋り方や手の動かし方でわかるのだ。そして僕としてももちろん彼女と寝たかった。寝ても面倒なことにはならないだろうということもわかっていた。やってきて去っていくだけなのだ。彼女自身が言うように。でも僕には決心がつかなかった。そういう風に彼女と寝るのはフェアじゃないんじゃないかという思いが、頭の隅からどうしても去らなかった。彼女は僕より十歳年下で、どことなく不安定で、おまけにかなり酔っぱらって足がよろけていた。そんなのはしるしのついたカードでトランプ・ゲームをしているみたいなものだった。フェアじゃない。

でもセックスの領域でフェアネスというものがどれだけの意味を持つのか、と僕は自問してみた。セックスに公正さを求めるんならどうしていっそのことミドリゴケにでもならないんだ、その方が話が早いじゃないか、と僕は思った。

これも正論だった。

僕はその二つの価値観の間でしばらく思い悩んでいたが、タクシーが彼女のアパートに到着するちょっと前に、彼女がすごくあっさりとそのジレンマを解消してくれた。「私、妹と二人で暮らしてるの」と彼女が僕に言ったのだ。

それで、それ以上あれこれと考える必要がなくなって、僕はいささかほっとした。

タクシーがアパートの前に止まると、彼女は悪いけれど怖いので、ドアの前までついてきてくれないかと僕に言った。夜おそくになると時々廊下に変な人がいることがあるの、と彼女は言った。僕は運転手に五分で戻るからここで待っていてくれと言って、彼女の腕をとって入り口まで凍った道を歩いた。それから僕らは階段を三階まで上がった。余計なもののついていないシンプルな鉄筋のアパートだった。306という番号のついたドアの前までくると、彼女はバッグを開け、中に手を突っ込んでキイを探し出した。そして僕に向かってどことなく不器用そうに微笑んで、ありがとう、楽しかったわと言った。

僕の方も楽しかった、と僕は言った。

彼女は鍵を回して開け、キイをまたバッグに仕舞った。口金の閉まるぱちんという乾いた音が廊下に響いた。それから彼女は僕の顔をじっと見た。黒板に書かれた幾何の問題をじっと見ているような目付きだった。彼女は迷っていた。彼女は戸惑っていた。僕に上手くさよならを言えないのだ。僕にはそれがわかった。

僕は壁に手をついて彼女が何かを決心するのを待った。でもなかなか決心がつかなかった。

「おやすみ。妹さんによろしく」と僕は言った。

彼女は四秒か五秒の間、唇をきっと固く結んでいた。「妹と住んでるっていうの、あれウソなの」と彼女は小さな声で言った。「本当は一人で住んでるの」

「知ってるよ」と僕は言った。

彼女はゆっくりと時間をかけて赤くなった。「どうして知ってるの?」

「どうしてだろう? ただわかるんだよ」と僕は言った。

「あなたって嫌な人ね」と彼女は静かに言った。

「そうだな、そうかもしれない」と僕は言った。「でも最初に断ったように人の嫌がることはしないよ。何かにつけこんだりもしない。だから何も嘘なんかつくことはなかったんだ」

彼女はしばらく迷っていたが、やがてあきらめたように笑った。「そうね。嘘なんかつくことなかったのね」

「でも」と僕は言った。

「でも、とても自然についちゃったの。私も私なりに傷ついたのよ。さっきも言ったように。いろんなことがあって」

「僕だって傷ついている。キース・ヘリングのバッジだって胸につけてる」

彼女は笑った。「ねえ、少し中に入ってお茶でも飲んでいく？　もう少しあなたと話がしたいわ」

僕は首を振った。「有り難う。僕も君と話がしたい。でも今日は帰るよ。どうしてかはわからないけど、今日は帰った方がいいと思う。君と僕は一度にあまり沢山のことを話さない方がいいような気がする。どうしてだろう？」

彼女は看板の細かい字を読む時のような目つきでじっと僕を見ていた。

「うまく説明できない。でもそういう気がする」と僕は言った。「話すことが沢山ある時は少しずつ話すのがいちばんいいんだ。そう思う。あるいは間違っているかもしれないけれど」

彼女は僕の言ったことについて少し考えていた。それから考えるのをあきらめた。「おやすみなさい」と言って彼女は静かにドアを閉めた。

「ねえ」と僕は声をかけてみた。ドアが十五センチほど開いて、彼女が顔を見せた。「また近いうちに君を誘ってみていいかな」と僕は聞いてみた。

彼女はドアに手をかけたまま深く息を吸いこんだ。「たぶん」と彼女は言った。そしてまたドアが閉まった。

タクシーの運転手は退屈そうにスポーツ新聞を広げて読んでいた。僕が一人でシートに戻ってホテルの名前を言うと、彼はびっくりしたようだった。

「本当に帰っちゃうんですか？」と彼は言った。「てっきりあとはいいから帰ってくれって言われると思ったんだけどね。雰囲気的に。普通は大体そうなるんだけど」

「だろうね」と僕は同意した。

「長年こういう商売やってると、まず勘は外れないんだけどなあ」

「長年やってれば外れることもある。確率的に」

「そりゃそうだけど」と運転手はちょっと混乱したような声で言った。「でもお客さん、少し変わってるんじゃないかな」

「そうかな」と僕は言った。そんなに僕は変わっているのだろうか？

＊

部屋に戻って顔を洗い、歯を磨いた。歯を磨きながら少し後悔したが、結局そのままぐっすりと寝てしまった。僕の後悔は大体いつもあまり長くは続かないのだ。

＊

朝、まず第一に僕はフロントに電話をかけて、部屋の予約を三日延長した。問題はなかった。どうせ今の季節はシーズン・オフなのだ。それほど混んではいない。

それから新聞を買ってホテルの近くのダンキン・ドーナツに入り、プレイン・マフィンを二つ食べ、大きなカップにコーヒーを二杯飲んだ。ホテルの朝食なんて一日で飽きる。ダンキン・ドーナツがいちばんだ。安いし、コーヒーもおかわりできる。

次にタクシーを拾って図書館に行った。札幌でいちばん大きい図書館に行ってくれと言うとちゃんと連れていってくれた。図書館で僕は彼女の教えてくれた週刊誌のバックナンバーを調べてみた。ドルフィン・ホテルの記事が出ているのは十月二十日号だった。僕はその部分のコピーをとって、近くの喫茶店に入り、コーヒーを飲みながら腰を据えてそれを読んでみた。

わかりにくい記事だった。きちんと理解するまでに、何度も読みなおさなくてはならなかった。記者はわかりやすく書こうと精一杯努力していたが、その努力も事態の複雑さの前には歯が立たなかったようだ。おそろしくいりくんでいるのだ。でもまあじっくりと読めばおおよその輪郭はわかってきた。記事のタイトルは「札幌の土地疑惑。黒い手がうごめく都市再開発」とあった。空から写した完成間近のドルフィン・ホテルの写真も載っていた。

要約するとこういうことだった。まずだいいちに札幌市の一部で大規模な土地の買い占めが進行していた。二年ばかりの間に水面下で土地の名義が異様に動いた。地価が意味もなくホットになってきた。記者がその情報を得て調査を始めた。調べてみると、土地は様々な会社によって買われていたが、その大方は名前だけのペーパー・カンパニーだった。会社の登録はしてある。税金も払っている。しかしオフィスもないし、社員もいない。そしてそのペーパー・カンパニーは別のペーパー・カンパニーに繋がっていた。実に巧妙に名義上の土地転がしが行われていた。二千万で売られた土地が六千万で転売され、それが二億で売られていた。様々なペーパー・カンパニーの迷路をひとつひとつ辛抱強く辿っていくと、行き先はひとつだった。B産業という不動産を扱う会社だった。これはリアルな会社だった。赤坂に大きなファッショナブルな本社ビルを持っている。そのB産業はおおっぴらにではないがA総業というコングロマリットに繋がっていた。鉄道やらホテル・チェーンやら映画会社や食品チェーンやらデパートやら雑誌、クレジット金融から損害保険までを配下に収める巨大企業だった。A総業は政界にも巨大なパイプを持っていた。記者はもっと先まで追及した。するともっと面白いことがわかった。B産業の買い占めていた地域は札幌市が再開発計画を進めていた土地だったのだ。地下鉄の建設や、庁舎の移転や、そういう公共投資がその地域に行われることになっていた。その資金の大半は国から出ることになっていた。政府と北海道と札幌市が話しあって再開発計画を練り、最終決定に達した。場所や規模や予算、等々。ところがいざ蓋を開けてみると、その決定した地域の土地はこの何年かの間に誰かの手でしっかりと買い占められていた。情報がA総業に流れたのだ。そして計画が最終的に決定する以前から、土地の買い占めが地下深く進行していた。つまりその最終的な決定は最初から政治的に決定されていたのだ。

その買い占めの尖兵がドルフィン・ホテルだった。まずドルフィン・ホテルが一等地を確保した。その巨大ホテルがA総業のヘッド・クオーターの役割を果たすことになった。それはその地域のリーダー的役割を担っていた。人目を引き、人の流れを変え、その地域の変貌の象徴となった。すべては綿密な計画のもとに進行した。それが高度資本主義というものだ。最も巨額の資本を投資するものが最も有効な情報を手にし、最も有効な利益を得ることになる。誰が悪いというのではない。資本投下というのはそういうものを内包した行為なのだ。資本投下をするものはその投下額に応じた有効性を要求する。中古車を買う人間がタイヤを蹴ったりエンジンを調べてみたりするように、一千億の資本を投下するものはその投下の有効性を細かく検討するし、ある場合には操作もする。その世界ではフエアネスなんて何の意味も持たない。そんなことをいちいち考えるには投下資本の額が大きすぎるのだ。

強引なこともやる。

たとえば、土地買収に応じないものがいるとする。昔から商売をしている履物屋が買収に応じない。するとどこからともなくこわもての人々が出てくる。巨大な企業というのはちゃんとそういうルートだって持っているのだ。そういう会社は政治家から、小説家から、ロック・シンガーから、やくざまで、息のかかったものを一応全部抱えている。日本刀を持ったこわもての連中が押し掛ける。警察もそういう事件にはあまり熱心には手を出さない。警察の一番上まで話はちゃんと通っているのだ。それは腐敗ですらない。システムなのだ。それが資本投下というものだ。もちろん昔から多かれ少なかれそういうことはあった。昔と違うのはその資本の網が比べ物にならぬほど細かくなり、タフになったことだった。巨大コンピューターがそれを可能にした。そして世界に存在するあらゆる事物と事象がその網の中にすっぽりと収まっていた。集約と細分化によって資本というものは一種の概念にまで昇華されていた。それは極言するなら、宗教的行為でさえあった。人々は資本の有するダイナミズムを崇めた。その神話性を崇めた。東京の地価を崇め、ぴかぴかと光るポルシェの象徴するものを崇めた。それ以外にはこの世界にはもう神話など残されてはいなかったからだ。

それが高度資本主義社会というものだった。気にいるといらざるとにかかわらず、我々はそういう社会に生きていた。善悪という基準も細分化された。ソフィスティケートされたのだ。善の中にもファッショナブルな善と、非ファッショナブルな善があった。悪の中にもファッショナブルな悪と、非ファッショナブルな悪があった。ファッショナブルな善の中にもフォーマルなものがあり、カジュアルなものがあり、ヒップなものがあり、クールなものがあり、トレンディーなものがあり、スノッブなものがあった。組み合わせも楽しめた。ミッソーニのセーターに、トゥルッサルディのパンツをはき、ポリーニの靴を履くみたいに、複雑なスタイルを楽しむことができた。そういう世界では、哲学はどんどん経営理論に似ていった。哲学は時代のダイナミズムに近接するのだ。

当時はそう思わなかったけれど、一九六九年にはまだ世界は単純だった。機動隊員に石を投げるというだけのことで、ある場合には人は自己表明を果たすことができた。それなりに良い時代だった。ソフィスティケートされた哲学のもとで、いったい誰が警官に石を投げられるだろう？　いったい誰が進んで催涙ガスを浴びるだろう？　それが現在なのだ。隅から隅まで網が張られている。網の外にはまた別の網がある。何処にも行けない。石を投げれば、それはワープして自分のところに戻ってくる。本当にそうなのだ。

記者は全力を傾けてその疑惑を追及していた。しかし彼がどれだけ声を上げたところで、いや上げれば上げるほど、その記事は微妙に説得力を失っていた。訴えかける力を持たなかった。彼にはわかっていないのだ。それは疑惑ですらないのだ。それは高度資本主義の当然のプロセスなのだ。そんなことはみんな知っているのだ。だから誰もそんなものには注意を払わないのだ。巨大資本が不正に情報を入手して土地を買い占め、あるいは政治的決定を強要し、その末端でやくざが小さな履物店主を脅したり、流行らない小さなホテルの経営者を殴ったからといって誰がそんなことを気にするだろう？　そういうことなのだ。時代は流砂の如く流れつづけるのだ。我々の立っている場所は、我々の立っていた場所ではないのだ。

それは立派な記事だったと思う。よく調べてあったし、正義感に溢れていた。でもトレンディーではなかった。

僕はその記事のコピーをポケットに突っ込み、コーヒーをもう一杯飲んだ。

僕はいるかホテルの支配人のことを考えた。生まれながらに失敗の影に覆われたあの不幸な男のことを。彼にこの時代が乗り切れるわけがなかったのだ。

「トレンディーじゃないんだ」と僕は声に出して言ってみた。

ウェイトレスが通りかかって、変な顔で僕を見た。

僕はタクシーを拾ってホテルに帰った。

8

部屋から昔の共同経営者に電話をかけた。僕の知らない誰かが電話に出て僕の名前を聞いて、それからまた別の誰かが出て僕の名前を聞いて、それからやっと彼が出てきた。忙しそうだった。我々が話をするのは殆ど一年振りだった。彼を意識的に避けていたわけではない。ただ単に話すことがなかったのだ。僕は彼に対してずっと好意を持っていたし、今でもそのことには変わりはない。でも結局のところ、彼は僕にとっては（そして僕は彼にとっては）「もう通過してしまった領域」に属していた。僕が彼をそこに押し込んだわけではない。彼が自分でそこに入り込んだわけでもない。我々はそれぞれに違う道を歩んでいたし、その二本の道はなかなか交わらなかった。それだけのことだった。

元気か、と彼が訊いた。

元気だ、と僕は言った。

今札幌にいると言うと、寒いだろうと彼は訊いた。

寒いと僕は答えた。

仕事の方はどうだと僕は聞いた。

忙しい、と彼は答えた。

あまり酒を飲みすぎないように、と僕は言った。

最近はあまり飲んでない、と彼は言った。

そちらは今雪が降っているか、と彼は訊いた。

今のところ何も降ってない、と僕は答えた。

ひとしきりそういう礼儀正しいボールのやりとりがあった。

「ところでちょっと頼みがあるんだ」と僕は切り出した。僕はずっと以前に彼にひとつ貸しがあった。彼もそのことは覚えていたし、僕も覚えていた。それに僕はそうしょっちゅう他人に頼みごとをする人間ではないのだ。

「いいよ」と彼は簡単に言った。

「昔一緒にホテルの業界紙に関係した仕事やったことがあったよな」と僕は言った。「五年くらい前のことだけどさ、覚えてる?」

「覚えてる」

「あの関係のラインはまだ生きているかな?」

彼は少し考えていた。「あまり活発とは言えないけど、生きていることは生きてる。温めることは不可能ではないな」

「あそこに一人、業界の裏側にすごく詳しい記者がいただろう。名前は忘れたけど。痩せていて、いつも変な帽子をかぶってる男。彼とコンタクトつけられる？」

「たぶんつけられると思う。何が知りたい？」

僕は彼にドルフィン・ホテルのスキャンダル記事のことをかいつまんで話した。彼は週刊誌の名前と発売日をメモした。それから大ドルフィン・ホテルができる前にそこにあった小ドルフィン・ホテルのことを話した。そして次のことを知りたいと言った。まず、何故新しいホテルが「ドルフィン・ホテル」という名前を引き継いだのか？　そして小ドルフィン・ホテルの経営者はどのような運命を辿ったのか？　スキャンダルはその後どのような進展を見せたのか？

彼はそれを全部メモし、電話口で読みあげた。

「これでいい？」

「それでいい」と僕は言った。

「どうせ急ぐんだろう？」と彼が訊いた。

「悪いけど」と僕は言った。

「何とか今日の内に連絡を取るようにしてみるよ。そちらの電話番号を教えてくれないかな」

僕はホテルの電話番号と部屋番号を教えた。

「じゃあ、またあとで」と言って彼は電話を切った。

僕はホテルのカフェテリアで簡単な昼食を食べた。ロビーに下りてみると、カウンターに例の眼鏡をかけた女の子がいた。僕はロビーの隅のほうの椅子に座ってしばらく彼女を眺めていた。彼女は忙しそうに働いていたし、僕の存在には気づかないようだった。あるいは気づいていたかもしれないが、無視していた。でも別にどちらでもよかった。僕はただ彼女の姿をちょっと見たかっただけなのだ。僕は彼女を見ながら、あの子と寝ようと思えば寝られたんだ、と思った。

時々そういう風に自分を勇気づける必要があった。

十分ほど彼女を眺めてから、エレベーターで十五階に上がり、部屋で本を読んだ。今日も空はどんよりと曇っていた。ほんの少しだけ光が入ってくるはりぼての中で暮らしているような気分だった。いつ電話がかかってくるかもしれないので、外に出たくなかったし、部屋にいれば本を読むくらいしかやることもなかった。ジャック・ロンドンの伝記を最後まで読んでしまうと、スペイン戦争についての本を読んだ。

長く長く引き延ばされた夕暮れのような一日だった。めりはりというものがない。窓の外の灰色に少しずつ黒が混じっていって、やがて夜になった。陰鬱さの質が少し変わっただけだった。世界には二色しか色が存在しなかった。灰色と黒。それが一定時間をおいて行ったり来たりしているだけなのだ。

僕はルーム・サービスでサンドイッチを注文した。そしてそのサンドイッチをひとつずつゆっくりと食べ、ビールを冷蔵庫から出して飲んだ。ビールも一口ずつゆっくり飲んだ。やることがないと、いろんなことを時間をかけて丹念にやるようになる。七時半に共同経営者から電話がかかってきた。

「連絡がとれたよ」と彼は言った。

「大変だった?」

「まあまあ」と彼は少し考えてから答えた。たぶんかなり大変だったんだろうと僕は思った。「ざっと簡単に教えるよ。まず第一に、この問題はもうぴったりと蓋をされてしまっている。蓋をされて、紐でしばられて、金庫の中に入ってる。誰ももうほじくりかえしたりしない。終わったんだよ。スキャンダルはもう存在しない。政府部内とか市庁舎で二、三目立たない異動のようなものがあったかもしれない。でもたいしたものじゃない。微調整みたいなもんだよ。それ以上は誰にもさわれない。検察庁もちょっとは動いたけど、確かなものは何もつかめなかった。いろいろとややこしい筋が絡んでいる。ホットなんだよ。だから聞き出すのはけっこうむずかしかった」

「個人的なことだし、誰にも迷惑はかけないよ」

「相手にもそう言っておいた」

僕は受話器を持ったまま冷蔵庫まで行ってビールを取り、片手で蓋を開けてグラスに注いだ。

「でもしつこいようだけど、下手に手を出すと怪我するよ」と彼は言った。「これはすごく大掛かりなことなんだ。どうしてお前がこんなことにかんでいるのかわからないけど、とにかく深入りしない方がいいよ。事情はあるんだろうけど、もっと穏やかで身分相応の人生を送った方がいいと思うね。俺のように、とまでは言わないけどさ」

「わかってる」と僕は言った。

彼は咳払いした。僕はビールを一口飲んだ。

「昔のドルフィン・ホテルは最後まで立ち退かなかったんで、いろいろと気の毒な目にあった。すっきりと出ていけばよかったんだけどね、出ていかなかった。大勢というものが見えてなかったんだね」

「そういうタイプなんだ」と僕は言った。「トレンディーじゃないんだ」

「いろんな嫌な目にあった。たとえばやくざが何人かホテルにずっと泊まりこんでやりたい放題をやった。法律にひっかからない程度に。おっかないのがロビーにじっと座っているとかね。そして誰かが入ってくると睨むんだ。わかるだろう、そういうの？　でもホテルの方はなかなか音を上げなかった」

「わかるような気はするな」と僕は言った。いるかホテルの支配人は様々な種類の人生の不幸に馴れているのだ。多少のことでは驚かない。

「でも最後にドルフィン・ホテルは奇妙な条件を出した。そしてその条件を呑めば出ていってもいいと言った。想像してみなよ、どういう条件か？」

「わからない」と僕は言った。

「考えてみろよ。少しは」と彼は言った。「それはそっちのもうひとつの質問の答えにもなっているんだから」

「『ドルフィン・ホテル』という名前を引き継ぐという条件？」

「そのとおり」と彼は言った。「それが条件だった。で、買収する方はそれを呑んだ」

「どうして、また？」

「悪い名前じゃないから。そうだろう？　『ドルフィン・ホテル』、悪い名前じゃないよ」

「まあね」と僕は言った。

「それにA総業は新しいホテル・チェーンを作る計画を立てていたんだ、ちょうど。これまでの中の上クラスの手持ちのチェーンじゃない最高クラスのチェーンをさ。そしてその名前はまだついていなかった」

「ドルフィン・ホテル・チェーン」と僕は言ってみた。

「そう。ヒルトンとか、ハイアットとかに匹敵するクラスのチェーンだよ」

「ドルフィン・ホテル・チェーン」と僕はもう一度繰り返した。引き継がれ、拡大された夢。「それで、昔のドルフィン・ホテルの経営者はどうなったんだろう?」

「そんなことは誰も知らない」と彼は言った。

僕はビールをまた一口飲み、ボールペンで耳たぶを掻いた。

「出ていく時にまあ、まとまった金をもらったから、それで何かやってるのかもしれないな。でも調べようがないね。通行人みたいな役まわりの人物だから」

「まあそうだろうな」と僕は認めた。

「だいたいそういうところだよ」と彼は言った。「それだけわかった。それ以上はわからなかった。いいかな?」

「ありがとう。とても助かった」と僕は礼を言った。

「うん」と言って彼はまた咳払いした。

「金は使った？」と僕は聞いてみた。

「いや」と彼は言った。「一度飯を食わせて、銀座のクラブにでも連れていって、車代渡すくらいでいいだろう。そういうのは気にしないでいいよ。どうせ全部経費で落ちるんだ。なんでも経費で落ちるんだ。税理士にもっと経費をつかえって言われてるんだ。だからそのことは気にしないでいい。もし銀座のクラブに行きたいんなら今度一度つれていってやってもいいぜ。経費で落ちる。どうせ行ったことないんだろう？」

「銀座のクラブっていったい何があるんだ？」

「酒があって、女の子がいる」と彼は言った。「行くと税理士が褒めてくれる」

「税理士と行けばいい」と僕は言った。

「この前行った」と彼はつまらなそうに言った。

僕らは挨拶をして、電話を切った。

　電話を切ったあとで、僕は共同経営者について少し考えてみた。僕と同じ歳で既に腹が出始めた男。机に何種類もの薬を入れ、選挙について真剣に考える男。子供の学校について気を病み、いつも夫婦喧嘩をし、それでも基本的には家庭を愛している男。気の弱いところがあって、時々酒を飲みすぎるけれど、でも基本的にはきちんとした丁寧な仕事をする男。あらゆる意味でまともな男。

僕らは大学を出てからコンビを組んで、長い間二人でうまくやってきた。小さな翻訳事務所から始め、少しずつ仕事の規模を大きくしていった。僕らはもともとはそれほど親しい友人というのではなかったけれど、割に気が合うところがあった。毎日顔を合わせていて、口論ひとつしたことがなかった。彼は育ちのいい穏やかな人間だったし、僕は口論を好まなかった。多少の差こそあれ、互いに敬意を払って一緒に仕事を続けてきた。でも結局のところ我々はいちばん良い時期に別れたのだ。僕が急に辞めてからも彼は僕抜きでうまくやっていたし、正直に言って僕がいなくなってからの方がうまくやっていた。仕事の業績も順調に伸びていた。会社も大きくなった。新しく人を入れ、彼らをうまく使っていた。精神的にも、一人になってからの方がずっと安定していた。

たぶん僕の方に問題があったんだろうと思う。たぶん僕の中の何かが彼にとってはあまり健全ではない影響を及ぼしていたのだと思う。だから僕がいなくなってからの方がずっとのびのびと振る舞えるのだ。おだてたりすかしたりしながら人を上手く使い、経理の女の子につまらない冗談を言い、下らないとは思いながらも懸命に経費を使い、誰かを銀座のクラブに連れていって接待する。もし僕と一緒にいたら、彼は緊張してそういうことがすんなりと上手くやれなかっただろうと思う。いつも僕の目を気にして、こういうことをしたら僕がどう思うだろうというようなことばかり考えていただろう。そういう男なのだ。僕は正直なところ彼が隣で何をしていようが別に何とも感じなかったのだが。あの男は一人になってよかったんだ、と僕は思った。あらゆる意味で。

要するに彼は僕がいなくなることによって、年齢相応に振る舞えるようになったのだ。年齢相応、と僕は思った。それから「年齢相応」と口に出して言ってみた。口に出してみると、それは何だか他人事のように思えた。

＊

九時にもう一度電話のベルが鳴った。電話がかかってくるあてなんてまったくなかったし、最初それが何を意味する音なのかよくわからなかった。でも電話だった。僕は四回めのベルで受話器をとって耳にあてた。

「あなた今日ロビーで私のことをじっと見てたでしょう？」とフロントの女の子が言った。声からすると別に怒ってもいないし、喜んでもいないようだった。淡々とした声だった。

「見てた」と僕は認めた。

　彼女はしばらく黙っていた。

「仕事中にあんな風に見られると緊張するのよ、私、すごく。おかげでいっぱい失敗しちゃったわよ。見られてるあいだ」

「もう見ない」と僕は言った。「僕はただ自分を勇気づけるために君を見てたんだ。そんなに君が緊張するとは思わなかった。これからは気をつけて見ないようにする。今どこにいるの？」

「家よ。これからお風呂に入って寝るの」と彼女は言った。「ねえ、あなた宿泊延ばしたのね？」

「うん。用事が少し延びたんだ」と僕は言った。

「でももうあんな風に私のことを見たりしないでよ。そういうことされると困るの」

「もう見ない」

　少し、沈黙があった。

「ねえ、私って少し緊張しすぎてると思う？　全体的に？」

「どうだろう、わからないな。そういうのは個人差があるものだからね。でも誰でも他人からじっと見られてると多かれ少なかれ緊張するんじゃないかな。とくに気にすることないよ。それに僕は時々無意識に何かをじっと見つめすぎる傾向があるんだ。いろんなものをじっと見ちゃうんだ」

「どうしてそういう傾向があるのかしら？」

「傾向というものは説明がつきにくいんだ」と僕は言った。「でも気をつけて見ないようにするよ。仕事で失敗させたくないから」

彼女は僕の言ったことについてしばらく黙って考えを巡らせていた。

「おやすみなさい」とやがて彼女が言った。

「おやすみ」と僕は言った。

電話が切れた。僕は風呂に入り、十一時半までソファで本を読んだ。それから服を着て廊下に出た。そして迷路のように入り組んだ長い廊下の端から端まで歩いてみた。フロアのいちばん端の奥まったところに従業員用のエレベーターがあった。従業員用エレベーターは一応一般客の目には触れにくいようになっていたが、隠してあるわけではなかった。非常階段という矢印の方に歩いていくと客室番号のないドアが幾つか並んでいて、その一角にエレベーターはあった。宿泊客が間違えて乗らないように「荷物専用」という札がかかっていた。僕はしばらく前で様子をうかがっていたが、エレベーターはずっと地階にとどまったままだった。この時刻にはもう利用者は殆どいないのだ。天井のスピーカーからBGMが小さく流れていた。ポール・モーリアの「恋は水色」だった。

僕はエレベーターのボタンを押してみた。ボタンを押すと、エレベーターはふと目覚めたようにその首をもたげ、上にあがってきた。階数表示のデジタル数字が1、2、3、4、5、6、と上昇した。ゆっくりと、しかし確実にそれは近づいてきた。僕は「恋は水色」を聞きながらその数字を眺めていた。中に誰かがいたら客用のエレベーターと間違えたと言えばいい。ホテルの宿泊客なんてどうせいつも間違いばかりやってるものなのだ。11、12、13、14、とそれは上昇した。僕は一歩うしろに下がり、ポケットに両手を突っ込んでドアが開くのを待った。

15、というところで数字の上昇は止まった。そして一瞬の間があった。何の音も聞こえない。そしてドアがすうっと開いた。中には誰もいなかった。

すごく静かなエレベーターだな、と僕は思った。あの喘息もちみたいな昔のいるかホテルのエレベーターとはずいぶん違う。僕は中に入って、16のボタンを押した。ドアが音もなく閉まり、微かな移動の感覚があり、またドアが開いた。十六階だった。でも十六階は彼女が言っていたような暗闇ではなかった。ちゃんと光がついて、天井からはやはり「恋は水色」が流れていた。何の臭いもしなかった。僕は試しに十六階を端から端まで歩いてみた。十六階は十五階とまったく同じ作りだった。廊下はくねくねと折れ曲がり、どこまでも客室がつづき、その間に自動販売機を集めたスペースがあり、何台か客用のエレベーターがあった。ドアの前にルーム・サービスの夕食の皿がいくつか出してあった。カーペットは深い赤で、柔らかく上質だった。足音も聞こえない。あたりはしんと静まり返っていた。BGMがパーシー・フェイス・オーケストラの「夏の日の恋」に変わった。僕は端まで歩くと回れ右をして途中まで引き返し、客用のエレベーターで十五階に下りた。そしてもう一度同じことを繰り返してみた。従業員用のエレベーターでまた十六階に上り、また光のついたごく当たり前のフロアを前にした。「夏の日の恋」が流れていた。

僕はあきらめてまた十五階に下り、ブランディーをふたくち飲んで眠った。

＊

夜が明けて、黒が灰色に変化していった。雪が降っていた。さて、と僕は思った。今日は何をすればいいのか？

何もすることがなかった——相変わらず。

僕は雪の中をダンキン・ドーナツまで歩いて行ってドーナツを食べ、コーヒーを二杯飲み、新聞を読んだ。新聞には選挙の記事が載っていた。映画欄には相変わらず見たい映画は見当たらなかった。一本、僕の中学校の時の同級生が俳優になって準主役で出演している映画があった。「片想い」というタイトルの青春映画で、売りだし中のローティーンの女優と、同じく売りだし中のアイドル歌手が共演する学園物だった。僕のかつての同級生がどういう役を務めるのかは考えるまでもなく予想がついた。ハンサムで若くてものわかりのいい先生の役をやるのだ。すらりと背が高く、スポーツも万能で、女生徒たちは名前を呼ばれただけで失神するくらい彼に憧れている。で、その主役の女の子もやはり彼に憧れている。だから日曜日にクッキーを作って先生のアパートにもっていったりもする。で、一人の男の子が彼女に恋をしている。ごく普通の、ちょっと気の弱い男の子……たぶんそういう筋だ。考えなくてもわかる。

僕は彼が俳優になってからしばらく、珍しさも手伝って何本か彼の出る映画を見た。でもそのうちに全く見なくなってしまった。どの映画も映画として全然面白くなかったし、彼はいつもいつも判で押したような同じ役しかやっていなかったからだ。ハンサムで、スポーツ万能で、清潔で、足が長い役だった。始めのうちは大学生の役が多く、それから先生とか医者とか若いエリート・サラリーマンとかの役が多くなった。でもやることはいつも同じだった。女の子が憧れて騒ぐ役なのだ。歯がきれいで、にっこり笑うと僕が見ても感じがよかった。でも僕はそんな映画を見るために金を払いたくない。僕はべつにフェリーニとかタルコフスキーみたいなのしか見ないというようなシリアスでスノッブな映画ファンではないけれど、彼の出る映画はあまりにもひどすぎた。筋はわかりきっているし、会話は月並みだし、金もかかっていなかったし、監督も投げたような仕事をしていた。

でも考えてみれば彼は俳優になる前から実にそういうタイプの男だった。感じはいい、でも実体がよくわからないのだ。僕は中学校時代二年間彼と同じクラスにいた。理科の実験では同じテーブルを使っていた。だから時々話もした。昔から映画そのままにおそろしく感じのいい男だった。女の子はその当時から彼に失神しそうなくらい憧れていた。彼が女の子に話しかけると、みんなうっとりとした目をした。理科の実験のときも、女の子はみんな彼の方を見ていた。わからないことがあると彼に訊いた。彼が優雅な手付きでガス・バーナーに火をつけるとみんなオリンピックの開会式でも見るみたいな目付きで彼を見ていた。僕が存在していることなんて誰ひとり気にもしなかった。

成績もよかった。いつもクラスで一番か二番だった。親切で、誠実で、思い上がったところがなかった。どんな服を着ても清潔でスマートで育ちがよさそうに見えた。便所で小便をしているときでさえエレガントだった。小便している姿がエレガントに見える男なんてめったにいない。もちろんスポーツも万能だったし、クラス委員としても有能だった。クラスでいちばん人気のある女の子と仲がいいという話もあったが、本当かどうかはわからなかった。先生も彼に夢中だったし、父母参観日があると、お母さんたちがみんな彼に夢中になった。そういうタイプの男だった。でも僕には彼が何を考えているのかはさっぱりわからなかった。

映画と同じだった。

そんな映画を今更金を払って見にいく理由がどこにあるだろう？

僕は新聞をごみ箱に捨て、雪の中をホテルに戻った。ロビーを通る時にフロントの方を見たが、彼女の姿はなかった。休憩時間なのかもしれない。僕はビデオ・ゲームのあるコーナーに行って、パックマンとギャラクシーを何ゲームかずつやった。よくできているが神経症的なゲームだった。それに好戦的にすぎる。でも時間は潰せる。

それから部屋に戻って本を読んだ。

取り柄のない一日だった。本を読むのに飽きると、窓の外の雪を眺めた。雪は一日中降り続いていた。よくまあこれだけ雪が降るものだと感心するほど雪が降っていた。十二時になるとホテルのカフェテリアに行って昼食を食べた。そしてまた部屋に戻って本を読み、窓の外の雪を眺めた。

でもまったく取り柄がないというわけでもなかった。ベッドの中で本を読んでいると四時にドアにノックの音がした。開けると彼女が立っていた。眼鏡をかけて、ライト・ブルーのブレザー・コートを着たフロントの女の子だった。彼女は少しだけ開いたドアの隙間からひらべったい影のようにするりと部屋の中に入って素早くドアを閉めた。

「こんなところみつかったら、私クビになっちゃうのよ。ここのホテルってそういうことにすごく厳しいんだから」と彼女は言った。

彼女は一度ぐるりと部屋を見回してからソファに座り、スカートの裾をきゅっきゅっとひっぱった。そして一息ついた。「休憩時間なの、今」と彼女は言った。

「何か飲む？　僕はビールを飲むけど」

「いらない。あまり時間がないの。ねえ、あなた部屋に籠って一日何してるの？」

「特に何もしてないよ。暇を潰してるんだ。本を読んだり、雪を見たり」と僕は冷蔵庫からビールを出し、グラスに注ぎながら言った。

「何の本？」

「スペイン戦争についての本。始まってから終わるまで詳しく書いてあるんだ。いろんな示唆に富んでいる」。スペイン戦争というのは本当にいろんな示唆に富んでいる戦争なのだ。昔はちゃんとそういう戦争があったのだ。

「ねえ、変な風に取らないでね」と彼女は言った。

「変な風に？」と僕は聞き返した。「変な風に取るって、つまり君がここに来たことについて？」

「うん」

僕はグラスを持ってベッドの端に腰を下ろした。「変な風には取らないよ。ちょっとびっくりはしたけど、来てくれて嬉しいよ。退屈してたし、話相手もほしかったんだ」

彼女は部屋の真ん中に立つと、ライト・ブルーの上着を音もなくするりと脱いで、皺にならないようにライティング・デスクの椅子の背にかけた。それから歩いて僕のとなりにやってきて、足を揃えて座った。上着を脱ぐと、彼女はどことなく弱く、傷つきやすそうに見えた。僕は彼女の肩に手を回した。彼女は僕の肩に頭を載せた。とてもいい匂いがした。白いブラウスにはきちんとアイロンがかかっていた。五分ほどそんな風にしていた。僕はじっと彼女の肩を抱き、彼女は僕の肩に頭を載せて目を閉じてまるで眠っているみたいに静かに呼吸をしていた。雪が街の音を吸い込みながらいつまでもいつまでも降り続けていた。音というものがまるで聞こえなかった。

彼女は疲れていて、何処かで休みたかったのだろう、と僕は思った。僕はとまり木みたいなものなのだ。僕は彼女が疲れていることに対して気の毒に思った。彼女のような若くて綺麗な女の子がそんなに疲れるというのは理不尽で公正でないように思えたからだ。でも考えてみればそれは理不尽でも不公正でもなかった。疲労というのは美醜や年齢とは無関係にやってくるものなのだ。雨や地震や落雷や洪水と同じように。

五分たつと、彼女は頭を上げて僕の側を離れ、上着を取って着た。そしてまたソファに腰を降ろした。そして小指の指輪をいじっていた。上着を着ると彼女はまた少し緊張してよそよそしくなったように見えた。

僕はベッドに腰かけたまま彼女を見ていた。

「ねえ、君がその十六階で変な目にあった時のことだけどね」と僕は聞いてみた。「そのとき何か普段とは別のことをしなかった？　エレベーターに乗る前か、あるいは乗ってから？」

彼女は少し首をかしげて考えていた。「そうね……どうかしら？　何も変わったことはしなかったと思うけど。……思い出せないわ」

「何かいつもとは違う変な徴候みたいなのもなかった？」

「普通よ」と彼女は言って肩をすぼめた。「変なことなんか何もなし。ごく普通にエレベーターに乗って、ついてドアが開いたら真っ暗だったの。それだけ」

僕は肯いた。「ねえ、今日何処かで一緒に食事でもしないか？」

彼女は首を振った。「ごめんなさい。悪いけど、今日はちょっと約束があるの」

「明日はどう？」

「明日はスイミング・スクールに行くの」

「スイミング・スクール」と僕は言った。そして微笑んだ。「古代エジプトにもスイミング・スクールがあったの知ってる?」

「そんなこと知らないわ」と彼女は言った。「嘘でしょう?」

「本当だよ。仕事の関係で一度資料を調べたことがあるんだ」と僕は言った。でも本当だからといって、それでどうなるものでもなかった。

彼女は時計を見て立ち上がった。「有り難う」と彼女は言った。そして来たときと同じように音もなくするりと外に出ていった。それがその日の唯一の取り柄だった。ささやかなことだ。でも古代エジプト人だって、日々のささやかな出来事に喜びを見出しつつささやかな人生を送って、そして死んでいったのだろう。水泳を習ったり、ミイラを作ったりしながら。そういうものの集積を人は文明と呼ぶのだ。

9

十一時になってついにやることがなくなってしまった。やれることはとにかく全部やった。爪も切ったし、風呂にも入ったし、耳の掃除もしたし、TVのニュースも見た。腕立て伏せと屈伸もやった、夕食も食べた、本も最後まで読んでしまった。でも眠くなかった。もう一度従業員用エレベーターを試してみたかったが、そうするにはまだ時間が早すぎた。従業員の行き来の跡絶える十二時すぎまで待った方がいい。

いろいろ考えた末に結局二十六階のバーに行くことにした。そして窓の外の雪のふりしきる茫漠とした暗闇を見ながらマティーニを飲み、エジプト人について考えた。古代エジプト人はいったいどんな人生を送っていたんだろう、と僕は思った。どんな人たちがスイミング・スクールに通っていたのだろう？　たぶんファラオの一族とか貴族とか、そういうハイ・クラスの人たちだろう。トレンディーなジェット・セット・エジプト人。そういう人たち用にナイル河の一部を区切るか何かして専用のプールみたいなのを作り、そこでシックな泳ぎ方を教えたのだろう。映画俳優になった僕の友達みたいな感じのいい教師がついて、偉い人たちに「はい殿下、結構でございます。ただクロールの右手をもう少しまっすぐに伸ばされた方がよろしいかと存じます」なんてことをしたり顔で言っていたのだろう。

僕はそういう光景を想像することができた。インクみたいに濃いブルーのナイルの水、ぎらぎらと輝く太陽（もちろんそこには葦簀ばりの屋根かなにかがついているだろう）、鰐やら平民やらを追い払うための槍を持った兵隊、そよぐ葦、ファラオの王子たち。それから王女はどうかな、と僕は思った。女の子も水泳を習ったのだろうか？　たとえばクレオパトラ。ジョディー・フォスターみたいな感じの若き日のクレオパトラ。彼女も僕の友達の水泳教師を見て失神しただろうか？　たぶんしただろうな。それが彼の存在事由なのだから。

そういう映画を作ればいいんだと僕は思った。そういうのなら見にいってもいい。

水泳教師は卑しい生まれの人間ではない。イスラエルかアッシリアあたりの王族の息子なのだが、戦争に負けてエジプトに連れてこられ、奴隷になる。でも奴隷になっても彼は感じの良さを微塵も失わない。その辺がチャールトン・ヘストンやらカーク・ダグラスなんかとは違う。白い歯を見せてにっこりと笑い、優雅に小便をする。ウクレレを持たせたらナイルの河岸に立って「ロカフラ・ベイビー」でも歌い出しそうである。こういう役は彼にしかできない。

で、ある日ファラオの一行が彼の前を通りかかる。彼は河岸で葦を刈っていたのだが、その時ちょうど河で船が転覆する。彼はためらいひとつ見せずどぶんと河に飛び込み、鮮やかなクロールでそこまで泳いでいって、小さな女の子を抱えて鰐と競争しながら戻ってくる。すごく優雅に。科学の実験班でガス・バーナーをつけたりするときと同じようにすごく優雅に。それをファラオが見ていて感心し、そうだ、あの青年を王子たちの水泳教師にしようと思う。前の教師は口のきき方が悪かったので一週間前に底無しの井戸に放り込んだばかりなのだ。そんなわけで、彼は王立スイミング・スクールの先生になる。なにしろ感じがいいから、みんな彼に夢中になる。夜になると女官たちが体にいろんな香料をぬりたくって彼のベッドに潜りこんでくる。王子たちや王女たちも彼に心服する。ここで「水着の女王」と「王様と私」を一緒にしたようなスペクタクル・シーンが入る。彼と王子・王女たちがみんなでシンクロナイズド・スイミングみたいなことをやってファラオのお誕生日を祝うのだ。ファラオはいたくお喜びになり、それでまた彼の株が上がる。でも彼はそれを鼻にかけたりしない。謙虚なのだ。そしていつもにっこりと微笑んで、エレガントに小便をする。女官がベッドに入ってくると前戯に一時間くらいかけ、ちゃんといかせてやり、終わったあとで髪を撫でて「最高だったよ」と言う。親切なのだ。

エジプトの女官と寝るというのはどんなものだろう、と僕はちょっと考えてみたが、どうも具体的なイメージが浮かんでこなかった。無理にイメージを喚起しようとすると、どうしても二〇世紀フォックスの「クレオパトラ」が浮かんでくるのだ。エリザベス・テイラーとリチャード・バートンとレックス・ハリソンの出ていたひどい映画。長い柄のついた扇ではたはたとエリザベス・テイラーを扇いでいたハリウッド的にエキゾチックな脚の長い色黒の女の子たち。いろんな大胆なポーズをとって、彼を楽しませる。エジプト人の女たちはそういうことに長けているのだ。

で、ジョディー・フォスター的クレオパトラが彼に失神するくらい夢中になる。月並みかもしれないが、そうじゃないと映画にならない。

彼の方もジョディー・クレオパトラに夢中になる。

でもジョディー・クレオパトラに夢中になっているのは彼だけではない。真っ黒なアビシニアの王子も彼女に恋焦がれている。彼女のことを考えると思わず踊り出してしまうくらい好きなのだ。これは何といってもマイケル・ジャクソンが演じなくてはならない。彼は恋ゆえにアビシニアからはるばる砂漠を越えてエジプトまでやってきたのだ。キャラヴァンの焚き火の前でタンバリンか何か持って「ビリー・ジーン」を歌い踊りながら。星の光を受けて目がきらりと光ったりするのだ。そしてもちろん水泳教師とマイケル・ジャクソンとの間に葛藤がある。恋の鞘当てがある。

僕がそこまで考えたところでバーテンダーがやってきて、申し訳ありませんがそろそろ閉店の時間になりますのでと申し訳なさそうに言った。時計を見るともう十二時十五分だった。残っている客は僕しかいなかった。バーテンダーはほとんど片付けをすませていた。やれやれ、なんでこんな長いあいだ下らないこと考えていたんだろうと僕は思った。無意味で馬鹿馬鹿しい。どうかしてる。僕は勘定書きにサインして、残っていたマティーニを飲みほし、席を立った。そしてバーを出て、両手をポケットにつっこんだままエレベーターがやってくるのを待った。

でもジョディー・クレオパトラはしきたりによって弟と結婚しなくてはならない、と僕は思った。その幻想のシナリオを僕は頭から追い払えなくなってしまっていた。あとからあとから頭にシーンが浮かんでくるのだ。性格が弱くて屈折した弟。誰がいいかな？ウディー・アレン、まさか。それじゃ喜劇になってしまう。宮廷でしょっちゅう面白くない冗談を言ってはプラスティックの金槌で自分の頭を叩いている。駄目だ。

弟についてはあとで考えよう。ファラオはやはりローレンス・オリヴィエだ。頭痛もちで、いつもひとさし指の先でこめかみを押さえている。気に入らない人間は底無し井戸に放り込むか、ナイル河で鰐と競争させるかする。インテリジェントで、残酷なのだ。瞼を取り去って砂漠に放り出したりもする。

そこまで考えた時にエレベーターのドアが開いた。音もなくするすると。僕は中に入って十五階のボタンを押した。そしてまた話の続きを考えた。そんなもの考えたくなかった。でも止めようと思っても止まらないのだ。

舞台は一転して荒れはてた砂漠である。砂漠の奥にある洞窟ではファラオに追放された予言者が誰にも気づかれることなくひっそりと孤独に生きている。彼は瞼を切り取られながら、なんとか砂漠を横断して奇蹟的に生き延びたのだ。羊の皮を被って強い日光を避け、彼は暗闇の中で暮らしている。虫を食べ、草を齧って。そして内なる目を得て未来を予言する。きたるべきファラオの没落を、エジプトの黄昏を、そして世界の転換を。

羊男だ、と僕は思った。どうしてこんなところに突然羊男が出てくるんだ？

ドアがまたするすると音もなく開いた。僕はぼんやりと考え事をしながら外に出た。羊男、彼はエジプト時代から存在したのだろうか？　それともこれはみんな僕が頭の中で作り出した意味のない幻想に過ぎないのだろうか？　僕はポケットに手を突っ込んだまま暗闇の中に立ってそんなことを考えていた。

暗闇？

気がつくとあたりは真っ暗闇だった。小さな光ひとつ見えなかった。僕のうしろでエレベーターのドアが閉まってしまうとまわりには漆黒の闇が下りた。自分の手さえ見えなかった。もうBGMも聞こえなかった。「恋は水色」も「夏の日の恋」も聞こえなかった。空気はひやりとして、黴臭かった。

僕はそんな暗闇の中に一人立ちすくんでいた。

10

それは恐ろしいほどの完璧な暗闇だった。

何ひとつとして形のあるものを識別することができないのだ。自分自身の体さえ見えないのだ。そこに何かがあるという気配さえかんじられないのだ。そこにあるものは黒色の虚無だけだ。

そんな真の暗闇の中では自分の存在が純粋に観念的なものに思えてくる。肉体が闇の中に溶解し、実体を持たない僕という観念がエクトプラズムのように空中に浮かびあがってくる。僕は肉体から解放されているが、新しい行き場所を与えられてはいない。僕はその虚無の宇宙を彷徨っている。悪夢と現実の奇妙な境界線を。

僕はしばらくそこにじっと立ちすくんでいた。体を動かそうにも、手足は麻痺したように本来の感覚を失っていた。まるで深海の底におしこまれたみたいだった。濃密な闇が僕に奇妙な圧力を加えていた。沈黙が僕の鼓膜を圧迫していた。僕はなんとか少しでも暗闇に目を馴らそうとした。でも無駄だった。時間が経てば目が馴れるというような生半可な暗闇ではないのだ。完全な暗闇だった。黒色の絵具を幾重にも幾重にも塗り重ねたような深く隙のない闇だった。僕はポケットを無意識に探ってみた。右のポケットの中には財布とキイ・ホルダーが入っていた。左の方には部屋のカード・キイとハンカチといくらかの小銭。でもそんなものは闇の中では何の役にも立たない。僕は煙草をやめたことを初めて後悔した。煙草をやめていなければ、そこにはライターなりマッチなりがあったはずなのだ。でも今そんなことを悔やんでも仕方無い。僕はポケットから手を出し、壁のありそうな方に伸ばしてみた。闇の奥に僕は固い縦の平面を感じた。壁がそこにあった。壁はつるりとして冷やかだった。ドルフィン・ホテルの壁にしては冷たすぎる。ドルフィン・ホテルの壁はこんなに冷たくない。エアコンがいつも穏やかな温度に空気を保っているからだ。落ち着いてゆっくりと考えよう、と僕は自分に言い聞かせた。

落ち着いて考えるんだ。

まずだいいちにこれはあの女の子が遭遇したのとまったく同じ事態なのだ。僕はそれをなぞっているだけなのだ。だから脅えることはないのだ。彼女だって一人でちゃんとこの状況を切り抜けたのだ。もちろん僕にだってできる。できないわけはないのだ。だから落ち着くんだ。彼女がやったのとまったく同じように行動すればいいのだ。このホテルには何かしら奇妙なものが潜んでいるし、それはおそらく僕自身にも関わっていることなのだ。このホテルは間違いなくどこかであのいるかホテルと繋がっているのだ。だからこそ僕はここに来たのだ。そうだろう？　そうだ。彼女と同じように行動し、そして彼女が見なかったものを見届けなくてはいけないのだ。

怖いか？

怖い。

やれやれ、と僕は思った。冗談抜きで怖いのだ。丸裸にされたような気がする。嫌な気分だ。深い暗黒は暴力の粒子を僕のまわりに漂わせている。そして僕はそれがうみへびのように音もなくするすると近寄ってくるのを見ることさえできないのだ。救いようのない無力感が僕を支配している。体中の毛穴という毛穴が直に暗闇に曝されているような気がする。シャツが冷たい汗でぐっしょりと濡れている。喉がからからになる。唾を飲み込むのにすごく骨が折れる。

ここはいったい何処なんだろう？　ドルフィン・ホテルではない。絶対に違う。それだけは間違いない。ここはどこか違う場所なんだ。僕は何かを踏み越えて、この奇妙な場所に入り込んでしまったのだ。僕は目を閉じて大きく何度か深呼吸した。

馬鹿みたいな話だけれど、ポール・モーリア・グランド・オーケストラの「恋は水色」

が聴きたかった。今あのBGMが聞こえたらどんなに幸せなことだろうと思った。どんなに元気づけられることだろう。リチャード・クレーダーマンだっていい。今なら我慢できる。ロス・インディオス・タバハラスだって、ホセ・フェリシアーノだって、フリオ・イグレシアスだって、セルジオ・メンデスだって、パートリッジ・ファミリーだって、1910フルーツガム・カンパニーだって、なんだっていい。なんだって今なら我慢する。なんでもいいから音楽が聴きたかった。あまりにも静かすぎるのだ。ミッチ・ミラー合唱団だって我慢する、アンディー・ウィリアムズとアル・マルティーノがデュエットで唄っても我慢する。

もうよせ、と僕は思った。下らないことを考えすぎる。でも何かを考えないわけにはいかない。何でもいいのだ。頭の中の空白を何かで埋めてしまいたいのだ。恐怖のせいだ。空白の中に恐怖が忍び込んでくるのだ。

焚き火のまえでタンバリンを叩いて「ビリー・ジーン」を踊るマイケル・ジャクソン。らくだたちでさえうっとりとそれに聴きほれている。

頭が少し混乱している。

アタマガスコシコンランシテイル。

僕の思考が暗闇の中で軽くこだまする。思考がこだまするのだ。

僕はもう一度深呼吸して、頭から無意味なイメージを放逐する。いつまでもこんなことを続けているわけにはいかない。行動に移らなくてはならない。そうだろう？　そのために僕はここに来たんじゃないか？

　僕は腹をきめて、暗闇の中を手探りでゆっくりと右に向けて歩き始めた。でもまだ足が上手く動かない。自分の足じゃないような気がする。筋肉と神経が上手く連動していないのだ。僕は足を動かしているつもりなのだが、実際には足は動いていない。暗黒の水のような暗闇が僕をすっぽりと包んで逃がさない。どこまでもどこまでもその暗闇は続いている。地球の芯まで。僕は地球の芯に向かって進んでいるのだ。そしてそこに行くと、もう二度と地上にもどりつくことはできないのだ。何か別のことを考えよう、と僕は思った。何か考えないことには恐怖がどんどん体を支配していく。映画の筋の続きを考えよう。何処まで話が進んだんだっけ？　羊男の出てくるところまで。でも砂漠のシーンは今のところはそれで終わり。画面はまたファラオの宮殿に戻る。きらびやかな宮殿。アフリカ中の富がそこに集められている。ヌビア人の奴隷がそこらじゅうにかしこまっている。その真中にファラオがいる。ミクロス・ローザみたいな音楽が流れている。ファラオは明らかに苛立っている。「エジプトで何かが腐っている」と彼は思う。「それもこの宮殿で、何か間違ったことが進行している。私はそれをはっきりと感じる。それを正さねばならない」

僕は一歩一歩注意深く足を前に出す。そして思う。あの女の子によくこんなことが出来たものだと。僕はまったく感心してしまう。わけのわからない真っ暗闇に突然放り込まれ、その闇の奥に何があるか一人で確かめに行くなんて。僕でさえ——こういう異空間的な闇が存在するという話を前もって聞かされていた僕でさえ——これほど脅えているというのに。もし何の予告もなくこの闇の中に一人で放り出されていたら、僕は前に進もうなんていう気にはまずなれなかっただろう。きっと僕はエレベーターの前に立ちすくんでじっとしていたことだろう。

僕は彼女のことを考えた。彼女が競泳用の黒いつるりとした水着を着て、スイミング・スクールで泳ぎを習っているところを想像した。そしてそこにも映画俳優をやっている僕のかつての同級生がいた。そして彼女も彼に失神するくらい憧れていた。彼がクロールの右手の伸ばし方について注意すると、彼女はうっとりとした目で僕の友達を見た。そして彼女は夜になると彼のベッドにもぐりこんでいった。僕は悲しかった。傷つきさえした。そんなことしちゃいけない、と僕は思った。君には何もわかっちゃいないんだ。彼は感じが良くて親切なだけなんだ。彼は君にやさしい言葉をかけて、君をいかせてくれるかもしれない。でもそれはただ親切なだけなんだよ。それはただ単なる前戯の問題なんだよ。

廊下が右に折れていた。

彼女の言ったとおりだった。でも僕の頭の中で、彼女はその僕の同級生と寝ていた。彼は彼女の服を優しく脱がせ、体の部分部分を全部ひとつひとつ褒めた。それも本心で褒めていた。やれやれと僕は思った。まったく感心しちゃうね。でもそのうちにだんだん腹が立ってきた。そんなの間違っていると僕は思った。

廊下が右に折れていた。

僕は壁に手を触れたまま右に曲がった。遠くに小さな光が見えた。いくつものヴェールを通してこぼれてくるようなぼんやりとした小さな光。

彼女の言ったとおりだ。

僕の同級生は彼女の体に優しくくちづけをしていた。首筋から肩から乳房へとゆっくりと。カメラは彼の顔と彼女の背中を映している。それからくるりとカメラは回転する。そして彼女の顔を映す。でもそれは彼女ではない。ドルフィン・ホテルのフロントの女の子ではない。それはキキの顔なのだ。昔僕といるかホテルに泊まった、素敵な耳を持った高級娼婦のキキ。何も言わずに僕の人生から消えてしまったキキ。僕の同級生とキキが寝ているのだ。それは実際の映画の一シーンのように見える。カット割りがきちんとしている。いささかきちんとしすぎている。凡庸と言ってもいいくらいに。彼らはアパートの一室で抱き合っている。窓のブラインドから光が入っている。キキ。どうしてここに突然あの子が出てくるんだ？　時空が混乱している。

ジクウガコンランシテイル。

僕は光に向かって進んだ。足を踏みだすと頭の中のイメージがすうっと消えた。フェイドアウト。

僕は沈黙の暗闇の中を壁に沿って進んだ。僕はそれ以上何も考えないことにした。考えたって仕方ない。ただ時間を引き伸ばしているだけのことだ。何も考えず、足を前に出すことだけに集中するのだ。注意深く、確実に。光が仄かにあたりを照らしている。でもそこがどういう場所なのかが見定められるほど明るくはない。ただドアが見えるだけだ。見覚えのないドア。そう、彼女の言ったとおりだ。古い木製のドア。そこには番号の札がついている。でもその数字までは読みとれない。暗すぎるし、札も汚れている。いずれにせよここはドルフィン・ホテルではない。ドルフィン・ホテルにこんな古いドアが存在するはずがない。そして空気の質も違う。この臭いはいったい何だろう？　まるで古い紙の臭いのようだ。光が時折ふらふらと揺れた。たぶん蠟燭の光なのだろう。

　僕はドアの前に立って、しばらくその光を見ていた。

　そしてまたあのフロントの女の子のことを考えた。彼女とあの時寝ておくべきだったかな、とふと思った。僕はあの現実の世界にまた戻ることができるのだろうか？　そして僕はまたあの子とデートすることができるのだろうか？　そう思うと僕は現実の世界やらスイミング・スクールやらに対して嫉妬した。あるいはそれは正確には嫉妬じゃないのかもしれない。それは拡大され歪められた後悔の念かもしれない。でも外見的にはそれは嫉妬にそっくりだった。少くとも真暗闇の中では嫉妬そのものみたいに感じられた。やれやれ、どうしてこんなところで嫉妬を感じたりするのだ。何かに嫉妬するなんて、ものすごく久し振りのことだった。僕は嫉妬という感情を殆ど感じることのない人間なのだ。何かに嫉妬するには僕はたぶんあまりにも個人的すぎるのだ。でも今、僕は驚くほど強い嫉妬を感じていた。それもスイミング・スクールに対して。

馬鹿気てる、と僕は思う。どこの誰がスイミング・スクールに嫉妬する？　そんな話聞いたこともない。

僕は唾を飲み込んだ。ドラム缶を金属バットでジャスト・ミートしたような大きな音がした。ただ唾を飲み込んだだけで。

音が奇妙な響き方をしているのだ。彼女が言っていたように。そう、僕はノックしなくちゃならないんだ。ノックするんだよ。そして僕はノックしてみた。ためらわずに思いきって。小さくこんこんと。聞こえなければいいのに、というくらい小さな音で。でも出てきた音は巨大だった。その音はまるで死そのもののように重く、冷たかった。

僕は息を止めて待った。

しばらく沈黙があった。彼女の時と同じだ。どれくらいの時間かはわからない。五秒かもしれないし、一分かもしれない。暗闇の中では時間がはっきり定まらない。揺れ動き、引き伸ばされ、凝縮する。その沈黙の中で僕自身も揺れ動き、引き伸ばされ、凝縮する。時間の歪みに合わせて僕自身も歪むのだ。ビックリハウスの鏡に写る像のように。

それからその音が聞こえた。かさこそという誇張された音。きぬずれの音だ。何かが床から立ち上がる。そして足音。それはこちらに向かってゆっくりとやってくる。スリッパをひきずるようなさら、さら、という音。何かがやってくる。何か人間でないもの、と彼女は言った。彼女の言うとおりだった。それは人間の足音ではなかった。何か別のものなのだ。現実には存在しない何か——でもここでは存在している。

僕は逃げなかった。汗が背中をつたって流れていくのが感じられた。でもその足音が近づいてくるにつれて、奇妙なことに僕の中の恐怖は逆に少しずつ薄らいでいった。大丈夫、と僕は思った。これは邪悪なものではない。僕はそれをはっきりと感じることができた。何も怖がることはない。流れに身を任せればいいのだ。大丈夫。僕は温かい体液の渦の中にあった。僕はドアのノブをしっかりと握りしめ、目を閉じ、息を止めていた。大丈夫。怖くない。僕は暗闇の中で巨大な心音を聞く。それは僕自身の心音だ。僕自身の心音の中に僕が包まれ、含まれている。何も怖がることはない、と僕自身が言う。ただ繋がっているだけなのだ。

足音が止まった。それは僕のすぐそばにいた。そして僕を見ていた。僕は目をとじていた。繋がっている、と僕は思った。僕はあらゆる場所に繋がっていた。ナイルの岸辺や、キキや、いるかホテルや、古いロックンロールや、何もかもに。香料を塗りたくったヌビア人の女官たち。かちかちと時を刻む爆弾。古い光、古い音、古い声。

「待ってたよ」とそれは言った。「ずっと待ってた。中に入りなよ」

それが誰なのか目を開けなくてもわかった。

羊男だった。

11

小さな古いテーブルをはさんで、僕らは話をした。小さな丸いテーブルで、その上には蠟燭がひとつ置いてあるだけだった。蠟燭は粗末な素焼きの皿の上に立ててあった。その部屋にある家具といえばせいぜいそれくらいのものだった。椅子もなかったので、僕らは床に積みあげてある本を椅子がわりにした。

それが羊男の部屋だった。細長く狭い部屋だ。壁や天井の雰囲気が昔のいるかホテルの部屋に少し感じが似ているが、でもよく見ると全然違うような気もする。つきあたりに窓がある。でも窓には内側から板が打ち付けられている。打ち付けられてからずいぶん年月がたっているのだろう、板の隙間に灰色のほこりが積もり、釘の頭が錆びている。それ以外には何もない。ただの四角い箱のような部屋だ。電灯もない。クローゼットもない。浴室もない。ベッドもない。彼はおそらく床で眠るのだろう。羊の衣装に身をくるんだまま。床には人ひとりがやっと歩いて通れるくらいの空間だけをあけて、あとは古い書籍や新聞や資料を集めたスクラップ・ブックが所狭しと積みあげてあった。どれも茶色に変色し、あるものは絶望的に虫に食われ、あるものはばらばらにほどけていた。僕がちらりと見たかぎりではどれも北海道における緬羊の歴史に関するものだった。たぶん昔のいるかホテルにあったものをここにあつめたのだろう。昔のいるかホテルには羊についての資料室のようなものがあって、主人の父親がその管理をしていたのだ。彼らはみんなどこに行ってしまったんだろう？

羊男はちらちらと揺れる蠟燭の炎越しにしばらく僕の顔を見ていた。羊男の大きな影がしみのある壁の上で揺れていた。拡大され誇張された影だった。

「ずいぶん久し振りだね」と彼はマスクの奥から僕を見ながら言った。「でもかわらないね。少しやせたかな？」

「そうだね。少しやせたかもしれない」と僕は言った。

「それで、外の世界の様子はどうだね？　何か変わったことは起こっていないかな？　ここにいると何が起こっているのかわからないもんでね」と彼は言った。

僕は脚を組んで首を振った。「相変わらずだよ。たいしたことは起こってないよ。世の中が少しずつ複雑になっていくだけだ。そして物事の進むスピードもだんだん速くなっている。でもあとはだいたい同じだよ。特に変わったことはない」

羊男は肯いた。「じゃあ、まだ次の戦争は始まっていないんだね？」

羊男の考える「この前の戦争」がいったいどの戦争を意味するのかはわからなかったけれど、僕は首を振っておいた。「まだだよ」と僕は言った。「まだ始まっていない」

「でも、そのうちにまた始まるよ」と彼は手袋をはめた両手をこすりあわせながら抑揚のない単調な声で言った。「気をつけるんだよ。殺されたくなければ、気をつけた方がいい。戦争というのは必ずあるんだ。いつでも必ずある。ないということはないんだ。ないように見えても必ずある。人間というのはね、心底では殺しあうのが好きなんだ。そしてみんなで殺し疲れるまで殺しあうんだ。殺し疲れるとしばらく休む。それからまた殺しあいを始める。決まってるんだ。誰も信用できないし、何も変わらない。だからどうしようもないんだ。そういうのが嫌だったら別の世界に逃げるしかないんだよ」

彼の着た羊の毛皮は昔より幾分薄よごれているように見えた。毛は固く全体的に脂じみていた。彼の顔を覆った黒いマスクも、僕が記憶していたものよりはずっと貧相に見えた。まにあわせで作った粗末な仮装のように見えた。でもそれはこの穴ぐらのような湿っぽい部屋と、貧弱な仄暗い光のせいかもしれない。そして記憶というものがいつも不確かで都合の良いものだからかもしれない。しかしその衣装だけではなく、羊男自身も昔よりはいくらか疲労しているように見えた。この四年ほどの間に彼は年老いて体がひとまわり縮んでしまったように僕には感じられた。彼は時々深い息をついたが、その息は奇妙に耳障りな音を立てた。まるでパイプの中に何かが詰まっているようなごろごろとした居心地の悪い音だった。

「もっと前に来ると思ってたよ」と羊男は僕の顔を見て言った。「だからずっと待ってたんだ。この前誰かが来た。あんただと思った。でもあんたじゃなかった。きっと誰かが迷いこんできたんだね。不思議だね。他の人間がそんなに簡単にここに迷いこむことはできないはずなんだけど。でもそれはともかく、あんたはもっと前に来ると思ってた」

僕は肩をすぼめた。「ここに来ることになるだろうとは思っていたんだ。来なくちゃいけないとも思ってた。でも来る決心がなかなかつかなかったんだ。ずいぶん沢山夢を見た。いるかホテルの夢だよ。しょっちゅうその夢を見てた。でもここに来ようと決心するまでに時間がかかったんだ」

「ここのことを忘れようとしていたのかい？」

「途中まではね」と僕は正直に言った。そしてゆらゆらと揺れる蠟燭の灯に照らされた自分の手を見た。何処から風が入ってくるんだろう、と僕は不思議に思った。「途中までは忘れられるものなら忘れたいと思ってた。ここはもう無縁に生きていきたいと思った」

「あんたの死んだ友達のせいでそう思ったのかい？」

「そう。僕の死んだ友達のせいでだよ」

「でもあんたは結局ここに来た」と羊男は言った。

「そうだね、僕は結局ここに帰ってきた」と僕は言った。「この場所のことを忘れることは出来なかったんだ。忘れかけると、何かが必ず僕にここのことを思い出させた。たぶんここは僕にとって特別な場所なんだろう。好むと好まざるとにかかわらず、僕は自分がここに含まれているように感じるんだよ。それが具体的にどんなことを意味しているのかは僕にもわからない。でも僕ははっきりとそう感じるんだよ。夢の中でそう感じたんだ。ここで誰かが僕のために涙を流して、そして僕を求めているんだって。だから僕はここに来る決心がついたんだ。ねえ、ここはいったい何処なんだい?」

　羊男はしばらく僕の顔をじっと見ていた。それから首を振った。「細かいことはおいらにもわからない。ここはとても広いし、とても暗い。どれくらい広くて、どれくらい暗いかはおいらにもわからない。おいらが知っているのはこの部屋のことだけだ。他の場所のことはわからないよ。だから詳しいことは何も教えてあげられない。でもとにかく、あんたがここに来たのは、あんたがここに来るべき時がきたからだよ。おいらはそう思う。だからそのことについてあんたはあれこれ考えることはない。たぶん誰かがこの場所を通してあんたのために涙を流しているんだろう。たぶん誰かがあんたを求めているんだろう。

あんたがそう感じるなら、きっとそのとおりなんだよ。でもそれはそれとして、今あんたがここに戻ってきたのは本当に当然のことなんだ。鳥が巣に帰るみたいにさ。自然なことなんだよ。逆に言うなら、あんたが帰ろうと思わなければ、ここは全く存在しないのと同じことなんだよ」羊男はまた両手をごしごしとこすりあわせた。体の動きにあわせて壁の上の影が大きく揺れた。まるで黒い幽霊が頭上から僕に襲いかかろうとしているみたいに。まるで昔の漫画映画みたいに。

鳥が巣に帰るように、と僕は思った。言われてみれば確かにそんな気がした。僕はただその流れを追ってここに来たにすぎないのだ。

「さあ、話してごらん」と羊男は静かな声で言った。「あんたのことを話してごらんよ。ここはあんたの世界なんだ。遠慮することは何もないんだ。話したいことをそのままゆっくり話せばいいんだよ。あんたにはきっと話したいことがあるはずだよ」

僕は壁の上の影を眺めながら、仄暗い光の中で僕の置かれている状況について彼に話した。僕は本当に久し振りに心を開いて正直に自分自身について語った。長い時間をかけて、氷を溶かすようにゆっくりと、ひとつひとつ。僕が何とか自分の生活を維持していること。でも何処にも行けないこと。何処にも行けないままに年をとりつつあること。誰をも真剣に愛せなくなってしまっていること。そういった心の震えを失ってしまったこと。

何を求めればいいのかがわからなくなってしまっていること。僕は自分が今関わっている物事に対して自分なりにベストをつくしていることを話した。でもそれは何の役にも立たないんだ、と僕は言った。自分の体がどんどん固まっていくような気がする。体の中心から少しずつ肉体組織がこわばって固まっていくような気がするんだ。僕はそれが怖い。僕が辛ろうじて繋がっていると感じるのはこの場所だけなんだ、と僕は言った。僕は自分がここに含まれているように感じてきた。ここがどういう場所なのか僕にはわからない。でも僕は本能的にそう感じるんだ。僕はここに含まれているんだ、と。

羊男は何も言わずに僕の話をじっと聞いていた。彼は殆ど眠っているように見えた。でも僕が話し終えると彼は目を開いた。

「大丈夫、心配することはないよ。あんたはいるかホテルに本当に含まれているんだよ」と羊男は静かに言った。「これまでもずっと含まれていたし、これからもずっと含まれている。ここからすべてが始まるし、ここですべてが終わるんだ。ここがあんたの場所なんだよ。それは変わらない。あんたはここに繋がっている。ここがみんなに繋がっている。ここがあんたの結び目なんだよ」

「みんな？」

「失われてしまったもの。まだ失われていないもの。そういうものみんなだよ。それがここを中心にしてみんな繋がっているんだ」

　僕は羊男の言ったことについて少し考えてみた。でも彼の言わんとすることはよく理解できなかった。あまりにも漠然としていて、僕にはついていけなかった。もうすこし具体的に説明してもらえないかな、と僕は言った。でも羊男はそれには答えてくれなかった。彼はじっと黙っていた。それは具体的に説明することのできないものなのだ。彼は静かに首を振った。首を振ると、つくりものの耳がひらひらと揺れた。壁の上の影も大きく揺れた。壁そのものが崩れ落ちるんじゃないかという気がするくらい大きく、ぐらぐらと。

「それは今にわかることだよ。それは理解されるべきときが来たら理解されることなんだよ」と彼は言った。

「ねえ、それとは別にひとつどうしてもわからないことがあるんだ」と僕は言った。「いるかホテルの主人はどうしてこの新しいホテルに同じ名前をつけさせたんだろう？」

「あんたの為だよ」と羊男は言った。「あんたがいつでも帰ってこられるように同じ名前にしておいたんだよ。だって名前が変わってたら、あんただって何処に行けばいいかわからなくなっちまうだろう？　いるかホテルはちゃんとここにあるんだよ。建物が変わっても、何が変わっても。そんなこと関係ないんだ。ここにある。ここであんたを待っているんだ。だから名前もそのままにしておいた」

僕は笑った。「僕の為に？　僕一人の為にこのでかいホテルの名前が『ドルフィン・ホテル』になっているわけ？」

「そうだよ。それがおかしいことかな？」

僕は首を振った。「いや、おかしいんじゃない。ただちょっと驚いたんだ。あまりにも途方もない話だからさ。なんだか現実の話じゃないみたいだ」

「現実の話だよ」と羊男は静かに言った。「ホテルはこうして現実に存在しているよ。『ドルフィン・ホテル』という看板もちゃんと現実に存在している。そうだろう？　これは現実だろう？」彼は指でとんとんと机を叩いた。蠟燭の炎がそれにあわせて揺れた。「おいらもちゃんとここにいる。ここにいてあんたを待っている。みんなきちんとしたことなんだ。ちゃんと考えてあるんだ。あんたが帰ってこられるように。みんながちゃんとうまく繫がれるように」

僕は揺れる蠟燭の炎をしばらく見ていた。僕にはまだ上手く信じられなかった。「ねえ、何故僕のためにわざわざそんなことをするんだ？　わざわざ僕一人のために？」

「ここがあんたのための世界だからだよ」と羊男は当然のことのように言った。「何も難しく考えることなんてないのさ。あんたが求めていれば、それはあるんだよ。問題はね、ここがあんたのための場所だってことなんだよ。わかるかい？　それを理解しなくちゃ駄目だよ。それは本当に特別なことなんだよ。だから我々はあんたが上手く戻って来られるように努力した。それが壊れないように。それが見失われないように。それだけのことだよ」

「僕は本当にここに含まれているんだね?」

「もちろんだよ。あんたもここに含まれている。おいらもここに含まれている。みんなここに含まれている。そしてここはあんたの世界なんだ」と羊男は言った。そして指を一本上にあげた。巨大な指が壁の上に浮かびあがった。

「君はここで何をしているの? そして君は何なんだろう?」

「おいらは羊男だよ」と彼は言ってしゃがれた声で笑った。「ご覧のとおりさ。羊の毛皮をかぶって、人には見えない世界で生きている。追われて森に入った。ずっと昔のことだけどね。思い出せないくらい昔のことだよ。その前おいらが何だったかももう思い出せない。とにかくそれ以来人の目につかなくなった。目につくまい目につくまいとしていると、自然に目につかなくなっちまうものなんだよ。そしていつからだったか、森を離れてここに住み着くようになったんだ。ここに置いてもらって、ここの番をしている。おいらだって、雨風をしのぐ場所は必要だものね。森の獣にだってねぐらくらいはある。そうだろう?」

「もちろん」と僕は相槌を打った。

「ここでのおいらの役目は繋げることだよ。ほら、配電盤みたいにね、いろんなものを繋げるんだよ。ここは結び目なんだ——だからおいらが繋げていくんだ。ばらばらになっちまわないようにね、ちゃんと、しっかりと繋げておくんだ。それがおいらの役目だよ。配電盤。繋げるんだ。あんたが求め、手に入れたものを、おいらが繋げるんだ。わかるかい？」

「なんとか」と僕は言った。

「さて」と羊男は言った。「そして今、あんたはおいらを必要としている。あんたは混乱しているからだ。あんたは自分が何を求めているのかがわからない。あんたは見失い、見失われている。何処かに行こうとしても、何処に行くべきかがわからない。あんたはいろんなものを失った。いろんな繋ぎ目を解いてしまった。でもそれに代わるものがみつけられずにいる。それであんたは混乱しているんだ。自分が何にも結びついてないように感じられる。そして実際に何にも結びついていないんだ。あんたが結びついている場所はここだけだ」

　僕はそれについてしばらく考えてみた。「たぶんそのとおりだろう。君の言うとおりだ。僕は見失っているし、見失われている。混乱している。どこにも結びついていない。ここにしか結びついていない」僕は言葉を切って、蠟燭の光に照らされた自分の手を見た。「でも僕は何かを感じるんだよ。何かが僕と繫がろうとしている。だから夢の中で誰かが僕を求め、僕のために涙を流しているんだ。僕はきっと何かと結びつこうとしているんだろう。そういう気がするんだ。ねえ、僕はもう一度やりなおしてみたい。そしてそのためには君の力が必要なんだ」

羊男は黙っていた。僕にもそれ以上言うべきことはなかった。沈黙はひどく重く、まるで深い深い穴の底にいるような気がした。沈黙の重力が僕の肩にずっしりとのしかかっていた。僕の思考さえもがその重力の支配下にあった。僕の思考はその湿っぽい重力の下で深海魚のような不気味な固い衣をまとっていた。時々蠟燭の炎がちりちりという音を立てて揺れた。羊男は目をその炎の方に向けていた。ずいぶん長い間その沈黙は続いた。それからゆっくりと羊男は顔を上げて僕を見た。

「あんたをその何かにうまく結びつけるためにできるだけのことはやってみよう」と羊男は言った。「うまく行くかどうかはわからない。おいらも少し年をとった。もう以前ほどの力はないかもしれない。どれだけあんたを助けてあげられるものか、おいらにもよくわからない。まあできる限りのことはやってみるよ。でもね、もしそれが上手く行ったとしても、あんたは幸せにはなれないかもしれないよ。それだけはおいらにも保証できないんだ。あちらの世界ではもう何処にもあんたの行くべき場所はないかもしれない。確かなことは言えない。でもあんたはさっきあんたが自分で言ったように、もう随分しっかりと固まってしまっているように見える。一度固まったものはもとには戻らないんだよ。あんたももうそれほど若くはない」

「どうすればいいんだろう、僕は？」

「あんたはこれまでにいろんな物を失ってきた。いろんな大事なものを失ってきた。それが誰のせいかというのは問題じゃない。問題はあんたがそれにくっつけたものにある。あんたは何かを失うたびに、そこに別の何かをくっつけて置いてきてしまったんだ。まるでしるしみたいにね。あんたはそんなことするべきじゃなかったんだ。あんたは自分のためにとっておくべき物までそこに置いてきてしまったんだな。そうすることによって、あんた自身も少しずつ磨り減ってきたんだ。どうしてかな？　どうしてそんなことをしたんだろう？」

「わからないね」

「でも、たぶんそれはどうしようもないことだったんだろうね。何か宿命のようなさ。なんというか、うまい言葉が思いつかないけど……」

「傾向」と僕は言ってみた。

「そう、それだよ。傾向。おいらは思うんだよ。もう一度人生をやりなおしても、あんたはきっとまた同じことをするだろうってね。それが傾向っていうもんだよ。そしてその傾向というものは、ある地点を越えると、もうもとに戻れなくなっちまうんだ。手遅れなんだ。そういうのはおいらにも何ともしてあげられない。おいらにできることはここの番をすることと、いろんなものを繋げることだけだよ。それ以上のことは何もできない」

「どうすればいいんだろう、僕は？」と僕は前と同じ質問をもう一度してみた。

「さっきも言ったように、おいらも出来るだけのことはするよ。あんたが上手く繋がれるように、やってみる」と羊男は言った。「でもそれだけじゃ足りない。あんたも出来るだけのことをやらなくちゃいけない。じっと座ってものを考えているだけじゃ駄目なんだ。そんなことしてたって何処にもいけないんだ。わかるかい？」

「わかるよ」と僕は言った。「それで僕はいったいどうすればいいんだろう？」

「踊るんだよ」羊男は言った。「音楽の鳴っている間はとにかく踊り続けるんだ。おいらの言ってることはわかるかい？　踊るんだ。踊り続けるんだ。何故踊るかなんて考えちゃいけない。意味なんてことは考えちゃいけない。意味なんてもともとないんだ。そんなこと考えだしたら足が停まる。一度足が停まったら、もうおいらには何ともしてあげられなくなってしまう。あんたの繋がりはもう何もなくなってしまう。永遠になくなってしまうんだよ。そうするとあんたはこっちの世界の中でしか生きていけなくなってしまう。どんどんこっちの世界に引き込まれてしまうんだ。だから足を停めちゃいけない。どれだけ馬鹿馬鹿しく思えても、そんなこと気にしちゃいけない。きちんとステップを踏んで踊り続けるんだよ。そして固まってしまったものを少しずつでもいいからほぐしていくんだよ。まだ手遅れになっていないものもあるはずだ。使えるものは全部使うんだよ。ベストを尽くすんだよ。怖がることは何もない。あんたはたしかに疲れている。疲れて、脅えている。誰にでもそういう時がある。何もかもが間違っているように感じられるんだ。だから足が停まってしまう」

　僕は目を上げて、また壁の上の影をしばらく見つめた。

「でも踊るしかないんだよ」と羊男は続けた。「それもとびっきり上手く踊るんだ。みんなが感心するくらいに。そうすればおいらもあんたのことを、手伝ってあげられるかもしれない。だから踊るんだよ。音楽の続く限り」

オドルンダヨ。オンガクノツヅクカギリ。

　思考がまたこだまする。

「ねえ、君の言うこっちの世界というのはいったい何なんだい？　君は僕が固まると、あっちの世界からこっちの世界に引きずりこまれると言う。でもここは僕のための世界なんだろう？　この世界は僕のために存在しているんだろう？　もしそうだとしたら、僕が僕の世界に入っていくことにどんな問題があるんだろう？　ここは現実に存在すると君は言ったじゃないか」

羊男は首を振った。影がまた大きく揺れた。「ここにあるのは、あっちとはまた違う現実なんだ。あんたは今はまだここでは生きていけない。ここは暗すぎるし、広すぎる。あんたにおいらの言葉でそれを説明することはむずかしい。それにさっきも言ったけれど、おいらにだって詳しいことはわかっていないんだ。ここはもちろん現実だよ。こうしてあんたが現実においらと会って話をしている。それは間違いない。でもね、現実はたったひとつだけしかないってわけじゃないんだ。現実はいくつもある。現実の可能性はいくつもある。おいらはこの現実を選んだ。何故なら、ここには戦争がないからだよ。そしておいらには捨てるべきものは何もなかったからだよ。でもあんたは違う。あんたには生命の温もりがまだはっきりと残っているんだ。だからこの場所は今のあんたには寒すぎる。ここには食べ物だってない。あんたはここに来るべきじゃないんだ」

羊男にそう言われて、僕は部屋の温度が低下していることに気づいた。僕はポケットに両手をつっこんで、軽く身震いした。

「寒いかい？」と羊男が訊いた。

僕は肯いた。

「あまり時間がない」と羊男は言った。「時間がたてばもっと寒くなってくる。もうそろそろ行った方がいいな。ここはあんたには寒すぎるから」

「あとひとつだけ聞いておきたいことがあるんだ。さっきふと思ったんだ。ふと気がついた。僕はこれまでの人生の中でずっと君のことを求めてきたような気がするんだ。そしてこれまでいろんな場所で君の影を見てきたような気がする。君がいろんな形をとってそこにいたように思えるんだ。その姿はすごくぼんやりとしていた。あるいは君のほんの一部に過ぎなかった。でも今になって思い返してみると、それは全部君だったように思えるんだ。僕はそう感じるんだ」

羊男は両手の指で曖昧な形を作った。「そうだよ、あんたの言うとおりだよ。あんたの思っているとおりだよ。おいらはいつもそこにいた。おいらは影として、断片として、そこにいた」

「でも、わからないな」と僕は言った。「今僕はこうしてはっきりと君の顔や形を見ることができるようになった。昔見えなかったものが、こうして今見えるようになった。どうしてだろう?」

「それはあんたが既に多くの物を失ったからだよ」と彼は静かに言った。「そして行くべき場所が少なくなってきたからだよ。だから今あんたにはおいらの姿が見えるんだよ」

僕には彼の言葉の意味がよくわからなかった。

「ここは死の世界なのかい？」と僕は思い切って訊いてみた。

「違う」と羊男は言った。そして肩を大きく揺らせて息をした。「そうじゃない。ここは死の世界なんかじゃない。あんたも、おいらも、ちゃんと生きている。我々は二人とも、おなじくらいはっきりと生きている。二人でこうして息をして、話をしている。これは現実なんだ」

「僕には理解できない」

「踊るんだよ」と彼は言った。「それ以外に方法はないんだ。いろんなことをもっと上手く説明してあげられたらとは思う。でもそれはできないんだ。おいらに教えてあげられるのはそれだけだよ。踊るんだ。何も考えずに、できるだけ上手く踊るんだよ。あんたはそうしなくちゃいけないんだ」

温度は急激に低下していた。この寒さには覚えがある、と僕は身震いしながらふと思った。骨にしみこむような湿気を含んだその冷気を、僕は前にも何処かで一度経験していた。遠い昔、遠い場所で。でもそれがどこだったか思い出せなかった。もう少しで思い出せそうなのに、どうしても駄目だった。頭の何処かが麻痺しているのだ。麻痺して固くこわばっている。

カタクコワバッテイル。

「もう行った方がいいね」と羊男は言った。「ここにいると、体が凍りついてしまう。またそのうちに会えるよ。あんたが求めさえすれば。おいらはいつもここにいる。おいらはここであんたを待っている」

彼は足をひきずりながら廊下の曲がり口まで僕を送ってくれた。彼が歩くとあのさら・さら・さら……、という音がした。それから僕は彼にさよならを言った。別に握手もしなかったし、特別な別れの挨拶もしなかった。ただそよならと言っただけだった。そして暗闇の中で僕らは別れた。彼は狭くて細長い彼の部屋に戻り、僕はエレベーターの方に向かった。僕がボタンを押すと、エレベーターはゆっくりと上にあがってきた。そして音もなくドアが開き、明るい柔らかな光が廊下にこぼれて僕の体を包んだ。僕はエレベーターの中に入り、しばらく壁にもたれてじっとしていた。ドアが自動的にしまったが、それでも僕はじっと壁にもたれていた。

さて、と僕は思った。でも「さて」のあとが続かなかった。僕は思考の巨大な空白の真ん中にいた。どちらに行っても、何処まで行っても空白だった。何にもいきあたらなかった。羊男が言うように、僕は疲れて脅えていた。そして一人ぼっちだった。森の中に迷いこんだ子供みたいに。

踊るんだよ、と羊男が言った。

オドルンダヨ、と思考がこだました。

踊るんだよ、と僕は口に出して復唱してみた。

そして十五階のボタンを押した。

十五階でエレベーターを下りると、天井に埋めこまれたスピーカーから流れるヘンリー・マンシーニの「ムーン・リヴァー」が僕を出迎えてくれた。現実の世界——僕がおそらく幸せになることもできず、おそらく何処にも行くことのできない現実の世界。

僕は反射的に腕時計に目をやった。帰還時刻は午前三時二十分だった。

さて、と僕は思った。さてさてさてさてさてさてさてさて……、と思考がこだました。

僕は溜め息をついた。

12

部屋に戻ると僕はまずバスタブに熱い湯をはって裸になり、そこにゆっくりと体を沈めた。でも体は簡単には温まらなかった。体の芯が凍えきっていて、湯の中に体をつけるとかえって寒気がするほどだった。僕はその寒気が消えるまで湯につかっているつもりだったのだが、その前に湯気にあてられて意識が朦朧としてきたので、あきらめて風呂を出た。そして窓ガラスに頭をつけて少し冷やしてからブランディーをグラスになみなみと注いでぐっと飲み干し、そのままベッドに入った。何も考えずに、しみひとつない頭でぐっすりと眠ろうと僕は思った。でも駄目だった。眠ることなんて絶対にできなかった。僕は硬直した意識を抱えたままベッドに横になっていた。そしてやがて朝がやってきた。どんよりと曇った灰色の朝だった。雪こそ降ってはいないが、空は継ぎ目ひとつなく灰色の雪雲に覆われ、街は隅から隅までたっぷりとその灰色に染められていた。目に映るものすべてが灰色だった。うらぶれた魂の住むうらぶれた街。

僕は何かを考えていて、そのせいで眠れなかったわけではなかった。僕は何も考えてなんかいなかった。何かを考えるには僕の頭は疲れすぎていたが、かといって眠ることもできない。僕の体と精神の殆どの部分は眠りを希求していた。それなのに頭の一部が固くこわばったまま頑なに眠ることを拒否して、そのせいで神経がいやにたかぶっていた。それはちょうど猛烈なスピードで走る特急列車の窓から駅名表示を読みとろうとするときの苛立たしさに似ていた。駅が近付いてくる――さあ、こんどは目をこらしてちゃんと読み取らなくてはと思う――でも駄目だ。スピードが速すぎるのだ。字のかたちは漠然と見える。しかしそれがどういう字なのかがわからない。あっという間にそれは後ろに過ぎ去ってしまう。そういうのが際限なくつづいた。次から次へと駅がやってきた。名前も知れぬ辺境の小さな駅。列車は何度も汽笛を鳴らした。その甲高い響きは蜂のように僕の意識を刺した。

九時までそれが続いた。時計が九時をさすのを確かめてから、僕はあきらめてベッドを出た。駄目だ、眠れっこない、と僕は思った。浴室に行って髭を剃ったが、きちんと剃り終えるためには何度も自分に向って「俺は今髭を剃っているんだぞ」と言いきかせなくてはならなかった。それから僕は服を着てブラシで髪をとかし、ホテルのレストランに朝食を食べに行った。窓際の席に座ってコンチネンタル・ブレックファストを注文し、コーヒーを二杯飲み、トーストを一枚齧った。一枚のトーストを食べ終えるのにずいぶん長い時間がかかった。灰色の雲がトーストをさえ灰色に染めていた。食べると綿ぼこりみたいな味がした。地球の終わりを予言するような天気だった。僕はコーヒーを飲みながら、朝食のメニューを五十回くらい読み直した。でも頭のこわばりはとれなかった。列車はまだ走り続けていた。汽笛も聞こえた。歯磨きのペーストが固まってこびりついているような、そんな感じのこわばりだった。僕のまわりで人々は熱心に朝食を食べていた。彼らはコーヒーに砂糖を入れ、トーストにバターを塗り、ナイフとフォークを使ってベーコン・エッグを切っていた。かちゃ・かちゃ・かちゃという皿や食器のふれあう音が間断なく鳴り響いていた。まるで操車場みたいだなと僕は思った。

僕はふと羊男のことを思った。今この瞬間も彼は存在しているのだ。このホテルのどこかにある小さな時空の歪みの中に彼はいるのだ。うん、彼はいる。そして彼は僕に何かを教えようとしているのだ。でも駄目だ。僕には読み取れない。スピードが速すぎる。頭の中がこわばっていて、字が読み取れないのだ。止まっているものしか読めない。(A) コンチネンタル・ブレックファスト——ジュース(オレンジ、グレープフルーツ、またはトマト)・トースト、または……、誰かが僕に話しかけている。僕に答えを求めている。誰だろう? 僕は目を上げる。ウェイターだった。彼は白い上着を着て、コーヒー・ポットを両手で持っている。まるで何かの賞品みたいに。「コーヒーのおかわりはいかがでしょうか?」と彼は丁寧に質問する。僕は首を振る。彼が行ってしまうと、僕は立ち上がってレストランを出た。かちゃ・かちゃ・かちゃ、という音が僕の背後でいつまでも続いていた。

部屋に帰ってまた風呂に入った。今度はもう寒気はしなかった。僕は浴槽の中でゆっくりと体を伸ばし、時間をかけて糸のもつれをほぐすように体の関節をひとつひとつ緩めていった。指先もきちんと動くようにした。そう、これは僕の体だと僕は思った。僕は今ここにいる。リアルな部屋の中の、リアルな浴槽の中にいる。特急列車に乗ってなんかいない。汽笛も聞こえない。もう駅名を読み取る必要もないのだ。何を考える必要もない。

風呂を出てベッドにもぐりこんで時計を見ると、もう十時半だった。やれやれと僕は思った。いっそのこともう眠るのはあきらめて散歩にでも出ようかとさえ思った。でもそんなことをぼんやりと考えているうちに突然眠りがやってきた。舞台の暗転みたいな一瞬の急激な眠りだった。眠りに落ちた瞬間のことを僕はちゃんと覚えている。巨大な灰色猿がハンマーを持ってどこからともなく部屋に入ってきて、僕の頭の後ろを思いきり叩いたのだ。そして僕は気絶するみたいに深い眠りに落ちた。

それはハードでタイトな眠りだった。真っ暗で何も見えなかった。BGMもなかった。

「ムーン・リヴァー」も「恋は水色」もなかった。シンプルで飾りのない眠りだった。「16の次の数は？」と誰かが訊いた。「41」と僕は答えた。「眠ってる」と灰色猿が言った。そう、僕は眠っている。固い固い鉄球の中で僕は体をくるりと丸めてリスのように深く眠っている。ビルを壊す時に使うような鉄球。中がくりぬいてある。その中で僕は眠っている。ハードでタイトでシンプルで……

何かが僕を呼んでいた。

汽笛だろうか？

いや、そうじゃない、違う、と鷗たちが言う。

誰かが鉄球をバーナーで焼き切ろうとしているのだ。そういう音がする。

いや、違う、そうでもない、と鷗たちが声をあわせて言う。ギリシャ劇のコーラスみたいに。

電話だ、と僕は思う。

鷗たちはもういなくなっている。誰も答えてくれない。どうして鷗たちはいなくなっちゃったんだ？

僕は手を伸ばして枕元の電話を取った。「はい」と僕は言った。でもつーんという音が聞こえるだけだった。びいいいいいいいいいい、という音は別の空間で鳴っていた。ドア・ベルだ。誰かがドア・ベルを鳴らしているのだ。びぃぃぃぃぃぃぃぃぃ。

「ドア・ベル」と僕は声に出して言ってみた。

でも鷗たちはもういなかったし、誰も「正解」とは褒めてはくれなかった。

びぃぃぃぃぃぃぃぃぃ。

僕はバスローブをひっかけて入り口まで行って、何も聞かずにドアを開けた。フロントの女の子がさっと中に入ってきて、ドアを閉めた。

頭の後ろの灰色猿に叩かれたところが疼いた。こんなに強く叩かなくたってよかったのにと僕は思った。ひどい。頭がへこんでしまったような気がするくらいだ。

彼女は僕のバスローブを見て、それから僕の顔を見た。そして眉をしかめた。

「どうして午後の三時に寝てるの？」と彼女は訊いた。

「午後の三時」と僕は繰り返した。僕にもどうしてかはうまく思い出せなかった。「どうしてかな？」と僕は自分に向かって問いかけてみた。

「何時に寝たの、いったい？」

僕は考えてみた。考えようと努力してみた。でも何も考えられなかった。

「いいわよ、考えなくて」と彼女はあきらめたように言った。そしてソファに腰を下ろし、眼鏡の縁にちょっと手をやって僕の顔をまじまじと見た。「あなた、でもひどい顔してるわよ」

「うん。そうだろうと思う」と僕は言った。

「顔色も悪いし、むくんでるし。熱があるんじゃないの？　大丈夫？」

「大丈夫。ぐっすり眠ればもとどおりになる。心配ない。もともとが健康なんだ」と僕は言った。「君は休憩時間？」

「そう」と彼女は言った。「あなたの顔を見に来たの。なんとなく興味あったから。でも邪魔だったら出ていくけど」

「邪魔じゃない」と僕は言って、ベッドに腰掛けた。「死ぬほど眠いけど、でも邪魔じゃない」

「変なこともしない？」

「変なこともしない」

「みんなそう言うけど、ちゃんとするの」

「みんなはするかもしれないけど、僕はしない」と僕は言った。

彼女は少し考えてから、思考の結果を確かめるかのように指で軽くこめかみを押さえた。「そうかもしれないわね。あなたは他の人とはちょっと違ってるような気がする」と彼女は言った。

「それに今は何かするには眠すぎるし」と僕は付け加えた。

彼女は立ち上がってライト・ブルーの上着を脱ぎ、それを昨日と同じように椅子の背にかけた。でも彼女は今回は僕の隣には来なかった。窓際まで歩いて行って、そこに立ってじっと灰色の空を眺めていた。たぶん僕がバスローブ一枚という格好で、それにひどい顔をしているからだろうと僕は思った。でも仕方ない。僕にだって僕の事情というものがあるのだ。他人に良い顔を見せることを目的として生きている訳ではないのだ。

「ねえ」と僕は言った。「この前も言ったと思うけれど、僕と君のあいだには、ささやかではあるにせよ何かしら相通じるところがあるような気がする」

「そう？」と彼女は無感動な声で言った。そして三十秒くらいそのまま黙っていた。「たとえば？」と三十秒あとで彼女は言った。

「たとえば——」と僕は言った。でも頭の回転は完全にストップしていた。何も思いつかなかった。何の言葉も浮かんではこなかった。僕はただふとそんな気がしただけのことなのだ。この女の子と僕のあいだにはささやかなものかもしれないにせよ、何かしら相通じるものがある、というふうに思ったのだ。たとえばも、それでも、何もなし。ただそういう気がしたというだけ。

「わからない」と僕は言った。「もう少しいろんなことを整理する必要がある。段階的思

だった。
かったけれど、かといって別に感心しているという風でもなかった。淡々として、中立的
「すごい」と彼女は窓ガラスに向かって言った。彼女の口調には皮肉の響きは感じ取れな
考。整理して、それから確認する」

僕はベッドの中に入り、背もたれにもたれて彼女の姿を眺めた。しわひとつない白いブラウス。紺色のタイトなスカート。ストッキングに包まれたすらりとした脚。彼女もやはり灰色に染まっていた。でもそのせいで彼女はまるで古い写真の中の像のように見えた。そういうのを眺めているのは素敵なものだった。自分が何かに繋がっているという気がする。僕は勃起さえする。それも悪くない。灰色の空、死ぬほど眠い午後三時の勃起。

僕は随分長く彼女の姿を眺めていた。彼女は振り向いて僕を見たが、僕はそれでもじっと彼女を眺めていた。

「どうしてそんなにじっと見るの?」と彼女が僕に訊いた。

「スイミング・スクールに嫉妬してるんだ」と僕は言った。

彼女は少し首をかしげて、それから微笑んだ。「変な人」と彼女は言った。

「変じゃない」と僕は言った。「ただ少し混乱してるだけだよ。考え方に整理の必要がある」

彼女は僕のそばに寄って、僕の額に手を触れた。「まあ、熱はなさそうね」と彼女は言った。「ぐっすり眠りなさい。良い夢を見て」

彼女にずっとここにいてほしいと僕は感じた。眠っているあいだずっと側にいてほしいと。でもそれは無理な話だった。だから僕は何も言わなかった。黙って彼女がライト・ブルーの上着を着て部屋を出ていくのを眺めていた。彼女が出ていってしまうと、入れ違いにまた灰色猿がハンマーを持って部屋に入ってきた。「大丈夫だ。そんなことしなくてもちゃんと寝られる」と僕は言おうとした。でもうまく喋れなかった。そしてまた一撃がやってきた。

「25の次は?」と誰かが質問した。「71」と僕は言った。「眠っている」と灰色猿が言った。あたりまえだろう、と僕は思った。あんなに強く叩いたんだぞ、眠るに決まってるじゃないか、と。昏睡、というのが正確な言葉だ。そして暗闇がやってきた。

13

結び目、と僕は思った。

それは夜の九時で、僕は一人で夕食を食べていた。僕は午後八時に深い眠りから目覚めたのだ。眠った時と同じように、僕は突然目覚めた。眠りと覚醒の中間的地域というものが存在しなかった。目を開けた時には僕は既に覚醒の中枢にいた。頭の動きは完全に正常に復しているように感じられた。灰色猿に叩かれた後頭部の痛みも消えていた。体もだるくないし、寒気も感じなかった。何から何まではっきりと思い出すことも出来た。食欲もあった――というよりむしろ猛烈に腹が減っていた。それで僕は最初の夜に入ったホテルの近くの飲み屋に行って酒を飲み、つまみを幾つか食べた。焼き魚とか、野菜の煮物とか、蟹とか、じゃがいもとか、そういうものをいろいろと。店は前と同じくらい混んでいて、同じくらいうるさかった。何やかやの煙やら匂いやらが、店内に満ち満ちていた。誰も彼もが大声で怒鳴りあっていた。

整理する必要がある、と僕は思った。

結び目、と僕はそんなカオスの中心で自らに向かって問いかけた。そして静かに口に出してみた。僕が求め、羊男が繋げる。

僕にはそれがどういうことなのか充分に理解できなかった。あまりにも比喩的な表現だ。でもたぶんそれは比喩的にしか表現できない種類のことなのだろうと僕は思った。何故なら羊男が比喩的表現を使って僕を翻弄して楽しむなどということはまずありえないからだ。おそらく彼はそういう言葉でしかそれを表現できないのだ。そういう形でしか僕に示すことができないのだ。

僕はあの羊男の世界を通じて——彼の配電盤を通じて——いろんなものと繋がってるのだ、と彼は言った。そしてその繋がりに混乱が生じているのだと。どうして混乱が生じたか？　僕がうまく何かを求められなくなってしまったからだ。だから結び目が上手く機能しなくなってしまったのだ。混乱しているのだ。

僕は酒を飲み、目の前の灰皿をしばらく眺めた。

それでキキはどうなってしまったんだ、と僕は思った。僕は夢の中で彼女の存在を感じたのだ。彼女が僕をここに呼んでいたのだ。彼女は僕に何かを求めていた。だからこそ僕はいるかホテルにやってきたのだ。しかし彼女の声はもう僕の耳には届かなくなっていた。メッセージは分断されていた。無線機のプラグが抜かれたみたいに。

どうしていろんなことがこうも漠然としているのだろう？

繋がりが混乱しているからだ、たぶん。僕は自分が何を求めているのか明確にしなくてはならないのだ。そして羊男の助けを借りて、物事をひとつひとつ繋げていくのだ。状況がどれほど漠然として見えても、ひとつひとつ我慢して辛抱強くほぐしていくしかないのだ。ほぐして、そして繋げる。僕は状況を回復していかなければならない。

いったい何処から始めればいいのだろう？　何処にもとっかかりがない。僕は高い壁にはりついている。まわりの壁は鏡のようにつるつるしている。僕は何処にも手を伸ばすことができない。つかむべきものがない。僕は途方に暮れている。

僕は酒を何本か飲み、勘定を払って外に出た。空から大きな雪片がゆっくりと舞い下りていた。それはまだ本格的な降りではなかったけれど、雪のせいで街の音はいつもとちがって聞こえた。僕は酔いを覚ますためにそのブロックをぐるりと一周した。何処から始めればいいのだろう？　僕は自分の足を眺めながら歩いた。駄目だ、僕は自分が何を求めているのかがわからない。どちらを向けばいいのかさえわからない。錆びついているんだ。錆びついて固まっている。こうして一人でいると、だんだん自分が失われていくような気がする。やれやれ、何処から始めればいいんだろう？　とにかく何処かから始めなくてはならない。あのフロントの女の子はどうだろう、と僕は思った。僕は彼女に好意を感じている。僕と彼女の間には何かしら心が相通じるところがあるように感じる。そしてもし彼女と寝たいと思えば寝られるだろうという気がする。でもそれでどうなるだろう、そこから何処に行けるだろう、と僕は思った。何処にも行けないだろう。たぶん僕がもっと失われるだけのことだろう。何故なら僕には自分が何を求めているかが把握できていないからだ。そして自分が何を求めているのか把握できていない限り、別れた妻が言うように、僕はいろんな相手を傷つけていくことになるだろう。

僕はそのブロックを一周し、それからもう一周することにした。雪は静かに降り続いていた。それは僕のコートに落ちて、しばらく戸惑い、そして消えていった。僕は歩きながら頭の中を整理しつづけた。人々は白い息を夜の闇の中に浮かべながら僕の脇を通り過ぎていった。寒さのせいで顔の皮膚が痛んだ。でも僕はそのブロックを時計回りに歩き続け、考え続けた。妻の言葉はまるで呪いのように僕の頭にこびりついていた。でもそれは本当のことだった。彼女の言うとおりなのだ。このままでは僕は僕に関わる誰かを永遠に傷つけ、損ない続けるのだ、おそらく。

「月に帰りなさい、君」と言って僕のガールフレンドは去って行った。いや去っていったんじゃない。戻っていったのだ。彼女は現実というあの偉大な世界に戻っていったのだ。

キキ、と僕は思った。彼女が最初のとっかかりになるはずだったのだ。でも彼女のメッセージは途中で煙のように消えてしまった。

何処から始めればいいんだろう？

僕は目を閉じて回答を求めた。でも頭の中には誰もいなかった。羊男もいないし、鷗たちもいないし、灰色猿さえいなかった。がらんとしていた。がらんとした部屋に僕が一人で座っているだけだった。誰も答えてはくれなかった。その部屋の中で僕は年老いて、ひからびて、疲れていた。僕はもう踊ってはいなかった。それは哀しい光景だった。

駅名がどうしても読みとれない。

でーたフソクノタメ、カイトウフカノウ。トリケシきいヲオシテクダサイ。

でも回答は翌日の午後にやってきた。いつもの如く何のまえおきもなく、突然。灰色猿の一撃のように。

14

妙なことに——別にそれほど妙じゃないのかもしれないけれど——その夜僕は十二時にベッドに入ってそのままぐっすり眠った。そして目が覚めたら朝の八時だった。出鱈目な睡眠パターンだったが、とにかくきちんと朝の八時に目覚めたのだ。一周してもとに戻ったという風に。気分は良かった。腹も減っていた。だからまたダンキン・ドーナツに行ってコーヒーを二杯飲みドーナツを二個食べ、それから何処に行くというあてもなく街をぶらぶらと歩いてみた。道は固く凍りついて、柔らかな雪が無数の羽毛のように静かに降り続いていた。空は相変わらず端から端までどんよりとした雲に覆われていた。散歩日和とはとても言えない。でも街を歩いていると精神が解き放たれるような気がした。ここのところずっとつづいていた重苦しい圧迫感が消えて、厳しい冷気さえもが肌に心地良かった。いったいどうしたというんだろう？　と僕は歩きながら不思議に思った。物事はまだ何ひとつとして解決していないというのに、どうしてこんなに気分がいいのだろう？

一時間ほど歩いてからホテルに戻るとフロントにあの眼鏡をかけた女の子がいた。カウンターには彼女の他にもう一人フロント係がいたが、そちらの方の女の子が客の応対をしていた。彼女は電話の応対をしていた。彼女は受話器を耳にあて、営業用の微笑みを浮かべ、指にはさんだボールペンを無意識にくるくると回していた。そんな姿を見ていると、僕は何でもいいから彼女と話してみたかった。それもなるべく無意味なことがいい。意味をなさないような馬鹿気た話題が求められている。僕は彼女のところに行って、電話が終わるのをじっと待った。彼女は僕の顔を疑わしそうな目でちらっと見たが、営業マニュアルどおりの感じの良い微笑みは絶やさなかった。

「何か御用でございましょうか?」彼女は電話を終えると僕に向かって丁重に尋ねた。

僕は咳払いした。「実は昨日の夜、この近所のスイミング・スクールで女の子がふたり鰐に食べられて死んだっていう話を聞いたんだけれど、本当でしょうか?」と僕はなるべく真剣な顔をして口からでまかせを言った。

「さあ、いかがでしょう?」と精巧な造花のような営業用の微笑みを浮かべたまま彼女は答えた。でも目を見ると彼女が怒ってるのがわかった。頬が少し赤らみ、鼻腔が固くなったように見えた。「そういう話はわたくしどもはちょっと耳にしておりませんが、失礼ですが何かお客様のお間違えではございませんでしょうか?」

「すごく大きい鰐で、見た人の話だと大きさがボルボのステーション・ワゴンくらいあって、それが突然天窓のガラスを割って中に飛び込んできて、一口で女の子二人をかぷっと飲み込んで食べちゃって、デザートに椰子の木を半分食べて逃げたってことだけど、それはもう捕まったのかな? もしまだ捕まっていなかったら外に出るのは……」

「申し訳ございませんが」と彼女は表情を変えずに僕の話を遮った。「よろしければ、お客様の方から直接警察に電話でお問い合わせになりましたらいかがでしょうか? その方がむしろ確実ではないかと存じますが。あるいは玄関を出て右の方にまっすぐにいかれますと交番がございますので、そちらでお尋ねになってもよろしいかと思います」

「そうだね。そうしてみよう」と僕は言った。「ありがとう。理力があなたとともにありますように」

「おそれいります」と彼女は眼鏡の縁に手をやって、クールに言った。


部屋に帰ってしばらくすると、彼女から電話がかかってきた。

「何よ、あれ?」と彼女は怒りを押し殺したような静かな声で言った。「仕事中は変なことしないでってこの前言ったでしょう。仕事中にああいうことされるの嫌いなの」

「悪かった」と僕は素直に謝った。「何でもいいから君と話したかったんだ。君の声を聞きたかった。つまらない冗談だったかもしれない。でも冗談の内容が問題じゃない。ただ君と話したかっただけだよ。特に迷惑はかけてないと思うけど」

「緊張するのよ。前にも言ったでしょう？　仕事してる時って、私すごく緊張してやってるの。だから邪魔してほしくないの。約束したじゃない？　じろじろ見たりしないって」

「じろじろ見てない。話しかけただけだ」

「じゃあこれからもうあんな風に話しかけないで。お願い」

「約束する。話しかけない。見ないし、話しかけない。花崗岩みたいにじっとおとなしくしてる。ねえ、ところで君は今夜は暇なのかな？　それとも今日は登山教室のある日だっけね？」

「登山教室？」と彼女は言ってから溜め息をついた。「冗談ね、それ」

「そう、冗談だよ」

「時々私ね、そういう冗談についていけなくなるの。登山教室だって。ははは」

彼女は壁に書かれた字を読みあげるみたいに乾いた平板な声でははと言った。そして電話を切った。

僕はそのまま三十分待ってみたが、もう電話はかかってこなかった。怒っているのだ。僕のユーモアの感覚は時々まったく相手に理解されないことがある。僕の真剣さが時々まったく相手に理解されないのと同じように。他にやることも思いつかないのでまたしばらく外を歩いてみることにした。うまくいけば何かにぶつかるかもしれない。何か新しいものをみつけることができるかもしれない。何もやらないよりは動いた方がいい。何か試してみた方がいい。理力が僕とともにありますように。

一時間歩いたが何もみつからなかった。体が冷えただけだった。雪はまだ降りつづいていた。十二時半にマクドナルドに入ってチーズバーガーとフライド・ポテトを食べ、コカコーラを飲んだ。そんなもの全然食べたくもなかった。でもどうしてかはわからないけれど時々つい食べてしまうのだ。たぶん体が定期的にジャンク・フードを求めるような構造になっているのだろう。

マクドナルドを出てまた三十分歩いた。何もなかった。ただ雪が激しさを増しただけだった。僕はコートのジッパーをいちばん上までひっぱりあげて、マフラーを鼻の上でぐるぐると巻いた。それでも寒かった。ひどく小便がしたくなった。こんな寒い日にコカコーラなんて飲むからだ。どこか便所がありそうなところはないかなと僕はあたりをみまわしてみた。通りの向かいに映画館が見えた。ひどくうらぶれた映画館だったが、まあ便所くらいはあるだろう。それに小便をしたあとで、映画を見ながら体を温めるというのも悪くない。どうせ暇をもてあましているのだ。何をやっているんだろうと思って看板を見た。

日本映画の二本立てで、そのうちの一本が「片想い」だった。僕の同級生の出ている映画だ。やれやれ、と僕は思った。

長い小便をすませると僕は売店で熱いコーヒーを買い、それを持って中に入って映画を見た。思ったとおりがらがらだったが、場内は暖かかった。僕は席に座ってコーヒーを飲みながら映画を見た。「片想い」は始まってからもう三十分たっていたが、最初の三十分を見なくても筋は充分すぎるくらい充分に理解出来た。想像したとおりの筋だったからだ。僕の同級生は脚が長くてハンサムな生物の先生だった。主人公の女の子は彼に恋していた。例によって失神するくらい憧れているのだ。そして彼女に恋している剣道部の男の子がいた。まるでもうデジャヴュと言ってもいいくらいの代物だった。こんな映画なら僕にだって作れる。

ただし僕の同級生（五反田亮一というのが彼の本名だったが、もちろん立派な芸名をつけてもらっていた。五反田亮一というのは残念ながら女の子が共感を抱ける名前ではないのだ）はいつもよりはほんの少しは複雑な役をもらっていた。彼はハンサムで感じがいいだけではなく、過去の傷を背負っていた。学生運動にかかわってどうこうとか、恋人を妊娠させて捨ててどうこうというようなかなり月並みな傷だったが、まあ何もないよりはましだった。ときどきそういう回想が猿が粘土を壁にぶっつけるみたいに不器用に挿入された。安田講堂の攻防戦の実写フィルムが入ったりしたりもした。僕はよほど「異議なし！」と小さな声で叫んでみようかとも思ったが馬鹿馬鹿しくなってやめた。

とにかく、何はともあれ五反田君はそういう傷を負った役を演じていた。それもかなり一所懸命演じていた。でも映画自体がひどかったし、監督には才能のかけらもなかった。台詞の半分は恥ずかしくなるくらい稚拙なしろもので、唖然とするような無意味なシーンが延々と続いたりした。女の子の顔がしょっちゅう意味もなくアップになった。だから彼が幾らがんばって演技しても回りから浮きあがって見えるだけだった。僕は彼のことがだんだん可哀そうになってきた。見ていて痛々しいのだ。でも考えてみたら彼はある意味では昔からずっとこういう種類の痛々しい人生を送ってきたのかもしれないなという気がした。

一箇所ベッド・シーンがあった。五反田君が日曜日の朝に自分のアパートの部屋で女と寝ているところに主人公の女の子が手作りのクッキーか何か持ってやってくるのだ。やれやれ僕が想像したのとまったく同じじゃないか。五反田君は僕が予想したとおりベッドの中でも優しく親切だった。とても感じのいいセックス。すごくいい匂いがしそうなわきの下。セクシーに乱れる髪。彼は女の裸の背中を撫でている。カメラがくるりと回りこむように移動してその女の顔を映し出す。

デジャヴュ。僕は息を呑んだ。

それはキキだった。座席の上で僕の体は凍りついた。後ろの方でからからからという瓶の転がる音が聞こえた。キキだ。あの廊下の暗闇の中で見たイメージのとおりだ。本当にキキが五反田君と寝ているのだ。

繋がっている、と僕は思った。

＊

キキの出てくるシーンはそこだけだった。彼女はその日曜日の朝に五反田君と寝る。それだけ。五反田君は土曜日の夜にどこかで酔っぱらって彼女を拾い、自分のアパートに連れてきたのだ。そして朝にもう一度彼女を抱く。そこに教え子である主人公の女の子がやってくる。まずいことにドアに鍵をかけわすれている。そういうシーン。キキの台詞はたったひとことだけ。「どうしたっていうのよ？」と言うだけ。主人公の女の子がショックを受けて走って行ってしまったあとで五反田君が茫然としていると、キキがそう言うのだ。ひどい台詞だった。でもそれが彼女の語る唯一の言葉だった。

「どうしたっていうのよ？」

その声が本当にキキの声なのかどうか、僕には確信が持てなかった。僕はそれほど正確にキキの声を記憶しているわけではなかったし、それに映画館のスピーカーの音もひどかった。でも彼女の体には覚えがあった。背中の形や首筋やつるりとした乳房は僕の覚えているとおりのキキだった。僕は体を固くこわばらせたままスクリーンの上のキキをじっと見ていた。そのシーンは時間にして五分か六分か、たぶんそんなものだったと思う。彼女は五反田君に抱かれ、愛撫され、気持ち良さそうに目を閉じて唇を微かに震わせていた。小さく溜め息もついた。それが演技なのかどうか、僕には判断がつかなかった。まあ、演技なのだろう。これは映画なんだから。でも僕にはキキが演技をするということ自体が全然呑み込めなかった。僕はそれでずいぶん混乱してしまった。というのは、もしそれが演技でなかったとしたら、彼女は本当に五反田君に抱かれて陶酔しているということになるし、もし演技だったとしたら、僕の中での彼女の存在意義が狂ってくる。そう、彼女は演技したりするべきではないのだ。いずれにせよ僕はその映画に対して激しく嫉妬した。

スイミング・スクール、それから映画。僕はいろんなものに嫉妬しはじめている。これは良い徴候なのだろうか？

それから主人公の女の子がドアを開ける。そして彼女は二人が裸で抱き合っているところを目撃する。息を呑む。目を閉じる。そして走って行ってしまう。五反田君が茫然とする。キキが言う。「どうしたっていうのよ？」茫然としている五反田君のアップ。フェイドアウト。

それっきりキキは画面には登場しなかった。僕は筋なんかとばして、ただじっと注意深く画面を睨んでいたのだが、彼女の姿はそれっきりちらりとも出てこなかった。彼女は五反田君と何処かで知り合って、彼と寝て、そして彼の人生のワン・シーンに立ち会い、そして消えていく。そういう役まわりなのだ。僕の場合と同じように。ふと現れて、立ち会って、消えていく。

映画が終わって、場内の照明がついた。音楽が流れた。でも僕はまだ体をこわばらせたままじっと白いスクリーンを睨んでいた。これは現実なんだろうか、と僕は思った。映画が終わってしまうと、それは全然現実じゃないみたいに思えた。どうしてキキが映画に出てるんだ？　それも五反田君と一緒に。馬鹿気てる。僕はきっと何処かで間違いを犯しているにちがいない。回路が入れ違っているのだ。何処かで想像力と現実が交錯し混乱しているのだ。そうとしか考えられないじゃないか？

僕は映画館を出てしばらくあたりを歩きまわった。そしてずっとキキのことを考えていた。「どうしたっていうのよ？」と彼女は僕の耳元で囁きつづけていた。

どうしたっていうんだろう？

でもあれはキキだった。間違いなくそうだったんだ。僕に抱かれているときにも、彼女はああいう顔をして、ああいう風に唇をふるわせ、ああいう風に溜め息をついたのだ。あれは演技なんかじゃない。本当にそうなんだ。でも映画だぜ、あれは。

僕にはわからなかった。

時間がたてばたつほど、僕は自分の記憶が信用できなくなってきた。あれはただの幻想だったのだろうか？

一時間半後に僕はもう一度その映画館に入った。そしてもう一度最初から「片想い」を見た。日曜日の朝、五反田君は女を抱いていた。女の背中が見えた。カメラが回る。女の顔が見える。キキだった。間違いない。主人公の女の子が入ってくる。息を呑む。目を閉じる。走り去る。五反田君は茫然とする。キキが言う。「どうしたっていうのよ？」フェイドアウト。

まったく同じことの繰り返しだった。

それでも映画が終わると、僕にはそれがやはり全然信じられなかった。何かの間違いだろうと思った。どうしてキキが五反田君と寝るんだ？

翌日、僕はもう一度映画館にいってみた。そして座席の上で体をこわばらせ、「片想い」をもう一度見てみた。僕はじっとそのシーンが来るのを待っていた。すごくいらいらしながら。やっとそのシーンになった。日曜日の朝、五反田君は女を抱いていた。女の背中が見えた。カメラが回る。女の顔が見える。キキだ。間違いない。主人公の女の子が入ってくる。息を呑む。目を閉じる。走り去る。五反田君は茫然とする。キキが言う。「どうしたっていうのよ?」

僕は暗闇のなかで溜め息をついた。

オーケー、これは現実だ。間違いない。繋がっている。

15

僕は映画館の座席に深くしずみこみ、鼻の前で両手の指を組んでいつもの同じ質問を自らに向かって発した。さて、これからどうすればいいんだろう？

いつもの質問。でも落ち着いてじっくり考える必要がある。整理する必要がある。僕がやるべきこと。

繋がりの混乱を解消すること。

たしかに何かが混乱している。それは間違いない。キキと僕と五反田君が絡み合っている。どうしてそんなことになったのか見当もつかないが、とにかく絡み合っているのだ。ほぐさなくてはならない。現実性の回復をとおしての自己の回復。あるいはこれは繋がりの混乱ではなく、それとは無関係に生じつつある新たな繋がりなのかもしれない。でもいずれにせよ、僕としてはこの線を辿ってみるしかないだろう。この糸を切れないように注意深く辿っていくのだ。これが手掛かりなのだ。とにかく動くこと。立ちどまらないこと。踊り続けること。みんなが感心するくらいうまく踊ること。

踊るんだよ、と羊男が言う。

オドルンダヨ、と思考がこだまする。

いずれにせよ東京に帰ろう、と僕は思った。これ以上ここにいてもしかたない。僕がいるかホテルを訪れた目的はもう充分に達している。東京に帰って態勢を立て直してその結びつきを手繰っていってみよう。僕はコートのジッパーを上げ、手袋をはめ、帽子をかぶり、マフラーを鼻の上にぐるぐると巻いて映画館を出た。雪はますます激しく降り、殆ど前も見えないくらいだった。街全体が冷凍された死体のように絶望的に固く凍りついていた。

僕はホテルに戻ると全日空のオフィスに電話をかけて午後一番の羽田行きを予約した。「雪が激しくて、直前になってあるいは遅れるか欠航するかということになるかもしれませんが、よろしいでしょうか?」と予約係の女性が言った。かまわない、と僕は言った。帰るときめたからには一刻も早く東京に戻りたかった。それから僕は荷物をまとめ、下におりて勘定をすませた。そしてカウンターに行って眼鏡をかけた彼女をレンタカーのデスクに呼んだ。

「急に用事ができて、東京に帰ることになったんだ」と僕は言った。

「どうも有り難うございました。またお越しくださいませ」と彼女はにっこりと営業的に微笑みながら言った。たぶんこんな風に急に帰ると言い出したことで彼女は少し傷つけられているのだろうと僕は思った。傷つきやすいのだ。

「ねえ」と僕は言った。「また来るよ。近いうちに。その時に二人でゆっくりと食事でもして、いろんなことを話そう。君にきちんと話さなくちゃいけないこともあるんだ。でも今は僕は東京に帰っていろんなことを整理しなくちゃならないんだ。段階的思考。前向きの姿勢。総合的展望。そういうのが僕に求められている。それが終わったら、またここに来る。何ヵ月かかるかはわからない。でもちゃんと戻ってくる。どうしてかと言えば、ここは僕にとって……つまり何というか、特別な場所であるような気がするからだ。だからおそかれはやかれここに戻ってくる」

「ふふん」と彼女はどちらかというと否定的に言った。

「ふふん」と僕はどちらかというと肯定的に言った。「でもきっと僕の言ってることは馬鹿みたいに聞こえるんだろうね」

「そんなことないわ」と彼女は無表情に言った。「何ヵ月かかるかわからない先のことがうまく考えられないだけよ」

「それほど先のことではないと思うよ。また会える。何故なら僕と君との間にはなにかしら相通じるところがあるから」と僕は彼女を説得するように言った。でも彼女は説得されたようには見えなかった。「そんな風に感じない？」僕は訊いてみた。

彼女はボールペンの頭で机をとんとんと叩いただけで僕の質問には答えなかった。「それで、次の飛行機で帰るのかしら、ひょっとして？」と彼女は言った。

「そのつもりだよ。飛んでくれさえすればね。でも何しろこの天候だから、どうなるかはっきりしたことはわからない」

「次の飛行機で帰るんだったら、ひとつお願いがあるんだけど、きいてくれる？」

「もちろん」

「実は十三の女の子が一人で東京に帰らなくちゃならないの。お母さんが用事ができて先に何処かに行っちゃったの。で、その子が一人でここのホテルに残されたの。悪いけど、あなたその子をちゃんと東京まで連れていってくれないかしら？　荷物もけっこうあるし、一人で飛行機に乗せるのも心配だし」

「よくわからないな」と僕は言った。「どうしてお母さんが子供を一人で放り出して何処かに行っちゃったりするんだよ？　そんなの無茶苦茶じゃないか？」

彼女は肩をすぼめた。「だからまあ、無茶苦茶な人なのよ。有名な女性カメラマンなんだけど、ちょっと変わった人なの。思いつくとどっかにさっと行っちゃうの。子供のことを忘れちゃって。ほら、芸術家だから、何かあるとそれで頭が一杯になっちゃうのね。あとで思い出してうちに電話をかけてきたの。子供をそこに置いてきちゃったんで、適当に飛行機に乗せて東京に帰してほしいって」

「そんなの自分で引き取りにくりゃいいじゃないか」

「そんなこと私知らないわよ。とにかくあと一週間仕事でどうしてもカトマンズにいなくちゃならないんだって。それにその人有名な人だし、うちのお得意さんだし、そう邪険にも出来ないのよ。彼女は空港まで運んでくれればあとは一人で帰れるからって気楽に言うんだけど、そうもいかないでしょう。女の子だし、もし何かあったらうちとしてもすごく困るのよ。責任問題になっちゃうし」

「やれやれ」と僕は言った。それから僕はふと思いついたことを口に出してみた。「ねえ、その子ひょっとして髪が長くて、ロック歌手のトレーナーを着て、ウォークマンを聴いてない、いつも？」

「そうよ。何だ、ちゃんと知ってるんじゃない」

「やれやれ」と僕は言った。

＊

彼女は全日空のオフィスに電話をかけて僕と同じ便の座席を予約した。それからその女の子の部屋に電話をかけて、荷物をまとめてすぐに下りてくるように、一緒に帰る人がみつかったから、と言った。大丈夫、よく知っているちゃんとした人だから、と彼女は言った。次にボーイを呼んで、彼女の部屋に荷物を取りにやらせた。そしてホテルのサービス・リムジンを呼んだ。きびきびとしてとても手際がよかった。有能だった。とても手際がいい、と僕は言った。

「この仕事好きだって言ったでしょう。向いてるのよ」

「でも、からかわれるとムキになる」と僕は言った。

彼女はまたボールペンで机をとんとんと叩いた。「そういうのはまた別なの。冗談言われたりからかわれたりするのって、あまり好きじゃないの。昔から。そういうことされるとすごく緊張するの、私」

「ねえ、君を緊張させるつもりなんか全然ない」と僕は言った。「逆だよ。僕はリラックスしたいから冗談を言うんだ。下らなくて無意味な冗談かもしれないけれど、僕だって僕なりに努力して冗談を言ってるんだ。もちろん時によっては自分が考えてるほど相手が面白がってくれないこともある。でも別に悪意はないんだ。何も君のことを笑っているわけじゃない。僕が冗談を言うのは、僕にとってそういうのが必要だからだよ」

彼女は少し唇をすぼめて僕の顔を眺めていた。丘の上に立って洪水の引いたあとを眺めるような目付きだった。それから彼女は溜め息をつくような、鼻をならすような、複雑な声を出した。「ところであなたの名刺を頂けないかしら？　一応女の子を預けた手前、立場上」

「立場上」と僕はもぞもぞと口ごもりながら、財布から名刺をひっぱりだして彼女に渡した。僕も一応名刺くらいは持っている。一応名刺くらいは持っている必要があると十二人くらいの人に忠告されたのだ。彼女は雑巾でも見るみたいにじっとその名刺を見ていた。

「ところで君の名前は？」と僕は訊いてみた。

「今度会った時に教えてあげる」と彼女は言った。そして中指で眼鏡のブリッジを触った。「もし会えたら」

「もちろん会えるよ」と僕は言った。

彼女は新月のように淡く物静かな微笑を浮かべた。

十分後に女の子がボーイと一緒にロビーに下りてきた。ボーイはサムソナイトの大きなスーツケースを持っていた。ドイツ・シェパードが立ったまま一匹入りそうなくらい大きなスーツケースだった。たしかにこんなものを十三の女の子に持たせて空港に置き去りにするわけにもいかない。彼女は今日は「TALKING HEADS」と書かれたトレーナー・シャツを着て、細いブルージーンズとブーツを履き、その上に上等そうな毛皮のコートを羽織っていた。前に見た時と同じように彼女には透き通るような奇妙な美しさが感じられた。とても微妙な——明日消えたとしてもおかしくなさそうな——美しさだった。でもその美しさは見るものにある種の不安定な感情を起こさせるような気がした。たぶんそれが微妙すぎるからだろう。「トーキング・ヘッズ」と僕は思った。悪くないバンド名だった。ケラワックの小説の一節みたいな名前だ。

「語りかける頭が俺の隣でビールを飲んでいた。俺はひどく小便がしたかった。小便をしてくるぜと俺は語りかける頭に言った」

懐かしきケラワック。今はどうしているものか。

女の子は僕を見た。でも彼女は今度はにっこりとはしなかった。眉をしかめるようにして僕を見て、それから眼鏡の女の子を見た。

「大丈夫。悪いひとじゃないから」と彼女は言った。

「みかけほど悪くない」と僕も言い添えた。

女の子はまた僕を見た。それからまあ仕方ないという風に何度か肯いた。よりごのみできる立場じゃないんだ、というように。それで僕は彼女に対してすごくひどいことをしているような気になった。なんだかスクルージ爺さんになったような気分だった。スクルージ爺さん。

「心配しないで大丈夫よ」と彼女が言った。「このおじさんは冗談もうまいし、気のきいたことも言ってくれるし、女の子には親切なの。それにお姉さんのお友達なの。だから大丈夫よ、ね？」

「おじさん」と僕は唖然として言った。「僕はまだおじさんじゃない。まだ三十四だ。おじさんはひどい」

でも誰も僕の言うことなんか聞いていなかった。彼女は女の子の手をとって玄関に止まったリムジンの方にさっさと歩いて行ってしまった。ボーイはサムソナイトをすでに車の中に積み込んでいた。僕は自分のバッグを下げてその後を追った。おじさん、と僕は思った。ひどい。

空港行きのリムジンに乗ったのは僕とその女の子だけだった。天候がひどすぎるのだ。空港までの道中どこを向いても雪と氷しか見えなかった。まるで極地だ。

「ねえ、君、名前はなんていうの？」と僕は女の子に聞いてみた。

彼女はじっと僕の顔を見た。そして小さく首を振った。やれやれという風に。それから何かを探すようにゆっくりと回りを見回した。どこを向いても雪しか見えなかった。「雪」

と彼女は言った。

「雪？」

「名前」と彼女は言った。「それ。ユキ」

それから彼女はウォークマンをポケットからひっぱりだして、個人的な音楽の中にひたった。空港に着くまで僕の方をちらりとも見なかった。

ひどい、と僕は思った。あとになってわかったことだけれど、ユキというのは彼女の本当の名前だった。でもその時は、それはどう考えても即席のでっちあげの名前に思えた。それで僕はちょっと傷つきもした。彼女はときどきポケットからチューインガムを出して一人で噛んでいた。僕には一枚も勧めてはくれなかった。僕はべつにチューインガムなんてほしくはなかったけれど、儀礼的に勧めてくれたっていいんじゃないかという気はした。そういう何やかやで、僕はなんだか自分がひどくみすぼらしく年とってしまったような気がした。仕方ないので僕はシートに深く身を沈め、目を閉じた。そして昔のことを思い出した。僕が彼女の年頃であった当時のことを。そういえば僕もその頃はロック・レコードを集めていた。45回転のシングル盤を。レイ・チャールズの「旅立てジャック」やら、リッキー・ネルソンの「トラヴェリン・マン」やら、ブレンダ・リーの「オール・アローン・アム・アイ」、そういうのを百枚くらい。歌詞を暗記するくらい毎日繰り返して聴いた。僕は頭の中で試しに「トラヴェリン・マン」の歌詞を思い出して歌ってみた。信じられない話だけれど、まだ歌詞を全部覚えていた。どうしようもない下らない歌詞だったが、歌ってみるとちゃんとすらすら出てきた。若い頃の記憶力というのは大したものだ。無意味な事柄を実によく覚えている。

And the China doll
down in old Hongkong
waits for my return.

トーキング・ヘッズの歌とは確かにずいぶん違う。時代は変わる——タアアアイムズ・ア・チェエエエンジン……

＊

僕はユキを待合室にひとり置いて、空港カウンターに行って切符を買った。あとで精算するつもりで、二人分の料金を僕のクレジット・カードで払った。搭乗までにあと一時間あったが、たぶんもっと遅れることになるだろうと係員が言った。「アナウンスがありますから、気をつけていてください」と彼女は言った。「とにかく今のままでは視界が悪すぎるんです」

「天候は回復するかな？」と僕は訊いてみた。

「予報はそうなっているんですけどね、でも何時間かかるかはわかりませんね」と彼女はうんざりしたように言った。同じ事を二百回くらい言ってるのだ。まあ誰だってうんざりするだろう。

　僕はユキのところに戻って、雪が止まないので少し飛行機が遅れることになりそうだ、と言った。彼女は僕の顔をちらっと見てから〈ふうん〉という顔をした。でも何も言わなかった。

「どうなるかわからないから、荷物はチェックインしないでおこう。一度チェックインしちゃうと戻してもらうのが面倒だからね」と僕は言った。

〈お好きに〉という顔を彼女はした。でも何も言わなかった。

「しばらくここで待つしかないね。それほど面白い場所でもないけど」と僕は言った。「ところで昼御飯は食べた？」

　彼女は肯いた。

「コーヒー・ショップにでも行かないか？　何か飲みたくない？　コーヒーかココアか紅

茶かジュースか、何でも」と僕はきいてみた。

〈どうかしら〉という顔を彼女はした。感情表現が豊かだ。

「じゃあ行こう」と僕は言って立ち上がった。そしてサムソナイトを押して、彼女と一緒にコーヒー・ショップに行った。コーヒー・ショップは混んでいた。どの便も出発が遅れているらしく、みんな一様に疲れた顔をしていた。そんなざわざわとした店の中で僕は昼食がわりにコーヒーとサンドイッチを頼み、ユキはココアを飲んだ。

「ねえ、何日くらいあのホテルに泊まってたの？」と僕は聞いてみた。

「十日」と彼女は少し考えてから言った。

「お母さんはいつ行っちゃったの？」

彼女はしばらく窓の外の雪を見ていた。それから「三日前」と言った。まるで初歩英会話のレッスンをやっているみたいだった。

「学校は春休みなの、ずっと？」

「学校は行ってないの、ずっと。だから放っておいて」と彼女は言った。そしてポケットからウォークマンを出して、ヘッドフォンを耳にあてた。

僕はコーヒーの残りを飲み、新聞を読んだ。どうも最近僕は女の子を怒らせてばかりいる。どうしてだろう？　運が悪いだけなのだろうか、それとももっと根本的な原因があるのだろうか？

たぶん運が悪いだけだ、と僕は結論を下した。そして新聞を読んでしまうと、フォークナーの「響きと怒り」の文庫本をバッグから出して読んだ。フォークナーとフィリップ・K・ディックの小説は神経がある種のくたびれかたをしているときに読むと、とても上手く理解できる。僕はそういう時期がくるとかならずどちらかの小説を読むことにしている。それ以外の時期にはまず読まない。途中でユキは一度洗面所に行った。そしてウォークマンの電池を入れ替えた。三十分ほどあとで、アナウンスがあった。羽田行きの便は四時間遅れて出発するというアナウンスだった。天候の回復を待つのだ。僕は溜め息をついた。やれやれ、ここであと四時間も待つのか。

でもまあ仕方ない。そういうことは最初に警告されていたのだから。もっと前向きに積極的にものを考えよう、と僕は思った。パワー・オブ・ポジティブ・シンキング。五分ポジティブに考えて、ちょっとしたアイデアが閃いた。上手くいくかもしれないし、上手くいかないかもしれない。でもこんなうるさくて煙草臭いところで漫然と時間をつぶしているよりはずっといい。僕はユキにちょっとここで待っていてと言って、空港のレンタカー会社のカウンターまで行った。そして車を借りたいと言った。カウンターの女性はすぐに手続きしてくれた。カー・ステレオつきのカローラ・スプリンターだった。僕はマイクロ・バスでレンタカー・オフィスまで運ばれ、そこでカローラのキイを渡された。オフィスは空港から車で十分ほどのところにあった。新しいスノー・タイヤのついた白いカローラだった。僕はその車に乗って、空港まで戻った。そしてコーヒー・ショップに行って、ユキに「これから三時間ほどこの辺をドライブしてみようよ」と言った。

「だってこんなに雪が降ってるのよ。ドライブといっても何も見えないでしょう？」と彼女はあきれたように言った。「それにいったい何処に行くの？」

「何処にもいかない。車に乗って走るだけ」と僕は言った。「でも大きな音で音楽が聴ける。音楽が聴きたいんだろう。たっぷり聴かせてあげるよ。ウォークマンばかり聴いていると耳が悪くなる」

彼女はどうかしらという風に首を振った。でも僕がさあ行こうと言って立ち上がると、席を立ってついてきた。

僕はスーツケースをかつぎあげてトランクに放り込み、雪の降りしきる道路をゆっくりと何処にいくともなく車を走らせた。ユキはショルダー・バッグの中からカセット・テープを出して、カー・ステレオに入れ、スイッチを押した。デヴィッド・ボウイが「チャイナ・ガール」を歌っていた。それからフィル・コリンズ。スターシップ。トマス・ドルビー。トム・ペティー&ハートブレーカーズ。ホール&オーツ。トンプソン・ツインズ。イギー・ポップ。バナナラマ。そういうローティーンの女の子がごく普通に聴きそうな音楽がずっと続いていた。ストーンズが「ゴーイン・トゥー・ア・ゴーゴー」を歌った。「この曲知ってる」と僕は言った。「昔ミラクルズが歌ったんだ。スモーキー・ロビンソンとミラクルズ。僕が十五か十六の頃」

「へえ」とユキは興味なさそうに言った。

「ゴオイン・トゥ・ア・ゴッゴ」と僕も曲にあわせて歌った。

それからポール・マッカートニーとマイケル・ジャクソンが「セイ・セイ・セイ」を歌った。道路を走っている車は少なかった。ほとんどないと言ってもいいくらいだった。ワイパーがいかにも大儀そうに窓についた雪片をぱた・ぱた・ぱたと払い落としていた。車の中は暖かく、ロックンロールは心地良かった。デュラン・デュランでさえ心地良かった。僕はけっこうリラックスしてときどきテープにあわせて歌いながらまっすぐな道路をまっすぐに進んだ。ユキも少しは気持ちを楽にしているように見えた。彼女はその九十分テープを聴いてしまうと、僕がレンタカー・オフィスで借りてきたテープに目をとめた。

「それ何？」と彼女は訊いた。オールディーズのテープだと僕は答えた。空港に戻るまでの道中、暇つぶしに聴いていたのだ。「それ聴きたい」と彼女は言った。

「気に入るかどうかわからないよ。みんな古いものだから」と僕は言った。

「いいわよ、何でも。この十日くらいずっと同じテープばかり聴いてたんだもの」

それで僕はそのテープをセットした。まずサム・クックが「ワンダフル・ワールド」を歌った。「僕は歴史のことなんてよく知らないけれど……」、いい歌だ。サム・クック、僕が中学三年生の時に撃たれて死んだ。バディー・ホリー「オー・ボーイ」。バディー・ホリーも死んだ。飛行機事故。ボビー・ダーリン「ビヨンド・ザ・シー」。ボビー・ダーリンも死んだ。エルヴィス「ハウンド・ドッグ」。エルヴィスも死んだ。麻薬漬け。みんな死んだ。それからチャック・ベリーが歌った。「スイート・リトル・シックスティーン」。エディー・コクラン「サマータイム・ブルース」。エヴァリ・ブラザーズ「起きろよ、スージー」。

僕は歌詞の覚えている部分だけを一緒に歌った。

「よく覚えているのね」とユキが感心したように言った。

「そりゃそうだよ。僕も昔は君と同じくらい熱心にロックを聞いてたんだ」と僕は言った。「君と同じくらいの歳のころにさ。毎日ラジオにしがみついて、小遣いを貯めてレコードを買った。ロックンロール。世の中にこれくらい素晴らしいものはないと思ってた。聴いているだけで幸せだった」

「今はどうなの？」

「今でも聴いている。好きな曲もある。でも歌詞を暗記するほどは熱心に聴かない。昔ほどは感動しない」

「どうしてかしら？」

「どうしてだろう？」

「教えて」とユキは言った。

「本当にいいものは少ないということがわかってくるからだろうね」と僕は言った。「本当にいいものはとても少ない。何でもそうだよ。本でも、映画でも、コンサートでも、本当にいいものは少ない。ロック・ミュージックだってそうだ。いいものは一時間ラジオを聴いて一曲くらいしかない。あとは大量生産の屑みたいなもんだ。でも昔はそんなこと真剣に考えなかった。何を聞いてもけっこう楽しかった。若かったし、時間は幾らでもあったし、それに恋をしていた。つまらないものにも、些細なことにも心の震えのようなものを託することができた。僕の言ってることわかるかな？」

「何となく」とユキは言った。

デル・ヴァイキングズの「カム・ゴー・ウィズ・ミー」がかかったので、僕はしばらくそれを一緒に合唱した。「退屈じゃない？」と僕は聞いてみた。

「ううん。悪くない」と彼女は言った。

「悪くない」と僕も言った。

「今は恋をしないの?」とユキが訊いた。

僕はそのことについて少し真剣に考えた。「むずかしい質問だ」と僕は言った。「君は好きな男の子はいるの?」

「いない」と彼女は言った。「嫌な奴はいっぱいいるけど」

「気持ちはわかる」と僕は言った。

「音楽聴いてる方が楽しい」

「その気持ちもわかる」

「本当にわかる?」とユキは言って、疑わしそうに目を細めて僕を見た。

「本当にわかる」と僕は言った。「みんなはそれを逃避と呼ぶ。でも別にそれはそれでいいんだ。僕の人生は僕のものだし、君の人生は君のものだ。何を求めるかさえはっきりしていれば、君は君の好きなように生きればいいんだ。人が何と言おうと知ったことじゃない。そんな奴らは大鰐に食われて死ねばいいんだ。僕は昔、君くらいの歳の時にそう考えていた。今でもやはりそう考えている。それはあるいは僕が人間的に成長していないからかもしれない。あるいは僕が恒久的に正しいのかもしれない。まだよくわからない。なかなか解答が出てこない」

ジミー・ギルマー「シュガー・シャック」。僕は歯の隙間から口笛を吹いて運転した。道路の左手には真っ白な原野が広がっていた。「ただの小さな木作りのコーヒー・ショップ。エスプレッソ・コーヒーが御機嫌にうまいんだ」。良い唄だ。一九六四年。

「ねえ」とユキが言った。「あなたちょっと変わってるみたい。みんなにそう言われない？」

「ふふん」と僕は否定的に言った。

「結婚してる？」

「一度した」

「離婚したの？」

「そう」

「どうして？」

「奥さんに逃げられたんだ」

「本当、それ？」

「本当だよ。奥さんが他の男の人を好きになって一緒に何処かに行っちゃったんだ」

「可哀そう」と彼女は言った。

「ありがとう」と僕は言った。

「でも奥さんの気持ちわかるような気がする」とユキは言った。

「どんな風に?」と僕は聞いてみた。

彼女は肩をすぼめて何も言わなかった。僕もあえて聞きたいとは思わなかった。

「ねえ、チューインガム食べる?」とユキが訊いた。

「ありがとう。でもいらない」と僕は言った。

僕らは少しずつ仲良くなって、ビーチ・ボーイズの「サーフィンUSA」のバック・コーラスを二人でつけた。「inside-outside-U. S. A.」とか、そういう簡単なやつ。でも楽しかった。「ヘルプ・ミー・ロンダ」のリフも二人で歌った。僕もまだ捨てたものではない。僕はスクルージ爺さんではないのだ。そうこうするうちに雪がだんだん小降りになってきた。僕は空港に戻り、キイをレンタカーのカウンターに戻した。そして荷物をチェックインし、三十分後にゲートに入った。飛行機は結局五時間遅れて離陸した。ユキは飛行機が離陸するとすぐに眠りこんでしまった。彼女の寝顔はすばらしく綺麗だった。何かしら非現実的な材料で作った精密な彫像みたいに美しかった。誰かが強く突くと壊れてしまいそうに見えた。そういう種類の美しさだった。スチュワーデスがジュースを運んでやってきて、彼女の寝顔を見てとても眩しそうな顔をした。そして僕に向かって微笑んだ。僕も微笑んだ。僕はジン・トニックを注文した。そしてそれを飲みながら、キキのことを考えた。僕は頭の中で彼女と五反田君がベッドの中で抱き合っているシーンを何度も何度も再生してみた。カメラがまわりこむように移動した。キキがそこにいた。「どうしたっていうのよ?」と彼女は言った。

ドウシタッテイウノヨ、と思考がこだました。

16

羽田で荷物を受け取ってから、僕はユキに家は何処にあるのかと聞いてみた。

「箱根」と彼女は言った。

「ずいぶん遠いな」と僕は言った。もう夜の八時も過ぎていたし、これからタクシーに乗るにせよ何にせよ、箱根に帰るのはちょっと骨だった。「東京に知っている人はいない？　親戚だとか、親しい人だとか。そういう人」と僕は訊いてみた。

「そんな人いないけど、赤坂にアパートならあるわよ。小さなアパートだけど、ママが東京に出る時に使ってるの。そこに泊まれる。誰もいないから」

「家族はいないの？　お母さんの他に」

「いない」とユキは言った。「私とママの二人だけ」

「ふん」と僕は言った。なんとなくややこしそうな家庭だったが、まあそれは僕には関係のないことだった。「とにかく僕のところまでタクシーで行こう。それから一緒に晩御飯をどこかで食べよう。食べ終わったら、僕が車で君をその赤坂のアパートまで送ってあげる。それでいいかな？」

「何でもいい」と彼女は言った。

僕はタクシーを拾って渋谷の僕のアパートまで行った。そしてユキを玄関で待たせて、部屋に一人で戻り、荷物を置いてヘビー・デューティーじゃない普通の格好に着替えた。普通のスニーカーと普通の皮ジャンパーと普通のセーター。それからスバルにユキを乗せて、車で十五分ほどの距離にあるイタリアン・レストランに行って食事をした。僕はラヴイオリと野菜サラダを食べ、彼女はボンゴレのスパゲッティとほうれん草を食べた。そして魚のフリット・ミストを一皿注文して二人で分けた。フリットはかなりの量があったが、彼女はすごくおなかがすいていたらしく、その上にティラミスまで食べた。僕はエスプレッソを飲んだ。「おいしかった」と彼女は言った。

どこに美味い店があるかとか、そういうことだけはよく知っているんだと僕は言った。そして美味い物を食べさせる店を捜してまわる仕事の話をした。

ユキは僕の話を黙って聞いていた。

「だから詳しいんだ」と僕は言った。「フランスにぶうぶう鳴いて地下のキノコを捜す豚がいるけど、あれと同じだよ」

「あまり仕事が好きじゃないの？」

僕は首を振った。「駄目だね。好きになんかなれない、とても。何の意味もないことだよ。美味い店をみつける。雑誌に出してみんなに紹介する。ここに行きなさい。こういうものを食べなさい。でもどうしてわざわざそんなことしなくちゃいけないんだろう？　みんな勝手に自分の好きなものを食べていればいいじゃないか。そうだろう？　どうして他人に食い物屋のことまでいちいち教えてもらわなくちゃならないんだ？　どうしてメニューの選び方まで教えてもらわなくちゃならないんだ？　そしてね、そういうところで紹介される店って、有名になるに従って味もサービスもどんどん落ちていくんだ。十中八、九はね。需要と供給のバランスが崩れるからだよ。それが僕らのやっていることだよ。何かをみつけては、それをひとつひとつ丁寧におとしめていくんだ。真っ白なものをみつけては、垢だらけにしていくんだ。それを人々は情報と呼ぶ。生活空間の隅から隅まで隙を残さずに底網ですくっていくことを情報の洗練化と呼ぶ。そういうことにとことんうんざりする。自分でやっていて」

ユキはテーブルの向かい側からじっと僕を見ていた。何か珍しい生物でも見るみたいに。「でもやってるのね？」

「仕事だから」と僕は言った。それから僕は突然向かいに座っているのが十三かそこらの女の子であることを思い出した。やれやれ俺はいったいこんな小さな女の子を相手に何を言ってるんだろう？　「行こう」と僕は言った。「もう夜も遅いし、そのアパートまで送るよ」

スバルに乗ると、ユキがその辺に転がっていたテープを手に取ってカー・ステレオに入れた。僕が作ったオールディーズのテープだった。僕は一人で運転しながらよくそういうのを聴いてるのだ。フォー・トップスの「リーチアウト・アイル・ビー・ゼア」。道路はすいていたから、赤坂まではすぐだった。僕はユキにアパートの場所を訊いた。

「教えたくない」とユキは言った。

「どうして教えたくないんだろう？」と僕は訊ねた。

「まだ帰りたくないから」

「ねえ、もう夜の十時を過ぎてる」と僕は言った。「長いハードな一日だった。犬のように眠りたい」

隣の席からユキはじっと僕の顔を見ていた。僕は前方の路面に目を注いでいたけれど、彼女の視線をずっと左側の頬に感じつづけていた。不思議な視線だった。そこには何の感情も含まれていなかったが、その視線は僕をどきどきさせた。しばらく僕を見つめたあとで、彼女は視線を反対側の窓の外に向けた。

「私、眠くないの。それに今アパートに帰っても一人だし、もう少しドライブしてたい。音楽聴いて」

僕は少し考えた。「あと一時間。それから帰ってぐっすり眠る。それでいい?」

「それでいい」とユキは言った。

僕らは音楽を聴きながら、東京の街をぐるぐると回った。そしてこういうことをしているからどんどん大気が汚染され、オゾン層が破壊され、騒音が増え、人々の神経が苛立ち、地下資源が枯渇するんだと思った。ユキは頭をシートにもたせかけ、何も言わずにぼんやりと夜の街を眺めていた。

「お母さんはカトマンズにいるんだって?」と僕は尋ねてみた。

「そう」彼女はけだるそうに言った。

「じゃあ、戻ってくるまでは一人なんだ」

「箱根に帰ったらお手伝いのおばさんがいるけど」と彼女は言った。

「ふん」と僕は言った。「しょっちゅうこういうことはあるの?」

「私を放り出していっちゃうってこと? しょっちゅうよ。あの人、自分の写真のことですぐ頭がいっぱいになっちゃうの。悪気はないんだけど、そういう人なの。要するに自分のことしか考えてないの。私がいるってこと忘れちゃうの。傘と同じ。ただ単に忘れるのよ。それで一人でふっと何処かに行ってしまうの。カトマンズに行きたいと思ったら、そのことしか頭になくなっちゃうわけ。もちろんあとで反省して謝るけど、すぐにまた同じことやるの。気紛れで私を一緒に北海道に連れていってあげるって連れていって、連れていかれたのはいいけど毎日私はホテルの部屋でウォークマンばかり聴いていて、ママは殆ど帰ってなんかこなくて、一人で御飯食べて……。でももうあきらめてる。今度だって一週間で帰るって言ってるけど、あてになんかならないわよ。カトマンズから何処にいくかわかったもんじゃない」

「お母さんの名前はなんて言うの？」と僕は聞いてみた。

彼女は名前を言った。僕はその名前を聞いたことがなかった。聞いたことないな、と僕は言った。

「仕事用の名前を持ってるの」とユキは言った。「アメっていう名前で仕事してるのずっと。それで私の名前をユキにしたの。馬鹿みたいだと思わない？　そういう人なの」

僕はアメを知っていた。誰でも彼女のことを知っている。とびっきり有名な女流写真家だ。ただしマスコミに顔は出さない。世間にも出てこない。本名さえほとんど誰も知らない。好きな仕事しかしない。奇行で知られている。攻撃的で鋭い写真を撮る。僕は首を振った。「じゃあ、君のお父さんはあの小説家か？　牧村拓《ひらく》、たしかそうだったね」

ユキは肩をすぼめた。「あの人そんな悪い人じゃないわよ。才能はないけど」

僕はユキの父親の書いた小説を昔何冊か読んだことがあった。若い頃に書いた二冊の長編と一冊の短編集は悪くなかった。文章も視点も新鮮だった。それで本はまずまずのベストセラーになった。本人も文壇の寵児のような存在になった。TVやら雑誌やらいろんなところに顔を出して、社会のあらゆる事象について意見を述べた。そして当時新進の写真家であったアメと結婚した。それが彼の頂点だった。そのあとがひどかった。とくにこれといった理由もなく、突然彼はまともな物が書けなくなってしまったのだ。次に書いた二、三冊はどうしようもない代物だった。批評家も酷評したし、本も売れなかった。それから牧村拓はがらりとスタイルを変えた。ナイーブな青春小説の作家から突然実験的前衛作家に転向してしまったのだ。でも無内容であることに変わりはなかった。文体もフランスあたりの前衛小説の部分部分をもってきてつぎあわせたようなおぞましい代物だった。それでも想像力のかけらもない何人かの新しい物好きの評論家がそれを褒めた。でも二年もたてば、批評家たちもさすがにこれは駄目だと思ったのか、何も言わなくなってしまった。どうしてそういうことが起こるのか僕にはわからない。でもとにかく彼の才能は最初の三冊で完全に枯渇してしまったのだ。しかしそれでも、文章だけはまずまず書けた。だから去勢された犬が過去の記憶に従って雌犬の尻の匂いを嗅ぐみたいに、文壇の近辺をうろつきまわっていた。その頃にはもうアメは彼とは離婚していた。正確に言えば、アメが彼に見切りをつけたのだ。少なくともそれが世間の定説になっていた。

でも牧村拓はそのままでは終わらなかった。彼は冒険作家というふれこみで新しい分野に仕事を広げた。一九七〇年代の始め頃だ。前衛よさらば、行動と冒険。彼は世界の秘境をめぐり、それについて文章を書いた。エスキモーと一緒にアザラシを食べたり、アフリカで原住民と生活したり、南米のゲリラの取材をしたりした。そして書斎型の作家を激しい言葉で非難した。最初はそれはそれで悪くなかったのだが、十年も同じことをやっているうちに――まあ当然のことだが――みんなそれに飽きてきた。だいたい世界にそれほどたくさんの冒険の種があるわけではない。リヴィングストンとかアムンゼンの時代ではないのだ。冒険の質は薄れ、文章だけが仰々しくなっていった。それに実際のところそれは冒険でさえなかったのだ。彼の大方の「冒険」にはコーディネーターとか編集者とかカメラマンとかがぞろぞろ同行していた。TVが絡むと、それに十人くらいのスタッフとかスポンサーとかがついてきた。演出もあった。あとになればなるほど演出がふえてきた。それは業界の人間ならみんな知っていることだった。

たぶんそれほど悪い人ではないのだろう。でも才能はなかった。娘が言うように。

僕らはその作家の父親についてはそれ以上話をしなかった。ユキも話したくなさそうだったし、僕も別に話したくなかった。

僕らはしばらく黙って音楽を聴いていた。僕はハンドルを握って、前を行くブルーのBMWのテール・ランプを眺めていた。ユキはソロモン・バークにあわせてブーツの先でリズムを取りながら、街の風景を見ていた。

「これいい車ね」と少しあとでユキは言った。「なんて言うの?」

「スバル」と僕は言った。「中古の古い型のスバル。わざわざ口に出して褒めてくれる人は世間にあまりいないけど」

「よくわかんないけど、乗っていて何となく親密な感じがする」

「たぶんそれはこの車が僕に愛されているからだと思う」

「そうすると親密な感じになるの?」

「調和性」と僕は言った。

「よくわからない」とユキは言った。

「僕と車とでたすけあっているんだ。簡単に言えば。つまり、僕がここの空間に入る。僕はこの車を愛していると思う。するとここにそういう空気が生じる。そして車もそういう空気を感じる。僕も気持ち良くなる。車も気持ち良くなる」

「機械も気持ち良くなるの?」

「もちろんなる」と僕は言った。「どうしてかはわからない。でも機械も気持ち良くなったり、頭に来たりする。理論では解明できないけれど、経験的に言ってそうなんだ。間違いない」

「人間が愛しあうのと同じように？」

僕は首を振った。「人間とは違う。こういうのはね、その場にとどまっている感情なんだ。人間に対する感情というのはそれとは違う。相手にあわせていつも細かく変化している。揺れ動いたり、戸惑ったり、膨らんだり、消えたり、否定されたり、傷ついたりする。多くの場合意識的に統御することはできない。スバルに対するのとは違う」

ユキはそれについてしばらく考えていた。「奥さんとは通じあえなかったの？」とユキが訊いた。

「通じあえていると僕はずっと思っていた」と僕は言った。「でも僕の奥さんはそう考えなかった。見解の相違。だから何処かに行っちゃったんだ。たぶん見解の相違を訂正するよりは他の男の人と何処かに行っちゃう方が話が早かったんだろうね」

「スバルみたいには上手くいかなかったのね？」

「そういうことだね」と僕は言った。やれやれ、いったい十三の女の子相手に話す事柄か、これが。

「ねえ、私のことはどう思う?」とユキが訊いた。

「僕はまだ君のことを殆ど何も知らない」と僕は言った。

彼女はまた僕の左側の頰をじっと見つめた。そのうちに左側の頰に穴が開くんじゃないかという気がした。それくらい鋭い視線だった。わかったよ、と僕は思った。

「君は僕がこれまでにデートした女の子の中ではたぶんいちばん綺麗な女の子だよ」と僕は前の路面を見ながら言った。「いや、たぶんじゃない。間違いなくいちばん綺麗だよ。僕が十五だったら確実に君に恋をしていただろうね。でも僕はもう三十四だから、そんなに簡単に恋はしない。これ以上不幸になりたくない。スバルの方が楽だ。そういうところでいいだろうか?」

ユキは今度は平板な視線で僕をしばらく見ていた。そして「変な人」と言った。彼女にそう言われると僕は自分が本当に人生の敗残者になったような気がした。たぶん悪気はないのだろう。でも彼女にそう言われると結構こたえるのだ。

＊

十一時十五分に僕は赤坂に戻ってきた。

「さて」と僕は言った。

今度はユキはちゃんと僕にそのアパートの場所を教えてくれた。赤い煉瓦を使ったこぢんまりとしたマンションで、乃木神社の近くの静かな通りにあった。僕はその前に車を停めてエンジンを切った。

「お金のことなんだけど」と彼女はシートに座ったまま静かに言った。「飛行機代とか、食事代とかそういうの」

「飛行機代はお母さんが戻ってきてから返してくれればいい。それ以外のものは僕が出す。気にしなくていい。割り勘のデートはしないんだ。飛行機代だけでいい」

ユキは何も言わず肩をすぼめ、車のドアを開けた。そして噛んでいたチューインガムを植木鉢の中に捨てた。

「ありがとう・どういたしまして」と僕は一人で声に出して礼儀正しく会話してみた。そして財布から名刺を出して彼女に渡した。「お母さんが帰ったらこれを渡して。それからもし君が一人でいて何か困ったことがあったらここに電話するんだよ。僕に出来ることだったらやってあげるから」

彼女はしばらく僕の名刺をつまんでじっと睨んでいた。それからコートのポケットに突っ込んだ。

「変な名前」とユキは言った。

僕は後部席から重いスーツケースを引っ張り出し、それをエレベーターにのせて四階まで運んだ。ユキはショルダー・バッグから鍵を出してドアを開けた。僕はスーツケースを中に入れた。食堂を兼ねたキッチンとベッドルームと浴室だけの作りだった。建物はまだ新しく、部屋の中はモデルルームみたいにきちんと片付いていた。食器や家具や電気器具はひとと おり揃っていたし、どれも洒落た高価そうなものだったが、生活の匂いというものはほとんど感じられなかった。とにかく金を出して全部を三日で買い揃えたといった風だった。趣味は良い。でもどことなく非現実的だ。

「ママがたまに使うだけなの」とユキは僕の視線を追ったあとで言った。「ママはこの近くにスタジオを持ってて、東京にいる時はほとんどそこで暮らしているようなものなの。そこで寝てそこで御飯食べて。ここにはたまに帰ってくるだけ」

「なるほど」と僕は言った。忙しそうな人生だ。

彼女は毛皮のコートを脱いでハンガーにかけ、ガス・ストーブをつけた。そしてどこからバージニア・スリムの箱をもってきて一本口にくわえ、紙マッチをクールに擦って火をつけた。十三の女の子が煙草を吸うというのは良くないことだと僕は思う。健康にもよくないし、肌も荒れる。でも彼女の煙草を吸う姿は文句のつけようがないくらい魅力的だった。だから僕は何も言わなかった。ナイフで切り取ったような薄い鋭角的な唇にフィルターがそっとくわえられ、火をつけるときに長いまつげが合歓の木の葉のようにゆっくりと美しく伏せられた。額に落ちた細い前髪が彼女の小さな動作にあわせて柔らかく揺れた。完璧だった。十五だったら恋におちている、と僕はあらためて思った。それも春の雪崩のような宿命的な恋に。そしてどうしていいかわからなくて、おそろしく不幸になっていただろう。ユキは僕に昔知っていたある女の子を思い出させた。僕が十三か十四の頃に好きになったひとりの女の子のことを。その当時に味わった切ない気持ちがふとよみがえった。

「コーヒーか何か飲む?」とユキが尋ねた。

僕は首を振った。「遅いからもう帰る」と僕は言った。

ユキは煙草を灰皿に置いて立ち上がり、僕をドアのところまで送ってくれた。

「煙草の火とストーブに気をつけて」と僕は言った。

「お父さんみたい」と彼女は言った。正確な指摘だった。

＊

渋谷のアパートまで帰り、ソファに寝転んでビールを飲んだ。そして郵便受けに入っていた四通か五通の手紙をチェックした。どれもたいして大事ではない仕事の関係の手紙だった。読むのは全部後回しにして、封を切っただけでテーブルの上に放り出しておいた。体はぐったり疲れていて、何もしたくない。でもひどく気がたかぶっていて、うまく眠れそうになかった。長い一日だった、と僕は思った。長く長く引き延ばされた一日。一日がかりでジェット・コースターに乗っていたような気がする。まだ体が揺れている。

結局いったい何日札幌にいたんだろうと僕は考えてみた。でも思い出せなかった。いろんなことが次々に起こった上に、睡眠時間が混乱していた。空は切れ目なく灰色だった。出来事と日付が錯綜していた。まずフロント係の女の子とデートした。昔の相棒に電話して、ドルフィン・ホテルについて調べてもらった。羊男と会って話をした。映画館に入ってキキと五反田君の出る映画を見た。十三歳の綺麗な女の子と二人でビーチ・ボーイズを合唱した。そして東京に戻ってきた。全部で何日だ?

数えられなかった。

全ては明日だ、と僕は思った。明日考えられることは、明日考える。

僕は台所に行ってグラスにウィスキーを注いで、何も入れずにそのまま飲んだ。そして半分残っていたクラッカーを何枚か食べた。クラッカーは僕の頭みたいに少し湿気ていた。懐かしきモダネアーズが懐かしきトミー・ドーシーの歌を歌った古いレコードを小さな音でかけた。僕の頭みたいに少し時代遅れだった。そしてノイズも入っていた。でも誰にも迷惑はかけない。それなりに完結している。何処にも行かない。僕の頭みたいに。どうしたっていうのよ、と僕の頭の中でキキが言った。

カメラがぐるりと回転した。五反田君の端正な指が彼女の背中を優しく這っていた。まるでそこに隠された水路を探るかのように。

どうしたっていうんだろうな、キキ？　僕はたしかにかなり混乱している。僕は昔ほど自分に自信が持てない。愛と中古のスバルとは別のものだ。そうだろうか？　僕は五反田君の端正な指に嫉妬している。ユキはちゃんと煙草の火を消しただろうか？　ちゃんとガス・ストーブのスイッチを切っただろうか？　お父さんみたい。まったく。自分に自信が持てない。そして僕はこの高度資本主義社会の象の墓場みたいなところでこんな風にぶつぶつ独り言を言いながら朽ち果てていくのだろうか？

でも全ては明日だ。

僕は歯を磨き、パジャマに着替え、それからグラスに残っていたウィスキーを飲み干した。ベッドに入ろうとしていた時に電話のベルが鳴った。僕はしばらく部屋の真ん中に立って電話機をじっと眺めていたが、結局それを取った。

「今ストーブ消した」とユキが言った。「煙草の火の始末もした。それでいいでしょう？　安心した？」

「それでいい」と僕は言った。

「おやすみなさい」と彼女が言った。

「おやすみ」と僕は言った。

「ねえ」とユキが言った。そして少し間を置いた。「あなた札幌のあのホテルで羊の毛皮かぶった人を見たでしょう？」

僕はひびの入ったダチョウの卵を温めるみたいな格好で電話機を胸に抱えてベッドに腰を下ろした。

「私にはわかるのよ。あなたがあれ見たっていうことが。ずっと黙ってたけど、わかるの。最初からちゃんとわかってたの」

「君は羊男に会ったの？」と僕は聞いてみた。

「んんん」とユキは曖昧に言って、コンと舌を鳴らした。「でもそのことはまた今度ね。今度会った時ゆっくりと話す。今日はもう眠い」

そして彼女はがちゃんと電話を切った。

こめかみが痛んだ。僕は台所に行ってまたウィスキーを飲んだ。僕の体はどうしようもなく揺れつづけていた。ジェット・コースターは音を立ててまた動き始めていた。繋がっている、と羊男は言った。

ツナガッテイル、と思考がこだました。
いろんなものが少しずつ繋がり始めている。

17

台所で流し台にもたれかかってもう一杯ウィスキーを飲み、一体どうしたものかと考えた。ユキにもう一度こちらから電話をかけてみようかとも思った。どうして羊男のことを知ってるのか、と。でも僕はいささか疲れすぎていた。長い一日だったのだ。それに彼女は「また今度」と言って電話を切ったのだ。また今度を待つしかなかろう。それに、と僕は思った、だいたい僕は彼女のアパートの電話番号を知らないのだ。

僕はベッドに入って、寝つけぬままに枕元の電話を十分か十五分眺めていた。ひょっとしてまたユキから電話がかかってくるかもしれないという気がしたからだ。あるいはユキではない別の誰かから。そういう時、電話というのは置き去りにされた時限爆弾みたいに思える。いつ鳴り出すかは誰にもわからない。可能性だけが時を刻む。それによく見ると電話機というのは奇妙な形をしている。とても奇妙だ。普段は気づかないのだが、じっと見ていると、その立体性には不思議な切実さが感じられる。電話はひどく何かを話したがっているようにも見えるし、逆にそういう電話という形態に縛られていることを憎んでいるようにも見える。それは不器用な肉体を与えられた純粋概念のように見える。電話。

　僕は電話局のことを思った。線が結びついている。この部屋からずっとどこまでもその線は結びついている。僕は原理的には誰にでも結びつくことができる。アンカレッジにだって電話をかけることができる。ドルフィン・ホテルにだって、別れた妻にだって電話をかけることができる。そこには無数の可能性がある。結び目は電話局にある。コンピューターがその結び目を処理している。数字の配列によって結び目が転換し、コミュニケーションが成立する。電線やら地下ケーブルやら海底トンネルやら通信衛星やらを伝って、我々は繋がる。巨大なコンピューターがそれを統御している。しかしそれが方式としてどれほど優れていて精密なものであれ、我々が話そうという意志を持たなければ、それは何も結びつけることはできない。それに仮にそういう意志を持ったとしても、今回のようにもしこちらが相手の電話番号を知らなければ(聞き忘れたのだ)、結びつきようがない。また番号をちゃんと聞いていても、忘れたり、メモをなくしてしまうこともある。番号を覚えていても、ダイヤルを回し間違えることもある。そうすると、我々はどこにも結びつかない。我々は極めて不完全で無反省な種族なのだ。それからまだある。僕がもし仮にそれらの条件をクリアして、ユキに電話をかけることができたとしても、彼女は「今話したくないの。さよなら（がちゃん）」と電話を切ってしまうかもしれない。そうするとそこには会話というものは成立しない。それは一方的な感情の提示でしかない。

電話はその事実に苛立っているように見える。

彼女は（彼かもしれないが、ここでは僕は一応電話というものを女性形で捉えることにする）自分が純粋概念として自立していないことに苛立っているのだ。コミュニケーションが不確定で不完全な意志を基盤としていることに腹をたてているのだ。それは彼女にとってあまりにも不完全であり、あまりにも偶発的であり、あまりにも受動的なのだ。

僕は枕の上に片肘をついてそのような電話の苛立ちをしばらく眺めていた。でもそれはどうしようもないことなのだ。僕のせいじゃない、と僕は電話に向かって言った。コミュニケーションというのはそういうものなのだ。不完全で偶発的で受動的なものなのだ。それを純粋概念として捉えるから彼女は苛立つのだ。僕が悪いんじゃない。たぶん彼女は何処に行ったって苛立つだろう。でも僕の部屋に属していることによって彼女の苛立ちは幾分は高められているかもしれない。そういう意味では少しは僕も責任を感じる。僕がその不完全性と偶発性と受動性を知らず知らずのうちに煽っているような気がしなくもない。足を引っ張っているのだ。

そのうちに僕は別れた妻のことをふと思い出した。電話は何も言わずにじっと僕を非難していた。妻と同じように。僕は妻を愛していた。僕らはずいぶん楽しい時を送った。冗談も言い合った。何百回も性交した。いろんな場所に旅行した。でも時々、妻はじっとこんな風に僕を非難した。夜中に、静かに、じっと。彼女は僕の不完全性と偶発性と受動性を非難した。彼女は苛立っていた。僕らはうまくやっていた。でも彼女が求めているもの、彼女が頭に描いているもの、と僕の存在の間には決定的な差があった。妻はコミュニケーションの自立性のようなものを求めていた。コミュニケーションが染みひとつない白旗を掲げて人々を輝かしい無血革命へと先導していくようなシーンを。完全性が不完全性を呑み込んで治癒してしまうような状況を。そういうのが彼女にとっての愛だった。僕にとってはもちろんそうではなかった。僕にとっての愛とは不器用な肉体を与えられた純粋な概念で、それは地下ケーブルやら電線やらをぐしゃぐしゃと通ってやっとの思いでどこかと結びついているものだった。すごく不完全なものなのだ。ときどき混線もする。番号もわからなくなる。間違い電話がかかってくることもある。でもそれは僕のせいではない。我々がこの肉体の中に存在している限り、永遠にそうなのだ。原理的にそうなのだ。僕は彼女にそう説明した。何度も何度も。

でも彼女はある日出ていった。

あるいは僕がその不完全性を煽って、助長したのかもしれない。

僕は電話を見ながら、妻と交わった時のことを思い出した。でも出ていくまでの最後の三ヵ月ばかり、彼女は僕と一度も寝てくれなかった。他の男と寝ていたからだ。僕はその時は彼女が他の誰かと寝ているなんてまったく知らなかったのだけど。

「ねえ、悪いんだけど、他のところで他の人と寝てきて。怒らないから」と彼女は言った。僕は冗談だと思った。でも彼女は本気だった。他の女と別に寝たくない、と僕は言った。だって本当に寝たくなんかなかったのだ。でも他の人と寝てきてほしいの、と彼女は言った。そしてこれからのことをお互いちょっと考え直してみましょう、と。

結局僕は誰とも寝たりはしなかった。僕は性的に潔癖な人間とも言えないけれど、ちょっと考え直すために女と寝たりはしない。誰かと寝たいから寝るのだ。

それからしばらくして彼女は家を出ていった。もし僕があの時言われたようにどこかで他の女の子と寝ていたら、妻は出ていかなかったのだろうか？　彼女はそうすることによって僕との間のコミュニケーションをいささかなりとも自立させようと考えていたのだろうか？　でもそれはあまりにも馬鹿気ている。僕はその時他の女と全然寝たくなんかなかったのだから。でも彼女が何を考えていたかは僕にはよくわからない。彼女はそれについては具体的に何も話さなかったからだ。離婚したあとでも、何も話さなかった。ごく象徴的にしか話さなかった。彼女は大事なことについてはいつも象徴的な話し方をした。

高速道路のうなりは十二時を過ぎてもまだ途切れなかった。時折バイクの激しい排気音が鳴り響いた。防音用の密閉ガラスを通してその音はぼんやりとくぐもっていたが、でもその存在感は重く濃密だった。それはそこに存在し、僕の人生に近接していた。僕を地表のある部分にしっかりと規定していた。

電話を眺めるのに飽きると、僕は目を閉じた。

目を閉じると待ち兼ねていたように無力感が音もなくその空白を満たした。とても手際良く、素早く。それからゆっくりと眠りがやってきた。

＊

朝食を終えると僕は住所録を繰って知り合いの芸能関係のエージェントのような仕事をしている男のところへ電話をかけた。僕は雑誌のインタビューの仕事をしている関係で、彼とはこれまでに何度か関わりを持ったことがあった。朝の十時だったので、彼はもちろん寝ていた。僕は起こしてしまった詫びを言い、そして五反田君の連絡先が知りたいのだと言った。彼は少しぶつぶつと文句を言っていたが、それでも五反田君の所属するプロダクションの電話番号を教えてくれた。中堅のプロダクションだった。僕はその番号を回してみた。そして担当のマネージャーが出ると、雑誌の名前を出して、五反田君と連絡をとりたいのだが、と言った。取材ですか、と相手は訊いた。正確にはそうではない、と僕は答えた。じゃあ何ですか、と相手は訊いた。まあ正当な疑問だった。個人的な話があるのだ、と僕は言った。どのような個人的な話なのか、と相手は訊いた。僕らは中学校の同級生だったのだ、そして彼とどうしても連絡をとりたいことがあるのだ、と僕は言った。名前を聞かせてくれ、と相手は言った。僕は名前を告げた。彼は名前をメモした。大事なことなのだ、と僕は言った。私の方から伝えてあげますよ、と相手は言った。直接話したい、と僕は言った。そういう人沢山いるんですよ、と彼は言った、中学校の同級生だけで何百人いるんですよ。

「大事なことなんです」と僕は言った。「だからもし今回このことで連絡をつけてもらえたら、こちらも仕事の上で便宜をはかれると思うんですけどね」

相手はそれについて少し考えていた。もちろん嘘だった。僕にはそんな埋め合わせをできるような力はない。僕の仕事はインタビューしてこいと言われた相手をインタビューするだけのことである。でも相手にはそんなことはわからない。わかったら問題になる。

「取材じゃないですよね」と相手は言った。「取材だったら僕を通してもらわないと困りますよ。オフィシャルにしてもらわないと」

違う、百パーセント個人的なことだ、と僕は言った。

そっちの電話番号を教えてくれと彼は言った。僕は教えた。

「中学校の同級生ねえ」と彼は溜め息をついて言った。「わかりました。今日の夜か明日にでも電話させましょう。もちろん本人にその気があればということですけどね」

「もちろん」と僕は言った。

「忙しい人間だし、中学校の同級生と話したくないと思っているかもしれない。子供じゃないから無理に電話口にひっぱってこられないですからね」

「もちろん」

それから相手は欠伸をしながら電話を切った。仕方ない。まだ朝の十時なのだ。

昼前に車で青山の紀ノ国屋に行って買い物をした。駐車場で僕はサーブとメルセデスの間にスバルを停めた。まるで僕自身の分身のように肩身の狭い旧型のスバル。でも僕は紀ノ国屋で買い物するのが好きだ。馬鹿気た話だけど、ここの店のレタスがいちばん長持ちするのだ。どうしてかはわからない。でもそうなのだ。閉店後にレタスを集めて特殊な訓練をしているのかもしれない。もしそうだとしても僕は全然驚かない。高度資本主義社会ではいろんなことが可能なのだ。

留守番電話をセットしていったのだが、メッセージは何も入っていなかった。誰からも電話はかかっていなかった。僕はラジオから流れる「シャフトのテーマ」を聴きながら買ってきた野菜をひとつひとつきちんと包装して冷蔵庫にしまった。その男は誰だ？　シャ、シャ、フト！

それから僕は渋谷の映画館に行ってまた「片想い」を見た。もうこれで四回目だった。でも見ないわけにはいかなかったのだ。僕は大体の時間を計算して映画館に入り、キキの出てくるシーンをぼんやりと待ちうけ、そのシーンに神経を集中した。細部までを見逃すまいとした。情景はいつもいつも同じだった。日曜日の朝。どこにでもあるのどかな日曜日の光。窓のブラインド。女の裸の背中。そこを這う男の指。壁にはル・コルビュジェの絵がかかっている。ベッドの枕もとにはカティー・サークの瓶が置いてある。グラスがふたつ、そして灰皿。セブン・スターの箱。部屋にはステレオ装置がある。花瓶もある。花瓶にはマーガレットみたいな花が差してある。床には服が脱ぎすてられている。本棚も見える。カメラがぐるりと回る。キキだ。僕は思わず目を閉じた。そして目を開く。五反田君がキキを抱いている。そっと優しく。「違うよ」と僕は思う。そして思わず口に出してしまう。四つばかり向こうの席に座っていた若い男が僕の方をちらっと見る。主人公の女の子がやってくる。彼女は髪をポニーテイルにしている。ヨットパーカとブルージーンズ。赤いアディダス・シューズ。手にケーキかクッキーかそういうものを持っている。彼女が部屋に入り、そして逃げ去る。五反田君は茫然とする。彼はベッドの上に起き上がり、眩しい光をのぞきこむみたいな目付きで、彼女の走り去ったあとの空間をじっと見つめている。キキが彼の肩に手を載せ、物憂げに言う。「どうしたっていうのよ?」

僕は映画館を出る。そしてあてもなく渋谷の街を歩き回った。

もう春休みに入っていたせいで、町は中学生や高校生でいっぱいだった。彼らは映画を見て、マクドナルドで宿命的なジャンク・フードを食べ、「ポパイ」だか「ホットドッグ・プレス」だか「オリーブ」だかが推薦する店で役にもたたない雑貨を買い、ゲーム・センターで小銭を使っていた。そこらじゅうの店先では大きな音で音楽がかかっていた。スティーヴィー・ワンダーやらホール&オーツやら、パチンコ屋のマーチやら、右翼の宣伝車の軍歌やら、なにやかやが渾然一体となってカオスのような喧騒を作り出していた。渋谷の駅前では選挙演説が行われていた。

僕はキキの背中を這う五反田君のほっそりとした端正な十本の指先を思い浮かべながら、街を歩いた。原宿まで歩き、それから千駄ヶ谷を抜けて神宮球場に行き、青山通りから墓地下に向かって歩き、根津美術館に向かい、「フィガロ」の前を通って、それからまた紀ノ国屋まで行った。そして仁丹ビルの前を過ぎて渋谷に戻った。結構な距離だった。渋谷に着いた時にはもう日は暮れていた。坂の上から見ると、色とりどりのネオンがともり始めた街の通りを、黒々としたコートに身を包んだ無表情なサラリーマンたちが暗流を遡る冷やかな鮭の群れのように均一な速度で流れていた。

部屋に帰ると留守番電話の赤いランプが点いているのが見えた。僕は部屋の明かりを点け、コートを脱ぎ、冷蔵庫から缶ビールを出して一口飲んだ。そしてベッドに腰かけて機械の再生スイッチを押してみた。テープが巻き戻され、それからプレイバックされた。

「やあ、久し振り」と五反田君が言った。

18

「やあ、久し振り」と五反田君が言った。よくとおる明快な声だった。早すぎもせず、遅すぎもせず、大きすぎもせず、小さすぎもせず、緊張もないが、かといってリラックスしすぎてもいない声だった。完璧な声。それが五反田君の声だということは一瞬にしてわかった。それは一度聞くとなかなか簡単には忘れられない種類の声だった。彼の笑顔や、清潔な歯ならびや、すらりとした鼻筋と同じように、それは簡単には忘れられないのだ。僕は五反田君の声のことなんてそれまで気にしたこともなかったし、思い出したこともなかったけれど、それでもその声はしんとした夜更けによく響く鐘をうち鳴らしたみたいに僕の頭の片隅にこびりついていた潜在的記憶を一瞬にしてありありと蘇らせた。たいしたものだな、たしかに、と僕は思った。

「僕は今日の夜は家にいるからこちらに電話をかけて下さい。どうせ朝まで寝ないから」と彼は言って、電話番号を二度繰り返した。「じゃあまたその時に」と言って彼は電話を切った。局番からすると僕のアパートからそう遠くないはずだった。僕は彼の言った番号をメモしてから、それをゆっくりと回してみた。六回目のコールで留守番電話のテープが出てきた。ただいま留守にしておりますので、メッセージがありましたら吹き込んでくださいと女の声が言った。僕は自分の名前と電話番号と時刻を吹き込んだ。そしてずっとここにいると言った。ややこしい世の中だ。電話を切って台所に行き、セロリを洗い細く切ってマヨネーズをつけ、ビールを飲みながらそれを齧っているとき電話がかかってきた。ユキからだった。今何してるの、と彼女は言った。台所でセロリを齧ってビールを飲んでると僕は言った。そういうのって惨めね、とユキは言った。それほどでもない、と僕は言った。もっと惨めなことは幾らでもある。彼女がまだよく知らないだけのことなのだ。

「君は今どこにいるの？」と僕は訊いてみた。

「まだ赤坂のアパート」と彼女は言った。「今からどこかにドライブに行かない？」

「悪いけど今日は駄目だ」と僕は言った。「今は仕事の大事な電話を待ってるんだ。また今度にしよう。ねえ、そうだ、昨日の話だけど、羊の皮をかぶった人を君は見たの？　その話が聞きたいんだ。それ、すごく大事なことなんだ」

「また今度」と彼女は言って思いきりがちゃんと電話を切った。

やれやれ、と僕は思った。そしてしばらく手に持った受話器を眺めていた。

＊

僕はセロリを齧ってしまってから、夕食に何を食べようかと考えた。スパゲッティにしよう、と僕は思った。にんにくを二粒太めに切ってオリーブ・オイルで炒める。フライパンを傾けて油を溜め、長い時間をかけてとろ火で炒める。それから赤唐辛子をまるごとそこにいれる。そしてそれもにんにくと一緒に炒める。苦みの出ないうちににんにくと唐辛子を取り出す。この取り出すタイミングがけっこう難しい。そしてハムを切ってそこに入れ、かりっとしかけるところまで炒める。そこに茹であがったスパゲッティを入れ、さっとからめてみじん切りにしたパセリを振る。それからさっぱりとしたモツァレラ・チーズとトマトのサラダ。悪くない。

でもスパゲッティの湯をわかしかけたところでまた電話のベルが鳴った。僕はガスを消して電話のところに行き、受話器を取った。

「やあ、久し振り」と五反田君が言った。「懐かしいな。元気かい？」

「なんとか元気だよ」と僕は言った。

「マネージャーが言ってたけど、何か用事があるんだって？　まさか一緒にまた蛙の解剖がやりたいっていうんじゃないだろうね？」そして彼は楽しそうにくすくす笑った。

「いや、ちょっと聞きたいことがあってね。それで忙しいだろうとは思ったんだけど、電話してみたんだ。ちょっと変な話なんだ。実はね……」

「あのさ、今忙しいの？」と五反田君が訊いた。

「いや、別に忙しくはない。暇だから夕食を作ろうかと思っていたところだよ」

「それはちょうどいい。よかったら外で一緒に晩飯でも食べようよ。僕もちょうど誰か飯を食べる相手がいないかと探してたところなんだ。一人で黙って飯を食ってもあまり美味くないからね」

「でもいいのかな、急にこんな風に電話して。つまりさ、その……」

「遠慮することないだろう。どうせ毎日しかるべき時間がくれば腹が減るし、好むと好まざるとにかかわらず、飯は食べなきゃいけないんだ。君のために無理して飯を食べるわけじゃない。ゆっくり食事して酒でも飲んで二人で昔話をしようよ。もう随分昔の知り合いにも会ってないんだ。君さえ迷惑じゃなきゃ是非会いたいね。それとも迷惑かな？」

「まさか。話があるのは僕の方だよ」

「じゃあ今から君のところに迎えにいこう。何処だい、そこ？」

僕は住所とアパートの名前を言った。

「うん、それなら家の近くだ。二十分くらいで行けるだろう。すぐに出られるように準備しといてくれよ。今けっこう腹が減ってるんだ。長くは待てない」

そうすると言って僕は電話を切った。それから首をひねった。昔話？

僕と五反田君の間にどんな昔話があるのか、僕には全然理解できなかった。僕と彼とは当時とくに仲が良かったわけではなかったし、話だってそんなに多くはしなかった。彼は輝かしいクラスのエリートで、僕はどちらかといえば目立たない存在だった。彼が僕の名前を未だに覚えていたことすら僕には奇跡のように思えるのだ。昔話っていったい何だ？話すべき何がある？　でもまあいずれにせよ、冷たく鼻であしらわれるよりは、当然のことながらこの方がずっと良かった。

僕は手速く髭を剃り、オレンジのストライプのシャツの上にカルヴァン・クラインのツイードのジャケットを着て、以前のガールフレンドが誕生日にプレゼントしてくれたアルマーニのニット・タイを結んだ。そして洗ったばかりのブルージーンズをはき、買って間もない真っ白なヤマハのテニス・シューズを用意した。それは僕のワードローブの中ではいちばんシックな格好だった。そして相手がこういうシックさを理解してくれればいいのだがと思った。僕はこれまでの人生で映画俳優と一緒に食事をしたことなんて一度もないのだ。そういう時にどんな服を着ていけばいいのかなんて見当もつかない。

ぴったり二十分で彼はやってきた。五十前後の礼儀正しい口のききかたをする運転手が僕の部屋のドア・ベルを押し、五反田君が下で待っていると言った。運転手とくればメルセデスだろうと思ったが、案の定メルセデスだった。それもすごく大きなメタリック・シルバーのメルセデスだった。モーターボートみたいに見える。ガラスは中が見えないようになっている。運転手がかしゃっという気持ちの良い音を立ててドアを開けてくれて、僕は中に入った。中には五反田君がいた。

「よう、懐かしいねえ」と彼はにっこりと微笑んで言った。握手したりしなかったので、僕はすごくほっとした。

「久し振りだね」と僕は言った。

彼はごく普通のVネックのセーターの上に紺のウィンドブレーカーを羽織り、くたびれたクリーム色のコーデュロイのパンツをはいていた。靴は色の褪せたアシックスのジョギング・シューズだった。でも彼の着こなしは見事だった。何でもない服なのに、彼が着るととても上品で気持ち良く見えるのだ。彼は僕の服装をにこにこしながら見ていた。

「シックだね」と彼は言った。「趣味がいい」

「有り難う」と僕は言った。

「映画スターみたいだ」と彼は言った。皮肉ではなく、ただの冗談だった。僕が笑い、彼も笑った。それで少しふたりともリラックスした。それから五反田君は車の中を見回した。「どう、凄い車だろう？　これ、必要な時にプロダクションが貸してくれるんだ。運転手つきで。これなら事故も起こさないし、酔っぱらい運転もしないしね。安全なんだ。彼らにとっても、僕にとっても。どっちも幸せになれる」

「なるほど」と僕は言った。

「自分じゃこんなもの運転しない。僕自身はもっと小さい車が好きだな」

「ポルシェ？」と僕は訊いた。

「マセラティ」と彼は言った。

「僕はそれよりもう少し小さい車が好きだけど」と僕は言った。

「シビック？」と彼が訊いた。

「スバル」と僕は言った。

「スバル」と五反田君は言って、肯いた。「そういえば昔乗ってた。僕が最初に買った車だよ。もちろん経費なんかじゃなくて、自分の金で買った。最初の映画に出たギャラで中古を買ったんだ。僕はすごくそれが気に入ってた。それに乗って撮影所に行ったんだ。二本目で準主役がついた頃だよ。すぐに注意された。お前、スターになりたきゃスバルなんか乗るなって。それで買いかえた。そういう世界なんだ。でもいい車だった。実用的。安い。僕は好きだよ」

「僕も好きだ」と僕は言った。

「どうしてマセラティなんかに乗ってると思う?」

「わからないな」

「経費を使う必要があるからだよ」と彼はよくない秘密を打ち明けるように眉をひそめて言った。「マネージャーがもっともっと経費を使えっていうんだ。使いかたが足りないって。だから高い車を買うんだ。高い車を買うと経費がいっぱい落ちる。みんな幸せになる」

やれやれ、と僕は思った。みんな経費以外のことが考えられないのか?

「腹が減った」と彼は言って首を振った。「分厚いステーキが食べたい。つきあってくれるかな?」

まかせると僕が言うと、彼は運転手に行き先を告げた。運転手は黙って肯いた。それから五反田君は僕の顔を見て微笑み、「さて」と言った。「個人的な話になるけど、一人で夕食の支度をしているとなると、君はおそらく独身なんだろうな?」

「そうだよ」と僕は言った。「結婚して、離婚した」

「じゃあ、僕と一緒だ」と彼は言った。「結婚して、離婚した。それで慰謝料は払ってる?」

「払ってない」と僕は言った。

「一銭も?」

僕は首を振った。「受け取らないんだ」

「幸運な男だ」と彼は言った。そしてにっこりと笑った。「僕も慰謝料は払ってないけど、結婚のせいで一文なしになっちゃった。僕の離婚の話は少しは知ってる?」

「漠然と」と僕は言った。彼はそれ以上は何も言わなかった。

彼は四年か五年前に人気女優と結婚して、二年ちょっとで離婚していた。週刊誌がそれについてはいろいろと書きまくった。例によって真相はよくわからない。でも結局は相手の女優の家族と彼との折り合いが悪かったということらしかった。よくあるケースだ。相手の女優には公私両面にわたってタフな親族がぎっしりとしがみついている。彼の方はどちらかといえば坊ちゃん育ちで、のんびりとひとりで生きてきたというタイプだ。上手くいくわけがない。

「不思議な話だ。この間まで一緒に理科の実験をしてたと思ったら、次に会ったときはどちらも離婚経験者ときてる。不思議だと思わない?」と彼はにこやかに言った。そしてひとさし指の先で瞼を軽く撫でた。「ところで、君の方はどうして離婚することになったの?」

「すごく簡単だよ。ある日女房が出ていったんだ」

「突然？」

「そう。何も言わずに。突然出ていった。予感すらなかった。家に帰ったらいなかった。何処かに買い物にでも行ったんだろうと僕は思っていた。それで晩飯を作って待っていた。でも朝になっても帰ってこなかった。一週間経っても、一ヵ月経っても帰ってこなかった。それから離婚請求の用紙が送られてきた」

彼はそのことについてしばらく考えていた。そして溜め息をついた。「こういう言い方は君を傷つけるかもしれないけど、でも君は僕より幸せだと思う」と彼は言った。

「どうして？」と僕は訊いた。

「僕の場合、女房は出ていかなかった。僕が叩き出されたんだ。文字通り。ある日叩き出された」そして彼はガラス越しにじっと遠くの方を見た。「ひどい話だよ。何から何まで計画的だったんだ。きちんと全部計画されてたんだ。詐欺と同じさ。知らないうちにいろんなものの名義がどんどん書き換えられていた。あれは実に見事なものだったね。僕はそんなこと何ひとつ気がつかなかった。僕は彼女と同じ税理士に頼んでいて任せきりにしてたんだ。信用していた。実印だって、証書だって、株券だって、通帳だって、税金の申告に必要だから預けろと言われれば何の疑問も抱かずに預けた。僕はそういう細かいことは苦手だし、任せられるものなら任せたいものね。ところがそいつが向こうの親戚とつるんでいたんだな。気がついたら僕はきれいに一文なしになっていた。骨までしゃぶられたようなもんだ。そして僕は用の無くなった犬みたいに叩き出された。いい勉強になった」そして彼はまたにっこりと笑った。「それで僕も少し大人になった」

「もう三十四だよ。みんな嫌でも大人になる」と僕は言った。

「たしかにそうだ。そのとおりだ。君の言うとおりだよ。でも、人間って不思議だよ。一瞬で年をとるんだね。まったくの話。僕は昔は人間というものは一年一年順番に年をとっていくんだと思ってた」と五反田君は僕の顔をじっとのぞきこむようにして言った。「でもそうじゃない。人間は一瞬にして年をとるんだ」

＊

五反田君が連れていってくれたのは六本木のはずれの静かな一角にある見るからに高級そうなステーキ・ハウスだった。玄関にメルセデスを停めると、店の中からマネージャーとボーイが出てきて我々を迎えた。五反田君は一時間ほどしてから来てくれと運転手に言った。メルセデスはききわけの良い巨大な魚のように、音もなく夜の闇の中に消えていった。僕らは少し奥まった壁際の席に通された。店の中はファッショナブルな服装の客ばかりだったが、コーデュロイ・パンツとジョギング・シューズという格好の五反田君がいちばんシックに見えた。どうしてかはわからない。でもとにかく彼はどうしようもなく目立つのだ。我々が中に入っていくと客はみんな目を上げて彼の方をちらりと見た。そして二秒だけ見てから視線をもとに戻した。たぶんそれ以上長く見るのは失礼にあたることなのだろう。複雑な世界だ。

僕らは席につくとまずスコッチの水割りを注文した。「別れた女房たちのために」と彼は言った。そして僕らはウィスキーを飲んだ。

「馬鹿気た話だけど」と彼は言った。「僕は彼女のことがまだ好きなんだ。あんなにひどい目にあったっていうのに、それでもまだ僕は彼女のことが好きだ。忘れられない。他の女が好きになれない」

僕はクリスタルのタンブラーの中のものすごく上品な形に割られた氷を眺めながら肯いた。

「君はどう？」

「僕が別れた女房のことをどう思うかってこと？」と僕は訊いた。

「そう」

「わからない」と僕は正直に言った。「僕は彼女に行って欲しくなかった。でも彼女は行ってしまった。誰が悪いのかはわからない。でもそれは起こってしまったことだし、もう既成事実なんだ。そして僕は時間をかけてその事実に馴れようとしてきたんだ。それに馴れるという以外のことは何も考えないようにしてきた。だからわからない」

「うん」と彼は言った。「ねえ、こういう話は君にとって苦痛かな?」

「そんなことはない」と僕は言った。「これは事実なんだよ。事実を避けるわけにはいかない。だから苦痛というんじゃないね。よくわからない感覚だ」

彼はぱちんと軽く指を鳴らした。「そう、それだよ。よくわからない感覚。まさにそのとおりだ。引力が変化しちゃったような感覚。苦痛ですらない」

ウェイターがやってきて、僕らはステーキとサラダを注文した。ふたりとも焼き具合はミディアム・レアだった。それから僕らは二杯目の水割りを注文した。

「そうだ」と彼は言った。「君は僕に何か用事があるんだったね。先にそれを聞いておこう。酔っぱらわないうちにね」

「ちょっと変な話なんだ」と僕は言った。

彼は気持ちの良い笑顔を僕に向けた。よく訓練されてはいるけれど、嫌味のない笑顔だった。

「変な話って好きだよ」と彼は言った。

「このあいだ君の出た映画を見た」と僕は言った。

「『片想い』」と彼は眉をしかめて、小さな声で言った。「ひどい映画。ひどい監督。ひどい脚本。いつもと同じだ。あの映画に関わった人間はみんなあのことは忘れたがっている」

「四回見た」と僕は言った。

彼は虚無をのぞきこむような目つきで僕を見た。「賭けてもいいけど、あの映画を四回見た人間なんてどこにもいないぜ。この銀河系宇宙のどこにも。何を賭けてもいい」

「知っている人間があの映画に出てたんだ」と僕は言った。それから「君以外に」とつけくわえた。

五反田君はひとさし指の先でこめかみを軽く押さえた。そして目を細めて僕を見た。

「誰？」

「名前は知らないんだ。日曜日の朝に君と寝ている役の女の子」

彼はウィスキーを一口飲み、それから何度か肯いた。「キキ」

「キキ」と僕は繰り返した。奇妙な名前だ。別の人物のように感じられる。

「それが彼女の名前だよ。少なくともだれもその名前しか知らない。我々の小さな奇妙な世界では彼女はキキという名前で通っていたし、それで充分だった」

「彼女に連絡がつけられるだろうか？」

「駄目だね」と彼は言った。

「どうして？」

「最初から話そう。まずだいいちにキキは職業的な女優じゃない。だから話がややこしいんだ。俳優というものは有名であれ無名であれ、みんなきちんとどこかのプロダクションに属している。だからすぐに連絡がつけられる。大抵の連中はみんな電話の前に座って連絡を待ってる。でもキキはそうじゃない。どこにも属していない。彼女はたまたまあの映画に出ただけなんだ。完全なパートタイムなんだ」

「どうしてあの映画に出ることになったんだろう？」

「僕が推薦した」と彼はあっさりと言った。「僕がキキに映画に出ないかと言って、それで監督にキキを推薦したんだ」

「どうして？」

彼はウィスキーを一口飲んで、ちょっと唇を歪めた。「あの子には才能のようなものがあったからだよ。何というかな、存在感。そういうのがあるんだ。感じるんだよ。凄い美人というのでもない。演技力がどうこうというんでもない。ただあの子がいるだけで画面がしまるんだよ。きちっと。そういうのってね、才能の一種なんだ。だから映画に出してみた。結果は良かったよ。みんなキキのことは気に入ってたね。自慢するわけじゃないけどね、あのシーンはよくできてたよ。リアルだった。そう思わない？」

「そうだな」と僕は言った。「リアルだ。たしかに」

「で、僕はあの子をそのまま映画の世界に入れようと思ったんだ。あの子ならかなりやれたと思うからさ。でも駄目だった。消えちゃった。これが第二の問題点だ。彼女は消えてしまった。煙の如く。朝露のごとく」

「消えた？」

「うん、文字通り消えちゃったんだ。一ヵ月くらい前のことなんだけど、オーディションに来なかったんだ。オーディションにさえ出れば、その新しい映画でかなりきちんとした役がつくように根回ししてセットしておいたんだ。そして前の日に電話をかけて、ちゃんと時間の打ち合わせまでしたんだ。時間に遅れないように来るんだよって。でも結局キキは姿を見せなかった。それでおしまい。それっきりさ。どこにも見当たらない」

彼は指を一本上げてウェイターを呼び、水割りのお代わりを二杯注文した。

「ひとつ質問があるんだけど」と五反田君は言った。「君はキキと寝たことあるのかな？」

「ある」と僕は言った。

「それで、うん、つまりさ、もし僕が彼女と寝たことあるって言ったら君は傷つくだろうか？」

「傷つかない」と僕は言った。

「良かった」と五反田君は安心したように言った。「僕は嘘をつくのが苦手なんだ。だからちゃんと言っておくよ。僕は何度か彼女と寝た。良い子だよ。ちょっと変わったところがあるけど、でも何かしら人に訴えかけるところがある。女優になればよかったんだ。いいところまで行ったかもしれない。残念だね」

「連絡先はわからないの？　本名とかそういうの？」

「駄目だね。調べようがない。誰も知らない。キキとしかわからない」

「映画会社の経理部に支払い伝票があるだろう？」と僕は言った。「ギャラの支払い伝票。そういうのって本名と住所が必要なはずだよ。源泉徴収があるから」

「もちろんそれも調べてみたさ。でも駄目なんだ。彼女はギャラを受け取ってないんだ。金を受け取ってないから、受取もない。ゼロだ」

「どうして金を受け取らなかったんだろう？」

「僕に聞かれても困る」と五反田君は三杯目の水割りを飲みながら言った。「名前とか住所を知られたくないからだろうか？　わからない。彼女は謎の女なんだ。でもとにかく僕と君のあいだには三つの共通点ができた。第一に中学校の理科の実験班が同じ。第二にどちらも離婚している。第三にどちらもキキと寝ている」

やがてサラダとステーキがやってきた。立派なステーキだった。絵に描いたような正確なミディアム・レアだった。五反田君はとても気持ちよさそうに食事をした。彼のテーブル・マナーはかなりカジュアルで、マナー教室ではとても良い点は貰えなかっただろうが、でも一緒に食事をするぶんには気楽だったし、それに見ていてとても美味しそうだった。女の子が見たらチャーミングと言うことだろう。そういう身のこなしというのは急に身につけようと思ってもつくものではない。生来のものなのだ。

「ところで、君はどこでキキと知り合ったの?」と僕は肉を切りながら聞いてみた。

「どこだったかな?」と彼は少し考えた。「そう、女の子を呼んだときに、彼女がついてきたんだ。女の子って、ほら、電話で呼ぶやつ。わかるだろう?」

僕は肯いた。

「離婚してからね、ずっとだいたいそういう女の子と寝てたんだ。面倒がないから。素人はまずいし、同業者相手だと週刊誌に書きたてられるし。電話一本で来てくれる。料金は高いよ。でも秘密は守る。絶対に守る。プロダクションの人間が紹介してくれたんだ。女の子もみんな良い子だよ。気楽だ。プロだからね。でもすれてない。お互い楽しむ」

彼は肉を切ってゆっくりと味わって食べ、水割りを一口飲んだ。

「ここのステーキ悪くないだろう」と彼は言った。

「悪くない」と僕は言った。「文句のつけようがない。良い店だ」

彼は肯いた。「でも月に六回も来れば飽きる」

「どうして六回も来るんだ？」

「馴染みだからだよ。僕が入ってきても誰も騒がない。従業員がひそひそ囁いたりもしない。客も有名人に馴れてるから、じろじろ見たりもしない。肉を切ってるときにサインを求められたりもしない。そういう店じゃないと落ち着いて食事もできないんだ。真剣な話」

「苦労の多い人生みたいだ」と僕は言った。「経費もつかわなくちゃならないしね」

「まったく」と彼は言った。「それでどこまで話したっけ？」

「コールガールを呼んだところまでだよ」

「そう」と言って五反田君はナプキンの端で口許を拭った。「で、ある日いつもの馴染みの女の子を呼んだんだ。ところが、その子はいなかった。それで別の女の子が二人来たんだ。どっちか選べってことなんだろうね。僕は上客だからね、サービスがいいんだ。そのうちの一人がキキだった。どうしようかと思ったけれど、選ぶのが面倒だったから、二人と寝た」

「ふん」と僕は言った。

「傷つかない？」

「大丈夫。高校時代なら傷ついたかもしれないけど」

「高校時代には僕だってそんなことしなかった」と五反田君は笑って言った。「まあとにかく、その二人と寝た。不思議な組み合わせだった。つまりね、もう一人の女の子の方はすごくゴージャスなんだ。びりっとくるくらいゴージャスなんだ。すごい美人で、体の隅々まで金がかかっている。これ嘘じゃないよ。僕だってこの世界でいろいろ綺麗な女は見てるけど、あれはその中でもけっこういい方だね。性格だっていいんだ。頭も悪くない。ちゃんとした話もできる。ところがキキの方はそうじゃないんだ。それほど美人っていうんでもない。うん、綺麗だよ。でもね、そこのクラブの子ってさ、みんなぱりっとした美人なんだよ。彼女はなんというか……」

「カジュアル」と僕は言った。

「そう、それだよ。カジュアルなんだ。実に。洋服だって普段着だし、話だってロクにしないし、化粧気もあまりないし。どうでもいいやって感じだし。でもさ、不思議なんだけどね、だんだん彼女の方に心が引かれてくるんだ。キキの方に。三人でやったあとで、みんなで床に座って酒を飲みながら、音楽を聞いたり、話をしたりした。久し振りに楽しかった。学生時代みたいで。そんな風にリラックスできるのって、ずっとなかったんだ。それから何度かその三人で寝た」

「いつごろのこと？」

「離婚して半年くらいあとのことだから、そうだな、一年半くらい前のことかなあ」と彼は言った。「その三人で寝たのはたぶん五回か六回くらいのことだったと思うよ。キキと二人だけで寝たことはないね。どうしてだろう？　寝てもよかったのにな」

「どうしてだろう？」と僕も聞いてみた。

彼はナイフとフォークを皿の上に置いて、またひとさし指をこめかみに軽くつけた。それが彼が物を考えるときの癖らしかった。チャーミング、と女の子なら言うだろう。

「あるいは怖かったからかもしれない」と五反田君は言った。

「怖い？」

「あの子と二人きりになるのがさ」と彼は言った。そしてナイフとフォークを取り上げた。「キキの中にはさ、何か人を刺激し、挑発するものがあるんだ。少なくとも僕はそういう感じを持ってたんだ。ごく漠然とだけどね。いや、挑発っていうんじゃないね。うまく言えない」

「示唆し、導く」と僕は言ってみた。

「うん、そうかも知れない。よくわからない。僕が感じたのは、すごく漠然としたものだからね。正確なことは何とも言えない。でも、とにかく彼女とふたりきりになるのは、何かしら気が進まなかった。本当は彼女の方にずっと心が引かれていたんだけれどね。僕の言ってることは何となくわかってもらえるかな？」

「わかるような気はする」

「要するにね、キキと二人で寝ても、僕はリラックスできなかったんじゃないかと思うんだ。彼女と関わると僕はもっと深いところに行ってしまいそうな気がしたんだ。なんとなく。でも僕はそういうのを求めていたわけじゃなかった。僕はただリラックスするために女の子と寝たかっただけなんだ。だからキキと二人では寝なかった。彼女のことはとても好きだったんだけどね」

それから我々はしばらく黙って食事をした。

「オーディションにキキが来なかった日に、僕はそのクラブに電話をかけてみた」としばらくあとで五反田君は思い出したように言った。「そしてキキを指名した。でも彼女はいなかった。彼女はいなくなったって言われた。消えたんだよ。ふっと。あるいは僕が電話してもキキはいないってことにしてあるのかもしれない。それはわからないね。確かめようのないことだから。でもいずれにせよ、彼女は僕の前から消えてしまった」

ウェイターがやってきて皿を下げ、食後にコーヒーをお持ちしましょうか、と訊いた。

「コーヒーより酒がもっと飲みたいな」と五反田君は言った。「君はどう？」

「つきあうよ」と僕は言った。

四杯目の水割りが運ばれてきた。

「今日の昼間僕が何してたと思う？」と五反田君が言った。

わからない、と僕は言った。

「ずっと歯医者の助手をやってた。役作りのためさ。今TVの連続ドラマで歯医者の役やってるんだ。僕が歯医者で中野良子が眼科医なんだ。どっちの病院も同じ町内にあってね、幼な馴染みなんだけど、なかなか上手くむすびつかなくて……、そういう話。よくある話だけど、どうせTVドラマなんてみんなよくある話だ。見たことある？」

「見たことない」と僕は言った。「TVって見ないんだ。ニュースしか。ニュースだって週に二回くらいしか見ない」

「賢明だ」と五反田君はうなずきながら言った。「下らない番組だよ。自分が出てなきゃ僕だって絶対に見ない。でも人気はある。本当にすごく人気があるんだ。よくある話というのは大衆に支持されるんだ。毎週投書がいっぱいくる。全国の歯医者が手紙出してくるんだ。手付きが違うとか治療法が間違ってるとか、なんやらかんやらそういう細かい抗議してくるんだ。こういういい加減な番組を見ているとイライラするとかね。嫌なら見なければいいんだ。そう思わない？」

「そうかもしれない」と僕は言った。

「でもね、医者とか学校の先生の役となるといつも僕にお呼びがかかるんだ。医者の役なんて数限りなくやった。やってないのは肛門科医くらいだ。あれはＴＶうつりが悪いから。獣医だってやった。産婦人科医もやった。学校の先生も全教科やったよ。信じないかもしれないけど、家庭科の先生までやった。どうしてだろう？」

「信頼感が持てるんじゃないかな？」

五反田君は肯いた。「多分ね。多分そうだと思う。昔、屈折した中古車のセールスマンの役をやったことがある。片目が義眼で、やたら口が上手い役。僕はすごくその役が好きだった。やりがいもあった。うまくやれたと思う。でも駄目だった。投書がいっぱい来るんだ。僕にあんな役をやらせるのはひどい、可哀そうだってね。僕にこんな役をつけるんならもうその番組のスポンサーの商品は買わないっていうんだ。なんだっけな、あの時のスポンサーは？　ライオン歯磨とかそういうんだっけな、いやサンスターだっけな、忘れた。でもとにかく途中で僕の役は消えちゃったんだ。消滅した。けっこう重要な役だったんだけど、自然消滅した。面白い役だったのにね……。それ以来また医者・医者・先生・先生の連続だよ」

「複雑そうな人生だね」

「あるいは単純な人生」と彼は笑って言った。「で、まあ、今日はその歯医者のところで助手をしながら、医療技術の勉強をしていた。もう何度もそこには行ってるんだ。随分技術も向上した。本当だよ。先生も褒めてくれる。実を言うと単純な治療ぐらい出来るようになった。誰も僕だってわからない。マスクしてるしさ。でもね、僕と話すと患者はみんなすごくリラックスするんだ」

「信頼感」と僕は言った。

「うん」と五反田君は言った。「僕も自分でそう思う。そして、そういうことをしている時って、自分でもすごくリラックスしているんだ。僕は本当に医者とか先生とかに向いてたんじゃないだろうかと自分でもよく思う。現実にそういう職に就いてたら僕は幸せな人生を送っていられたんじゃないだろうかってね。それは別に不可能なことじゃなかったんだ。なろうと思えばなれたんだ」

「今は幸せじゃないの？」

「難しい問題だ」と五反田君は言った。そしてひとさし指の先を今度は額の真ん中につけた。「要するに信頼感の問題なんだ。君の言うように。自分で自分が信頼できるかどうかっていうこと。視聴者は僕を信頼してくれる。でもそれは虚像だ。ただのイメージだ。スイッチを切って映像が消えちゃえば、僕はゼロだ。ね？」

「うん」

「でももし僕が本当の医者なり先生なりをやっていたら、スイッチなんてない。僕はいつも僕だ」

「でも今だって演じている君というのはいつも存在している」

「時々ひどく疲れるんだ、そういうのに」と五反田君は言った。「すごく疲れる。頭痛がする。本当の自分というものがわからなくなる。どれが自分自身でどれがペルソナかがね。自分を見失うことがある。自分と自分の影の境界が見えなくなってくる」

「誰だって多かれ少なかれそうだよ。君だけじゃない」と僕は言った。

「もちろんそれはわかってるさ。誰だって時々自分を見失うことがある。ただ僕の場合そういう傾向が強すぎるんだ。なんていうのかな、致命的なんだ。昔からそうだよ。昔からずっと。正直言って君のことがうらやましかった」

「僕のことが？」と僕はびっくりして聞き返した。「よくわからないな。僕のいったいどこがうらやましいんだろう？　見当もつかないね」

「何と言うかな、君はいつも一人で好きにやっているみたいに見えた。他人がどう評価するかとか、どう考えるかとか、そういうことはあまり気にしないで、自分のやりたいことをやりやすいようにやっているように見えた。きちんとした自分というものを確保しているように見えた」彼は水割りの入ったグラスを少し上にあげて、それを透かして見た。「ねえ、僕はいつも優等生だった。物心ついた時からずっとそうだったんだ。成績もよかった。人気もあった。みかけも良かった。教師にも親にも信頼された。いつもクラスのリーダーだった。運動もできた。僕がバットを振ると、いつもロング・ヒットになった。どうしてかはわからない。でもちゃんとヒットになるんだ。そういう気持ちってわからないだろう？」

わからない、と僕は言った。

「だから野球の試合があると、みんな僕を呼びにきた。断るわけにはいかなかった。弁論大会があると、必ず僕が代表になった。先生が僕にやれと言った。断れない。やると優勝した。生徒会長の選挙があると出ないわけにはいかなかった。みんな僕が出ると思ってるんだ。テストでも僕が良い成績をとることをみんなが予想していた。授業中に難しい問題がでてくると先生は大抵僕をあてて質問した。遅刻ひとつしなかった。まるで僕自身なんてないようなものだった。ただ単にそうするのが僕にとって相応しいと思えることをやっていただけだ。高校時代もそうだった。同じようなものだった。そう、君とは高校が違ったんだな。君は公立の高校に行って、僕は私立の受験校に行ったんだ。僕は高校時代はサッカー部に入ってたんだ。受験校だったけど、サッカーはかなり強かった。もう少しで全国大会に出られるところだった。中学校の時と大体同じだよ。理想的な高校生だった。成績もいい、スポーツも万能、リーダーシップもある。近隣の女子校の女の子の憧れの的だった。恋人はいたよ。綺麗な子だったな。いつもサッカーの試合を応援しにきてくれて、それで知り合ったんだ。でもやらなかった。ペッティングだけ。彼女の家に遊びに行って、親がいなくなった間に手でやるんだ。急いで。でもそれで楽しかった。図書館でデートした。絵に描いたような高校生だよ。NHKの青春物みたい」

五反田君はウィスキーを一口飲み、頭を振った。

「大学に入ってちょっと様子が変わった。紛争があった。全共闘。当然僕がまたリーダー格になった。動きのあるところ必ず僕がリーダーになる。決まってるんだ。バリ封鎖やって、女と同棲して、マリファナ吸って、ディープ・パープルを聴いた。あの頃、みんなそういうことやってた。機動隊が入って、少し留置所に入れられた。それからやることがなくなって、一緒に暮らしてた女に誘われて芝居をやってみた。最初は冗談だったんだけど、だんだんやってるうちに面白くなってきた。新入りだったけど、良い役も回してくれた。自分にそういう才能があることもわかってきた。何かを演じるというのが上手いんだね。自然なんだ。二年ほどやってると、けっこう人気が出てきた。その頃はけっこう無茶やったな。随分酒を飲んだし、いっぱい女と寝た。でもみんなその頃はそういうことしてたんだ。映画会社の人が来て、映画に出てみないかと言った。興味があったから出てみた。悪い役じゃなかった。傷つきやすい高校生の役だった。すぐに次の役が来た。ＴＶの話も来た。あとはお決まりだよ。忙しくなって劇団を辞めた。辞めるときに当然一悶着あった。でも仕方なかったんだ。いつまでもアングラ芝居やってるわけにもいかないものな。僕はもっと大きな広い世界に興味があったんだ。そしてかくのごとしさ。医者と教師のスペシャリスト。広告には二本出ている。胃の薬と、インスタント・コーヒー。これがその大きな広い世界というわけだ」

五反田君は溜め息をついた。とてもチャーミングな溜め息のつきかただったが、それでも溜め息は溜め息だった。

「絵に描いたみたいな人生だと思わない？」

「それほど上手く絵に描けない人もいっぱいいる」と僕は言った。

「まあね」と彼は言った。「幸運だったことは認めるよ。でも考えてみたら、僕は何も選んでいないような気がする。そして夜中にふと目覚めてそう思うと、僕はたまらなく怖くなるんだ。僕という存在はいったい何処にあるんだろうって。僕という実体はどこにあるんだろう？　僕は次々に回ってくる役回りをただただ不足なく演じていただけじゃないかっていう気がする。僕は主体的になにひとつ選択していない」

僕には何とも言えなかった。何を言っても無駄だろうという気がした。

「僕は自分のことを喋りすぎるかな？」

それほどでもない、と僕は言った。「喋りたい時には喋ればいいんだ。言いふらしたりはしない」

「そんなこと心配してない」と五反田君は僕の目を見て言った。「そんなこと始めから心配してないよ。僕は最初から君のことは信用している。どうしてかはわからん。でもそうなんだ。君になら話せるんだ。安心して。誰にでもこんな風に話しているわけじゃない。というか、殆ど誰にも話してない。別れた女房とは話したよ。すごく正直に。僕らはよく話をした。僕らは上手く行ってたんだ。理解しあっていたし、愛しあってもいた。回りの奴らによってたかってぐしゃぐしゃにされちゃうまではね。僕と彼女と二人きりなら、今でもずっと上手く行ってたよ。でも彼女には精神的にすごく不安定なところがあったんだ。彼女はハードな家庭で育ったんだ。家族に頼り過ぎていた。自立してなかった。それで僕は……いや、話が飛びすぎるな。それはまた別の話になる。僕が言いたいのは君が相手だと安心して話せるってことなんだ。ただ、僕の話を聞いているのが迷惑じゃないかと思っただけなんだ」

迷惑じゃない、と僕は言った。

それから彼は理科の実験班の話をした。いつも緊張していたこと。きちんきちんと実験を上手く終わらせようとしていたこと。わかりの悪い女の子にもちゃんと説明をしてやらなくてはならなかったこと。その間僕がのんびりとマイ・ペースで作業をこなしているのがうらやましかったこと。でも中学校の理科の実験の時間に自分が何をやっていたかなんて、僕には全然思い出せなかった。だから何がうらやましいのか、全く理解できなかった。僕が覚えているのは彼がすごく手際良く作業をこなしていたことだけだった。そしてバーナーに火をつけたり、顕微鏡のセットをする動作がとても優雅だったこと。女の子たちはまるで奇跡を目前にしているみたいにじっと彼の一挙一動に視線を注いでいたこと。僕がのんびりやっていたのは、彼が難しいことは全部やってくれたからという、ただそれだけの理由からである。

でも僕はそれについては何も言わなかった。ただ黙って彼の話を聞いていた。

少しすると彼の知り合いらしい四十前後の身なりの良い男がやってきて、彼の肩をぽんと叩き、よう、久し振りと言った。きらきらと眩しくて思わず目をそらせたくなるような見事なロレックスを腕にはめていた。彼は最初に五分の一秒くらいちらっと僕を見たが、僕の存在はそれっきり忘れられた。まるで玄関マットを見るときのような目付きだった。たとえアルマーニのネクタイをしめていても、僕が有名人じゃないということは彼には五分の一秒でわかるのだ。彼と五反田君とはしばらく雑談していた。「最近どう」とか、「いや、忙しくてね」とか、「またそのうちゴルフに行きたいね」とか、その手の話だった。それからロレックス男はぽんとまた五反田君の肩を叩いて「じゃあまたそのうち」と言って行ってしまった。

男が行ってしまうと五反田君は五ミリほど眉をしかめてから、指を二本上げてウェイターを呼び、勘定をしてくれと言った。そして勘定書きが運ばれて来ると何も見ずにそこにボールペンでサインした。

「遠慮しなくていいよ。どうせ経費なんだ」と彼は言った。「これは金でさえないんだ。経費なんだ」

有り難く御馳走になる、と僕は言った。

「御馳走じゃない。経費だ」と彼は表情のない声で言った。

19

五反田君と僕は、彼のメルセデスに乗って、麻布の裏通りにあるバーに酒を飲みに行った。そこのカウンターの端っこの方で僕らはカクテルを何杯かずつ飲んだ。五反田君は酒に強いらしく、どれだけ飲んでもまったく酔っぱらわなかった。口調にも表情にも変化らしい変化は見えなかった。彼は酒を飲みながらいろんな話をした。TV局の下らなさについて。ディレクターの頭の悪さについて。吐き気のするような下品なタレントたちについて。ニュース・ショーに出てくるインチキな評論家について。彼の話はなかなか面白かった。表現がいきいきしていて、観察は辛辣だった。

それから彼は僕の話を聞きたいと言った。君はどういう人生を辿ってきたのだろう、と。それで僕は自分の人生をかいつまんで話した。大学を出てから、友達と事務所を開いて広告とか編集のような仕事をしたこと。結婚し、離婚したこと。仕事は上手く行っていたのだが、ちょっとした事情があってそこを辞め、今はフリーのライターをしていること。たいした金にはならないが、どうせ金を使う暇もないこと……。かいつまんで話すと、それは物静かな人生のように感じられた。なんだか僕の人生ではないみたいだった。

そのうちにバーが少しずつ混んできて、話がしづらくなってきた。彼の顔をじろじろ見る人間も出てきた。「僕の家に行こう」と五反田君は言って立ちあがった。「すぐ近くだし、誰もいない。酒もある」

彼のマンションはそのバーから二、三回角を曲がったところにあった。彼はメルセデスの運転手にもう帰っていいと言った。立派なマンションだった。エレベーターが二つあり、一つには専用の鍵が必要だった。

「このマンションは離婚して家を追い出された時に事務所が買ってくれたんだ」と彼は言った。「有名な映画俳優が女房に家を追い出されて一文なしで安アパートに住んでいちゃまずいからね。イメージが壊れる。もちろん僕が家賃を払ってる。形式としては僕が事務所からここを借りてるわけだね。家賃は経費で落ちる。ちょうどいい」

彼の部屋は最上階にあった。広々とした居間と部屋が二つ、それに台所がついていた。ベランダがあり、そこから東京タワーがひどくくっきりと見えた。家具の趣味は悪くなかった。シンプルで清潔で見るからに金がかかっていた。居間の床は板張りで、その上に大きさの違うペルシャ絨毯が何枚か敷かれていた。どれも上品な柄だった。ソファは大きく、固すぎもせず、柔らかすぎもしなかった。大きな観葉植物の鉢が幾つか効果的に配されていた。天井から下がったペンダント照明とテーブルの上のスタンドはイタリア・モダン風のものだった。装飾品は少なかった。サイドボードの上に明朝のものらしい皿が何枚か並んでいるだけだった。部屋はちりひとつなく片付いていた。たぶん通いのメイドが毎日掃除をしていくのだろう。テーブルの上には「GQ」と建築雑誌が載っていた。

「良い部屋だ」と僕は言った。

「撮影に使えそうだろう？」と彼は言った。

「そういう気もする」と僕はもう一度部屋の中を見回してから言った。

「インテリア・デザイナーに頼むとみんなこうなるんだ。撮影現場みたいになる。写真うつりが良い。時々壁を叩いてみるんだ。はりぼてじゃないかなっていう気がしてさ。何かこうね、生活の匂いってものがない。見ばえだけだ」

「じゃあ、君が生活の匂いを出せばいい」

「問題は生活がないことなんだ」と彼は無表情な声で言った。

彼はB&Oのプレイヤーにレコードを乗せて、針を降ろした。スピーカーは懐かしいJBLのP88だった。JBLが神経症的なスタディオ・モニターを世界にばらまく前の時代、まだスピーカーがまともな音で鳴っていた時代の素敵な製品だった。彼のかけたのはボブ・クーパーの古いLPだった。「何がいい？　何が飲みたい？」と彼が訊いた。

「何でもいい。君の飲むものを飲む」と僕は言った。

彼はキッチンに行って、ウォッカとトニック・ウォーターの瓶を何本かとアイスペールにいっぱいの氷と半分に切ったレモンを三つ、盆に載せて持ってきた。そして僕らはクールで清潔なウェスト・コースト・ジャズを聴きながらレモンをきかせたウォッカ・トニックを飲んだ。確かに生活の匂いというのが希薄だな、と僕は思った。何がどうというのではないのだが、何となく希薄なのだ。でもそういうものが希薄だからといって、とくに不自由はないような気がした。要は考え方の問題なのだ。僕にとってはそれはとても落ち着ける部屋だった。僕は気持ちの良いソファの上でリラックスして酒を飲んだ。

「いろんな可能性があった」と五反田君はグラスを顔の上にあげて天井のライトにすかせて見ながら言った。「なろうと思えば医者にだってなれた。大学の時は教職課程だって取った。一流の会社につとめることもできた。でも結局こうなった。こういう生活。変なものだ。目の前にカードがずらっと並んでた。どれを取ることもできた。どれを取っても上手く行くだろうと思っていた。自信はあった。だからかえって選べなかった」

「カードなんて見たこともなかった」と僕は正直に言った。彼は目を細めて僕の顔を見て、それからにっこり笑った。たぶん冗談だと思ったのだろう。

彼はおかわりをグラスに注ぎレモンをぎゅっと搾って、皮をごみ箱に放って捨てた。

「結婚でさえ成り行きだった。僕と女房は映画で共演して、なんとなく親しくなったんだ。ロケ先で一緒に酒を飲んだり、車を借りてドライブしたりしてね。映画が終わってからも、何度かデートした。まわりも僕らは似合いのカップルで、結婚するだろうと思っていた。結局流されるみたいに結婚した。君にはわからないと思うけど、ここは本当に狭い世界なんだ。路地の奥の長屋で暮らしているのと同じだよ。一度流れが作りだされると、それは全くのリアルな力を帯びてくるんだ。でも僕は彼女のことは本当に好きだった。あの子は僕がこの人生で手にしたものの中ではいちばんまともなもののひとつだ。結婚してから僕はそのことを認識した。そして僕はきちんと彼女を僕のものにしようとした。でも駄目だ。僕が真剣にそれを選びとろうとすると、それは逃げていくんだ。女にしても、役にしても。向こうから来るものなら僕は最高に上手くこなせる。でも自分から求めると、みんな僕の手の指の間からするっと逃げていくんだ」

僕は黙っていた。何も言えなかった。

「暗く考えているわけじゃない」と彼は言った。「僕は彼女のことがまだ好きなんだよ。それだけのことだ。ときどきこう考える。僕が俳優をやめて、彼女も女優をやめて、二人でのんびりと暮らせたらどんなに素敵だろうって。ファッショナブルなマンションもいらない。マセラティもいらない。何もいらない。まっとうな仕事と、小さなまっとうな家庭があればそれでいい。子供も欲しい。仕事の帰りに友達とどこかの飲み屋に寄って酒を飲んで愚痴を言う。そして家に帰ると彼女がいる。月賦でシビックかスバルを買う。そういう生活。よく考えてみれば僕が望んでいるのはそういう生活だったんだよ。彼女がいてくれさえしたら、それでいい。でも駄目なんだ。彼女はそれとは違うことを望んでいる。家族がみんな彼女に期待している。母親は典型的なステージ・ママで、父親は金の亡者だ。兄貴がマネージメントをやっている。弟はしょっちゅう問題を起こしていて、その始末に金がかかる。妹は歌手として売りだし中だ。とても抜けられない。そして彼女自身も三つか四つの歳からそういう価値観をしっかりと植えつけられているんだ。ずっと子役でこの世界で生きてきた。作られたイメージの中で生きている。僕や君とは全然違う。現実の世界というものが理解できてないんだ。でもとても心の綺麗な女だ。素晴らしく清らかなものを持っている。僕にはそれがわかる。でも駄目だ。どうしようもない。ねえ、知ってるかい、僕は先月彼女と寝たんだ」

「別れた奥さんと？」

「そう。異常だと思う？」

「別に異常だとは思わない」と僕は言った。

「この部屋に来たんだ。どうして来たのかはわからない。電話がかかってきて、遊びに行っていいかって言うんだ。もちろんいいって言った。そして二人で昔みたいに酒を飲んで、話をして、そして寝た。すごく素敵だったよ。彼女は僕のことがまだ好きだと言った。僕は君とやりなおせたらどんなに素敵だろうって言った。彼女は何も言わなかった。にこにこして話を聞いているだけだった。僕は平凡な家庭の話をした。さっき君に言ったようなやつさ。彼女はやはりにこにこして話を聞いていた。でも本当はそんなのぜんぜん聞いてないんだ。最初から聞いてないんだ。話していても手応えというものがないんだ。まるっきり無駄なんだよ。彼女はただ寂しくて誰かに抱かれたかっただけなんだよ。たまたまその相手が僕だったというだけのことなんだ。ひどい言い方かもしれないけど、本当にそうなんだよ。彼女は僕や君とは全然違うんだ。寂しいというのは彼女にとっては誰かに解消してもらう感情なんだ。誰かが解消してやればそれでいいんだ。それでおしまい。そこからどこにもいかない。でも僕はそうじゃない」

レコードが終わり、沈黙が訪れた。彼は針を上げ、しばらく何かを考えていた。

「ねえ、女を呼ばないか？」と五反田君は言った。

「僕は何でも構わないよ。君の好きにすればいい」と僕は言った。

「金を払って女と寝たことはある？」と彼が訊いた。

ない、と僕は言った。

「どうして？」

「思いつきもしなかった」と僕は正直に答えた。

五反田君は肩をすぼめて、それについてしばらく考えていた。「でも今夜は僕につきあった方がいい」と彼は言った。「キキと一緒に来てた女の子を呼ぶよ。何か彼女についてわかるかもしれない」

「君にまかせる」と僕は言った。「でもまさかこれは経費じゃ落ちないだろう？」

彼は笑いながらグラスに氷を入れた。「信じないかもしれないけど、落ちるんだよ、それが。そういうシステムになってるんだ。パーティー・サービス会社という建前になっていて、ちゃんとクリーンなぴかぴかの領収書を切ってくれるんだ。調べが入っても簡単にはわからないような複雑な仕組みになっている。そして女と寝るのが見事に接待費になる。凄い世の中だ」

「高度資本主義社会」と僕は言った。

*

女の子が来るのを待っている時に、僕はふとキキの素敵な耳のことを思い出して、五反田君にキキの耳を見たことがあるかと聞いてみた。

「耳？」とよくわからない顔をして彼は僕を見た。「いや、見てないな。見たかもしれないが、覚えていない。耳がどうかしたの？」

なんでもない、と僕は言った。

＊

女の子がふたりやってきたのは十二時少し過ぎだった。一人は五反田君が「ゴージャス」と表現したキキとコンビを組んでいた女の子だった。彼女は確かにすごく「ゴージャス」だった。どこかでふと巡り合ってその時は口もきかなかったけれど、それでもずっと会ったことを覚えているというタイプの女の子だった。男の永遠の夢をかきたてるような、そんな女の子。けばけばしくない。品が良い。彼女はトレンチ・コートの下に緑のカシミアのセーターを着ていた。そしてごく普通のウールのスカート。装身具は小さくてシンプルなピアスだけだった。品の良い女子大の四年生という感じだった。

もう一人の女の子はクールな色合いのワンピースを着て眼鏡をかけていた。眼鏡をかけた娼婦がいるなんて僕は知らなかった。でもちゃんといるのだ。彼女はゴージャスというのではないけれど、やはりとても魅力的な子だった。手足がすらりとして、よく日焼けしていた。先週ずっとグアムに泳ぎに行ってたのと言った。髪は短く、きちんと髪どめでまとめられていた。彼女は銀のブレスレットをつけていた。動作がきびきびとして、肌が滑らかな肉食獣のように優雅にきゅっと締まっていた。

彼女たちを見ていると僕はふと高校のクラスを思い出した。程度の差こそあれ、どちらのタイプの女の子も一人ずつくらいちゃんとクラスにいるのだ。綺麗で品の良い女の子と、活動的でピリっとした感じの魅力的な女の子。まるで同窓会みたいだ、と僕は思った。同窓会が終ったあと、緊張がほぐれたところで気のあった同士で二次会で酒を飲んでいるといった雰囲気だった。馬鹿気た連想だが、本当にそういう気がしたのだ。五反田君がリラックスするという意味がなんとなくわかるような気がした。彼は以前にどちらとも寝たことがあるらしく、女の子たちも彼も気楽に挨拶した。「やあ」とか「元気?」とか、そういう感じだ。五反田君は僕を中学校の同級生で、今は物を書く仕事をしている男だと言って紹介した。よろしく、と女の子たちがにっこりして言った。大丈夫、みんな友達よ、という感じの微笑みだった。現実の世界ではあまりお目にかかれない種類の微笑みだ。よろしく、と僕も言った。

僕らは床に座ったり、ソファに寝転んだりして、ブランディー・ソーダを飲み、ジョー・ジャクソンやシックやアラン・パーソンズ・プロジェクトのLPを聴きながらいろんな話をした。とてもリラックスした雰囲気だった。僕らもその雰囲気を楽しんでいたし、女の子たちも楽しんでいた。五反田君は眼鏡をかけた方の女の子を相手に歯医者の演技を見せてくれた。確かに上手かった。本物の歯医者より歯医者らしく見えた。才能だ。

五反田君は眼鏡をかけた女の子の隣に座っていた。彼はひそひそ声で何か話し、女の子がときどきくすくすと笑った。そのうちにゴージャスな方の女の子が僕の肩にそっともたれかかって僕の手を握った。とても素敵な匂いがした。胸が詰まって息苦しくなるような匂いだった。本当に同窓会みたいだ、と僕は思った。あの頃上手く言えなかったけど、本当はあなたのことが好きだったの。どうして私を誘ってくれなかったの？　男の、少年の、夢。イメージ。僕は彼女の肩を抱いた。彼女はそっと目を閉じて、鼻先で僕の耳の下を探った。それから僕の首に唇をつけ、柔らかく吸った。ふと気がつくと、五反田君ともう一人の女の子の姿はなかった。たぶんベッドルームに行ったのだろう。もうすこし明かりを暗くしない？　と彼女が言った。僕は壁の照明スイッチを探して切り、小さなテーブル・スタンドの光だけにした。気がつくとレコードのかわりにボブ・ディランのテープがかかっていた。曲は「イッツ・オール・オーヴァー・ナウ、ベイビー・ブルー」だった。

「ゆっくり脱がせて」と彼女が耳元で囁いた。僕は言われるままに彼女のセーターやらスカートやらブラウスやらストッキングやらをゆっくりと脱がせた。僕は脱がせたものを反射的に畳みそうになったが、そういう必要はないのだと思いなおしてやめた。彼女も僕の服を脱がせた。アルマーニのネクタイやら、リヴァイスのブルージーンズやら、Tシャツやらを。そしてつるりとした小さなブラとパンティーだけになって、僕の前に立った。

「どう?」と彼女は微笑みながら僕に訊いた。

「素敵だよ」と僕は言った。彼女はとても綺麗な体をしていた。美しく、生命感に溢れ、清潔で、セクシーだった。

「どういう風に素敵?」と彼女は訊いた。「もっとくわしく表現して。うまく表現できたらすごく親切にしてあげる」

「昔を思い出す。高校生の頃」と僕は正直に言った。

彼女はしばらく不思議そうに目を細めて微笑みながら僕を見ていた。「あなたってちょっとユニークね」

「まずい答えだったかな?」

「全然」と彼女は言った。そして僕の隣に来て、僕が三十四年の人生で誰にもしてもらったことのないようなことをしてくれた。デリケートで大胆でちょっと簡単には思いつけないようなことを。でも誰かが思いついたのだ。僕は体の力を抜いて目を閉じ、流れに身を委ねた。それは僕がこれまでに経験したどんなセックスとも異なっていた。

「悪くないでしょう？」と彼女が僕の耳もとで囁いた。「悪くない」と僕は答えた。

それは素晴らしい音楽と同じように心を慰撫し、肉を優しくほぐし、時の感覚を麻痺させた。そこにあるものは洗練された親密さであり、空間と時間との穏やかな調和であり、限定された形での完璧なコミュニケーションだった。おまけにそれは経費で落ちるのだ。「悪くない」と僕は言った。ボブ・ディランは何かを歌っている。なんだっけ、これは？「ハード・レイン」だ。僕は彼女をそっと抱いた。彼女は力を抜いて僕の腕の中に入ってきた。ボブ・ディランを聴きながら経費でゴージャスな女の子を抱くというのは何だか変なものだった。なつかしの一九六〇年代にはこんなこと考えられなかった。

これはただのイメージなんだ、と僕は思った。スイッチを押せば全ては消える。３Ｄの性的イメージ。セクシーなオーデコロンの匂いと、柔らかい肌の感触と、熱い吐息。

僕が定められたコースをきちんと辿って射精してしまうと、僕らは二人でバスルームに行って、体を洗った。そして大きなバスタオルだけという格好で居間に戻ってブランディーをちびちびと飲んでダイア・ストレイツやらなにやらのLPを聴いた。

物を書く仕事ってどんな物を書いているの、と彼女は訊いた。僕は仕事の内容をおおまかに説明した。面白そうな仕事じゃないと彼女は言った。書くものによる、と僕は言った。僕がやっているのはいわば文化的雪かきなんだ、と僕は言った。私のやってるのは官能的雪かき、と彼女は言った。そして笑った。ねえ、もう一度二人で雪かきしない、と彼女は言った。それから僕らは絨毯の上で交わった。今度はすごくシンプルに、そしてゆっくりと。でもどのようにシンプルな形態をとっていようとも、彼女はどうしたら僕を喜ばせられるかということをちゃんと承知していた。どうしてそんなことがわかるんだろう、と僕は不思議に思った。

大きな長い浴槽の中に二人で並んで寝そべりながら、僕は彼女にキキのことを尋ねてみた。

「キキ」と彼女は言った。「懐かしい名前ね。あなたキキのことを知ってるの？」

僕は肯いた。

彼女は子供みたいに唇を小さくすぼめ、ふうっと息をついた。「彼女はもういないわよ。あの人突然消えちゃったの。私たち、けっこう仲が良かったのよ。時々二人で一緒に買い物に行ったり、お酒飲んだりしたの。でも何も言わずに突然いなくなっちゃった。一ヵ月だか、二ヵ月だか前に。でも、そういうのって別に珍しいことじゃないのよ。こういう仕事って退職願い出す必要もないし、やめたければ黙ってすっとやめちゃうもの。彼女がいなくなったのは残念だわ。私と彼女とはわりに気があったから。でも、まあ仕方ないわよね。ガール・スカウトやってるわけじゃないんだから」彼女は長く綺麗な指で僕の下腹を撫で、そっとペニスに触れた。「キキと寝たことあるの？」

「昔しばらく一緒に暮らしてたんだ。四年くらい前に」

「四年前か」と言って彼女は微笑んだ。「ずいぶん昔の話みたい。四年前には私はまだおとなしい女子高校生だったわ」

「なんとかしてキキと会えないものかな？」と僕は彼女に聞いてみた。

「むずかしいわね。本当に何処に行ったかわかんないのよ。今も言ったようにただいなくなっちゃったの。まるで壁に吸い込まれたように。手掛かりひとつないし、探そうたって探しようもないんじゃないかしら。ねえ、あなたキキのことが今でも好きなの？」

僕は湯の中でゆっくりと体をのばし、天井を見上げた。僕は今でもキキのことが好きなのか？

「わからない。でもそういうこととは関係なく、僕はどうしても彼女に会わなくちゃいけないんだよ。キキが僕に会いたがっているような気がして仕方ないんだ。ずっと彼女の夢を見続けている」

「変ね」と彼女は僕の目を見て言った。「私も時々キキの夢を見るの」

「どんな夢？」

彼女は答えなかった。ちょっと考えるように微笑んだだけだった。お酒が飲みたいな、と彼女は言った。僕らは居間に戻って床に座って音楽を聴き、酒を飲んだ。彼女は僕の胸にもたれて、僕は彼女の裸の肩を抱いていた。五反田君と彼の相手の女の子は眠ってしまったのか、全然部屋から出てこなかった。

「ねえ、信じないかもしれないけど、あなたとこうしてるの楽しいわ。本当よ。仕事とか演技とかそういうのと関係なく楽しいの。嘘じゃないわよ、これ。信じてくれる？」と彼女は言った。

「信じるよ」と僕は言った。「僕もこうしているととても楽しい。リラックスする。なんだか同窓会みたいだ」

「あなたユニークよね」と彼女はくすくす笑いながら言った。

「キキのことなんだけど」と僕は言った。「誰も知らないのかな。彼女の住所とか、本名とか、そういうの？」

彼女はゆっくりと首を振った。「私たち、そういうこと殆ど話さないのよ。みんな勝手な名前つけて生きてるの。キキとかね。私はメイ。もうひとりの子はマミ。みんな片仮名の二文字なの。私生活のことって、みんな知らないし、そういう事は尋ねないの。相手が自分から言わない限り尋ねないの。礼儀として。仲は良いわよ、けっこう。一緒に遊びにいったりする。でも現実じゃないのよ、それ。相手がどういう人かなんてわかってないの。私はメイで、彼女はキキなの。私たちには現実の生活はないの。私たちはなんていうか、ただのイメージなの。空中に浮かんでいるの。ぽっ、と。名前なんて幻想につけられたただの記号なの。だから私たちもできるだけお互いのイメージを尊重するの。そういうのってわかるかしら？」

「わかるよ」と僕は言った。

「お客の中には私たちに同情する人もいるけど、そういうんじゃないのよ。お金のためにだけこういう事してるんじゃないのよ。私たちだって、こうしてる時、けっこう楽しんでるの。うちのクラブって厳密な会員制だからお客の質だっていいし、みんな私たちのことを楽しませてくれるし。私たちだって、そのイメージの世界を楽しんでいるのよ」

「楽しい雪かき」と僕は言った。

「そう、楽しい雪かき」と彼女は言った。そして僕の胸に唇をつけた。「時々雪のなげっこしたり」

「メイ」と僕は言った。「昔本当にメイという名前の女の子がいた。僕の事務所の隣の歯医者で受付をやってた。北海道の農家で生まれた女の子だった。山羊のメイってみんな呼んでた。色が黒くてやせてた。いい子だった」

「山羊のメイ」と彼女は繰り返した。「あなたの名前は？」

「熊のプー」と僕は言った。

「童話みたい」と彼女は言った。「最高。山羊のメイと熊のプー」

「童話みたいだ」と僕も言った。

「キスして」とメイが言った。僕は彼女を抱いてキスした。素敵なキスだった。懐かしいキス。それから僕らは何杯めかわからなくなったブランディー・ソーダを飲み、ポリスのレコードを聴いた。ポリス、また下らないバンド名。どうしてポリスなんて名前をつけるんだろう？　でも僕がそれについて考えているうちに、彼女は僕の腕の中ですやすやと眠ってしまった。僕の腕の中で眠っているときのメイはもうゴージャスな女の子には見えなかった。彼女はどこにでもいるごく普通の傷つきやすい少女のように見えた。同窓会みたい、と僕はまた思った。時計はもう四時を回っていた。あたりはしんと静まりかえっていた。山羊のメイと熊のプー。ただのイメージ。経費で落とせる童話。ポリス。またまた奇妙な一日。繋がりそうで繋がらない。糸を辿っていくと、やがてぷつんと切れる。五反田君と話し合った。彼にある種の好意さえ抱くようになった。山羊のメイと知り合った。彼女と寝た。素敵だった。僕は熊のプーになった。官能的雪かき。でも何処にもたどりつかない。

僕が台所でコーヒーを作っていると、あとの三人が目を覚まして起きてきた。朝の六時半だった。メイはバスローブを着た。マミは五反田君のペイズリーのパジャマの上だけを着て、五反田君はその下をはいていた。僕はブルージーンズにTシャツという格好だった。僕らは四人で食卓についてコーヒーを飲んだ。パンも焼いて食べた。バターやらマーマレードやらを回した。FMの「バロック音楽をあなたに」がかかっていた。ヘンリー・パーセル。キャンプの朝みたいだった。

「キャンプの朝みたいだ」と僕は言った。

「かっこう」とメイが言った。


七時半に五反田君は電話でタクシーを呼んで女の子たちを帰した。帰る時、メイは僕にキスした。「もしうまくキキに会えたら私がよろしく言ってたって伝えてね」と彼女は言った。僕はそっと彼女に名刺を渡して、もし何かわかったら電話をかけてくれと言った。彼女は肯いて、そうすると言った。

「また機会があったら一緒に雪かきやろうね」とメイは片目をつぶって言った。

「雪かき?」と五反田君が言った。

二人きりになると、僕らはもう一杯コーヒーを飲んだ。僕がコーヒーを作った。僕はコーヒーを作るのが上手いのだ。静かに音もなく太陽が上り、東京タワーが眩しく輝いていた。それを見ていると、僕は昔のネスカフェの広告を思い出した。たしかあそこにも朝の東京タワーが出てきたはずだ。東京の朝はコーヒーで始まる……違うかもしれない。何でも良い。でもとにかく東京タワーが朝日に光って、僕らはコーヒーを飲んでいた。それで僕はふとネスカフェの広告を思い出したのだ。

まともな人々が会社や学校に向かって急いでいる時刻だった。でも僕らはそうではなかった。ゴージャスなプロの女の子と一晩楽しんで、ぼんやりとコーヒーを飲んでいた。そしてたぶんこれからぐっすりと眠る。好むと好まざるとにかかわらず、そして程度の差こそあれ、我々は——僕と五反田君とは——ごく普通の世間の生活様式からははみだしてしまっていた。

「今日はこれからどうするんだい?」と五反田君が首を僕の方に向けて言った。

「家に帰って寝るよ」と僕は言った。「とくに予定は何もない」

「僕はこれから一眠りして、昼に人に会う。打ち合わせがあるんだ」と彼は言った。

それからしばらく、僕らは黙ってまた東京タワーを眺めていた。

「どう、楽しかった?」と五反田君が訊いた。

「楽しかったよ」と僕は言った。

「それで、どうだった？　キキのことはなにかわかった？」

僕は首を振った。「ただふっと消えちゃったんだ。君が言ったように。手掛かりもない。きちんとした名前さえわからない」

「僕も映画会社の連中にキキのことを少し聞いてみるよ」と彼は言った。「上手くいけば何かわかるかもしれない」

それから彼はちょっと唇を歪め、スプーンの柄でこめかみを掻いた。チャーミング、と女の子たちなら言うだろう。

「ねえ、ところで君はキキに会ってそれでどうするつもりなの？」と彼は訊いた。「よりを戻すとか、そういうことなのかな？　それとも懐かしいだけ？」

わからない、と僕は言った。

それは僕にもわからない。会ってどうするかは会ってから考えるしかないのだ。

コーヒーを飲んでしまうと五反田君は彼の曇りひとつない茶色のマセラティで僕を渋谷のアパートまで送ってくれた。僕はタクシーで帰ると言ったが、彼は近くだからと言って送り届けてくれた。

「そのうちにまた電話して誘っていいかな？」と彼は言った。「君と話ができて楽しかった。僕にはまともに話をできる相手があまりいないんだ。君さえかまわなければ、近いうちにまた会いたいんだけれど。いいかな？」

「もちろん」と僕は言った。そしてステーキと酒と女の子の礼を言った。

彼は何も言わずにただ静かに首を振った。言葉がなくても彼の言わんとすることは十分よく理解できた。

20

それから何日かはこともなく静かに過ぎた。毎日何本か仕事の関係の電話が入ったが、僕はずっと留守番電話を入れ放しにして応答しなかった。僕の人気はまだ衰えていないようだった。僕は食事を作り、渋谷の街に出て毎日一度「片想い」を見た。春休みだったので映画館は満員とはいかないまでもけっこう混んでいた。観客の殆どは高校生か中学生だった。まともな大人の観客なんて僕一人だった。彼らは主演の女の子や、アイドル歌手の姿を見るために映画館にやってきていたのであって、映画の筋や質がどうかなんてどうでもいいことだった。彼らはお目当てのスターが出てくるとわあわあと声を限りにわめきたてた。野犬収容所みたいな騒ぎだった。お目当てのスターが出てこないときには、みんなぐしゃぐしゃ・ばりばりと音を立てて何かを食べたり、甲高い声で「やっっっっだあ」とか「てめえよう」だとか怒鳴りあっていた。映画館ごと焼き払ったらさっぱりするだろうなとふと思ったりもした。

「片想い」が始まると、僕はタイトルのクレジットを注意深く睨んだ。たしかにキキという名前が小さくはいっていた。

キキの出るシーンが終わると、僕は映画館を出てぶらぶらと街を歩いた。いつもだいたい同じコースだった。原宿から神宮球場、青山墓地、表参道、仁丹ビル、渋谷。途中でコーヒーを飲んで休むこともあった。地上には確実に春が来ていた。懐かしい春の匂いがした。地球は辛抱強く律儀に太陽の回りを公転しつづけているのだ。宇宙の神秘。僕は冬が終わって春が来る度にいつも宇宙の神秘について考える。どうしていつもこう同じ春の匂いがするのだろう、と。毎年毎年春になると必ずちゃんとこの匂いがするのだ。とても微妙なかすかな匂いなのだけれど、いつもぴたりと同じだ。

街には選挙ポスターが溢れていた。どれもこれも醜いポスターだった。選挙演説の車も走りまわっていた。何を言っているのかはよくわからない。ただうるさいだけだ。僕はキキのことを考えながら、そんな街を歩きつづけた。そしてそのうちに僕は、少しずつ自分の足が動きを取り戻し始めていることに気づいた。ステップが軽く、そして確かになり、それにつれて頭の動きにも以前にはない鋭さが感じられるようになった。僕はほんの少しずつではあるけれど一歩一歩前に進んでいるのだ。僕は目的を持ち、それによってごく自然にフットワークを身につけてきたのだ。悪くない徴候だった。踊るのだ、と僕は思った。あれこれと考えても仕方ない。とにかくきちんとステップを踏み、自分のシステムを維持すること。そしてこの流れが僕を次にどこに運んでいくのか注意深く目を注ぎつづけること。こっちの世界にいつづけること。

三月の末の四日か五日がそんな風にこともなく流れた。表面的には何の進展もなかった。僕は買い物をし、台所でささやかな食事を作り、映画館に通って「片想い」を見て、長い散歩をした。家に戻ると留守番電話をプレイバックしてみたが、入っているのは仕事の用件の電話ばかりだった。夜には一人で本を読み、酒を飲んだ。毎日が同じような繰り返しだった。そうこうするうちにエリオットの詩とカウント・ベイシーの演奏で有名な四月がやってきた。夜中に一人で酒を飲んでいると、山羊のメイとのセックスのことをふと思い出した。雪かき。それは奇妙に独立した記憶だった。何処にも結び付いていない。五反田君にも、キキにも、何にも結びついていない。それはすごくリアルな夢のように感じられた。細部までありありと思い出せるのに、ある意味では現実より鮮明なのに、結局は何にも結びついていないリアルな夢。でもそれは僕にはとても好ましい出来事であるように思えた。とても限定された形での心の触れ合い。二人で力をあわせて幻想なりイメージなりを尊重すること。大丈夫よ、私たちみんなお友達なんだから的微笑。キャンプの朝。かっこう。

キキは五反田君とどんな風に寝たんだろうと僕は想像してみた。彼女もやはり、メイと同じように五反田君にすごくセクシーなサービスをしたのだろうか？　そういうサービスはあのクラブに属する女の子みんなが職業上の基本技術として心得ているノウハウなんだろうか、それともあれはあくまでメイの個人的なものなのだろうか？　僕にはわからない。五反田君に聞いてみるわけにもいかない。僕と暮らしている時、キキはセックスに対してはどちらかといえば受動的だった。僕が抱くと彼女はそれに温かく応えてはくれたけれど、決して自分の方から要求したり、積極的に何かをしたりということはなかった。僕に抱かれている時、キキは体の力を抜いて、とてもリラックスしてそれを楽しんでいるように僕には思えた。そして僕はそういうセックスに対して不満を抱いたことは一度もなかった。リラックスした彼女を抱いているのは素敵なことだったからだ。柔らかな体と、安らかな息づかいと、温かい性器と。僕にはそれで充分だった。だから彼女が誰かに——たとえば五反田君に——積極的なプロフェッショナルな性的サービスをするなんてことは、僕にはどうもうまく想像できなかった。でもあるいはそれは単に、僕に想像力が不足しているせいなのだろうか？

娼婦というものは私生活と営業用のセックスをどう使いわけるのだろう？　それは僕には見当もつかない問題だった。僕は五反田君にも言ったように、これまで娼婦と寝たことが一度もなかったからだ。キキとは寝た。キキは娼婦だった。でも僕はその時は言うまでもなく娼婦としてのキキと寝たのではなく、個人としてのキキと寝たのだ。それとは逆に、僕は娼婦としてのメイとは寝たが、個人としてのメイとは寝ていない。だからそのふたつのケースをつきあわせてみても、おそらく意味がないだろう。これはつきつめて考えれば考えるほど難しい問題だった。そもそもセックスというのはどこまでが精神的なもので、どこからが技術的なものなのだろう？　どこまでが実像でどこからが演技なのだろう？　充分な前戯は精神的なものなのだろうか、それとも技術的なものなのだろうか？　キキは本当に僕との性交を楽しんでいたのだろうか？　彼女はあの映画の中で本当に演技をしていたのだろうか？　それとも五反田君の指に背中を探られて本当に陶然としていたのだろうか？

実像とイメージが混乱していた。

たとえば五反田君。彼の医者としての姿はただのイメージに過ぎない。でも彼は本物の医者よりはずっと医者らしく見える。信頼感が持てる。

僕のイメージっていったい何だろう？　いや、そんなものが僕にあるのだろうか？

踊るんだよ、と羊男は言った。それも上手く踊るんだよ、みんなが感心するくらい。

みんなが感心するくらい、というからには僕にもやはりイメージというべきものはあるのだろう。そしてあるとすれば、みんなはその僕のイメージに感心するのだろうか？　まあそうだろうな、と僕は思った。いったい何処の誰が僕の実像に感心したりするだろう？

眠くなると、僕はグラスを流しで洗い、歯を磨いて眠った。目が覚めると翌日がやってきた。一日一日が早く過ぎる。もう四月だ。四月の始め。トルーマン・カポーティの文章のように繊細で、うつろいやすく、傷つきやすく、そして美しい四月のはじめの日々。僕は朝のうちに紀ノ国屋に行って、またよく調教された野菜を買った。それから缶ビールを一ダースとバーゲンのワインを三本買った。コーヒー豆も買った。サンドイッチにするためのスモーク・サーモンも買った。味噌と豆腐も買った。家に帰って留守番電話のテープをプレイバックしてみると、ユキからのメッセージが入っていた。彼女は面白くもなんともなさそうな声で十二時にもう一度電話してみるから家にいてね、と言った。そしてがちゃんと電話を切った。がちゃんと電話を切るのは彼女にとっては一種のボディー・ランゲージのようなものなのだろう。時計は十一時二十分を指していた。僕は台所で熱くて濃いコーヒーを作り、それを飲みながら床に座ってエド・マクベインの87分署シリーズの新刊を読んだ。もう十年くらい前からそんなもの読むのはやめようと思ってはいるのだが、新刊が出るとつい買ってしまうのだ。惰性と呼んで済ませるには十年というのは余りにも長い歳月だ。十二時五分に電話がかかってきた。ユキだった。

「元気?」と彼女は言った。

「とても元気だよ」と僕は言った。

「今何してるの?」と彼女は言った。

「そろそろ昼飯を作ろうかなと思ってたんだ。ぱりっとした調教済みのレタスとスモーク・サーモンと剃刀の刃のように薄く切って氷水でさらした玉葱とホースラディッシュ・マスタードを使ってサンドイッチを作る。紀ノ国屋のバター・フレンチがスモーク・サーモンのサンドイッチにはよくあうんだ。うまくいくと神戸のデリカテッセン・サンドイッチ・スタンドのスモーク・サーモン・サンドイッチに近い味になる。うまくいかないこともある。しかし目標があり、試行錯誤があって物事は初めて成し遂げられる」

「馬鹿みたい」

「でも美味しい」と僕は言った。「嘘だと思ったら、蜜蜂に訊いてもいい。しろつめ草に訊いてもいい。本当に美味しいんだ」

「何よ、それ?　蜜蜂としろつめ草というのは?」

「たとえだよ」と僕は言った。

「やれやれ」とユキは溜め息まじりに言った。「あなた、もう少し大人になれば。もう三十四でしょう？　私から見てもちょっと馬鹿みたいよ」

「社会化しろということかな、君の言ってるのは？」

「ドライブに行きたい」と彼女は僕の質問を無視して言った。「今日の夕方はあいてる？」

「あいてると思う」と僕は少し考えてから言った。

「五時に赤坂のアパートに迎えにきてよ。場所は覚えてる？」

「覚えてる」と僕は言った。「ねえ君、あれからずっとそこにいるの、ひとりで？」

「うん。箱根になんて帰ったって何もないもの。なにしろ山のてっぺんにあるがらんとした家なの。そんなところに一人で帰りたくない。ここにいる方が面白いわ」

「お母さんはどうしたの？　まだ帰ってこないの？」

「知らないわよ、ママのことは。連絡ひとつないんだもの。まだカトマンズなんじゃないかしら？　だから言ったでしょう、あの人のことはもう全然あてにならないんだって。いつ帰ってくるかなんてわからないわよ」

「お金はどうしてるの？」

「お金は大丈夫。キャッシュ・カードが自由に使えるから。ママのやつをお財布から一枚抜いておいたの。あの人そんなの一枚なくなったって、全然気がつきもしないもの。私だって自衛しなきゃ死んじゃうわよ。あの人まともじゃないんだもの、それくらい当然よ。

そう思うでしょ？」

僕は回答を避けてあいまいな返事をした。「ちゃんと御飯は食べてる？」と僕は聞いてみた。

「食べてるわよ。何だと思ってるのよ？　食べなきゃ死んじゃうでしょう？」

「ちゃんとしたものを食べてるかって訊いてるんだよ」

ユキは咳払いした。「ケンタッキー・フライド・チキンやらマクドナルドやらデイリー・クイーンやらそういうの。あとはホカホカ弁当……」

ジャンク・フード。

「五時に迎えにいくよ」と僕は言った。「何かまともなものを食べに行こう。それは食生活としてはあまりにもあまりにもひどすぎる。思春期の女の子はもう少しまともなものを食べるべきだ。そんな生活を長い間続けてたら大きくなって生理不順になる。何になろうともちろん君の勝手だとも言うこともできる。でも君が生理不順になるとまわりのみんなが迷惑する。まわりのことも考えなくちゃいけない」

「馬鹿みたい」と小さな声でユキが言った。

「ねえ、ところでもし嫌じゃなかったら君のその赤坂のマンションの電話番号を教えてくれないかな？」

「どうして？」

「そういう一方的なコミュニケーションというのはフェアじゃない。君は僕の電話番号を知ってる。僕は君の電話番号を知らない。君は気が向いたら僕に電話してくる、僕は気が向いても君に電話できない——不公平だ。それから今日みたいに会う約束して、いざとなって急に予定が変わったりしたときに連絡がつけられないとなると不便だ」

彼女はちょっと迷ったように鼻を小さく鳴らしたが、結局番号を教えてくれた。僕は手帳の住所録の五反田君の下の欄にそれをメモした。

「だけど簡単に予定を変えたりしないでよね」とユキは言った。「そういういい加減な相手はママ一人でもう充分なんだから」

「大丈夫だよ。僕は簡単に予定を変えたりはしない。嘘じゃないよ。もんしろ蝶に訊いてもいい、うまごやしに訊いてもいい。僕くらいきちんと約束を守る人間はそんなにいない。ただ世の中には突発事故というものがあるんだ。予想もしていないことが急に起こったりする。世界は広くて複雑だから、ある場合には僕の手に負えないことがもちあがるかもしれない。そういう時に君に連絡が取れないと、とても困る。僕の言ってることはわかるだろう？」

「突発事故」と彼女は言った。

「青天の霹靂」と僕は言った。
「起こらないといいわね」とユキは言った。
「まったく」と僕は言った。
でもそれはちゃんと起こった。

21

彼らは午後の三時過ぎにやってきた。二人連れだった。僕がシャワーを浴びている時にドア・ベルが鳴った。僕がバスローブを着て、ドアを開けるまでにドア・ベルは八回も鳴った。苛立ちが肌につきささってくるような鳴らし方だった。僕がドアを開けると、男が二人立っていた。一人は四十代半ばに、もう一人は僕と同じくらいの歳格好に見えた。年上の方が背が高く、鼻に傷あとがあった。まだ春の始めだというのによく日焼けしていた。漁師のような深い現実的な日焼けだった。グアムのビーチとか、スキー場で焼いたわけではない。髪は見るからに硬そうで、手がいやに大きかった。彼はグレーのオーバーコートを着ていた。若い方は背が低く、髪が長めだった。目が細く、鋭かった。一昔前の文学青年みたいに見えた。同人誌の集まりで額の髪をかきあげて「やはり三島だよ」と言ったりしそうな雰囲気がある。昔、大学のクラスにも何人かこういうのがいた。こちらは紺のステン・カラーのコートを着ていた。どちらもあまりファッショナブルとは言えない黒い革靴を履いていた。道に落ちていたらよけて通りたくなるような代物だった。安物で、しかもくたびれている。どちらの紳士も僕がとくに積極的に友達になりたいと思うようなタイプではなかった。「漁師」と「文学」と僕はとりあえず名前をつけた。

文学がコートのポケットから警察手帳を出して何も言わずに僕に見せた。映画みたい、と僕は思った。僕はそれまで警察手帳なんて見たこともなかったけれど、一見してそれは本物であるように感じられた。くたびれかたが革靴のくたびれかたによく似ていたからだ。でも彼がコートのポケットから出してさしだすと、なんだか同人誌を売りつけられているような気がした。

「赤坂署のものです」と文学が言った。

僕は肯いた。

漁師はオーバーコートのポケットに両手をつっこんだまま一言も口をきかなかった。ただ何気なく戸口に片足を置いていた。ドアが閉められないように。やれやれ、本当に映画みたいだ。

文学は手帳をポケットにしまい、それからひととおり僕の格好を点検した。髪は濡れたままで、バスローブしか着ていない。グリーンのレノマのバスローブ。もちろんライセンス生産だけど、背中を向けるとちゃんとレノマと書いてある。シャンプーはウェラ。人に恥じるところは何もない。だから僕は相手が何かを言い出すのをじっと待っていた。

「実はちょっと伺いたいことがあるんです」と文学が言った。「それで申し訳ありませんが、できましたら署まで御足労願えませんでしょうか」

「訊きたいって、何について？」と僕は質問してみた。

「それはまたあとで、その時にお話しします」と相手は言った。「ただお話を伺うのにいろいろと形式とか書類とかが必要なものですから、まあ出来れば署の方においでいただきたいということなんです」

「着替えてもいいんでしょうね？」と僕は訊いてみた。

「もちろんどうぞ」と文学は表情も変えずに言った。とても平板な声で、とても平板な表情だった。五反田君が刑事をやったらもっとリアルにもっと上手くやれるだろうにな、と僕はふと思った。現実というのはそういうものなのだ。

僕が奥の部屋で着替えている間、二人はドアを開けたまま戸口に立っていた。僕はお馴染みのブルージーンズにグレーのセーターを着て、ツイードのジャケットを着た。髪を乾かしてとかし、財布と手帳とキイ・ホルダーをポケットに入れ、窓を閉め、ガスの元栓を閉め、電気を消し、留守番電話のスイッチをオンにした。そして紺のトップサイダーを履いた。二人は僕が靴を履くのを珍しそうにじっと見ていた。漁師はまだ戸口に片足を置いていた。

アパートの入り口から少し離れたところに目立たないようにパトカーが停まっていた。ごく普通のパトカーで、運転席に制服の警官が座っていた。漁師が先に乗り、それから僕が乗り、最後に文学が乗った。そういうのも映画の通りだった。文学がドアを閉めると、何も言わないうちに車は発車した。

道路は混んでいたが、パトカーはサイレンなんか鳴らさずにゆっくりと走った。乗り心地はタクシーと大体同じだった。メーターがないだけだった。走っている時間よりは停まっている時間の方が多く、おかげでまわりの車の運転手は僕の顔をみんなじろじろと覗きこんだ。誰も口をきかなかった。漁師の方は腕を組んでじっと前方を見ていた。文学の方は風景描写の練習でもしているみたいに難しい顔つきで窓の外を睨んでいた。いったいどんな描写をするんだろうと僕は思った。きっとわけのわからない言葉をつかった暗い描写なんだろう。「概念としての春は暗黒の潮流とともに激しくやってきた。その訪れは都市の間隙にこびりついた名も知れぬ人々の情念を揺すり起こし、それを不毛の流砂へと音もなく押し流していった」

僕はそういう文章を片っ端から添削していきたかった。「概念としての春」ってなんだ？　「不毛の流砂」ってなんだ？　でもさすがに途中で馬鹿馬鹿しくなってやめた。渋谷の街は相変わらずちゃらちゃらとした道化服みたいな格好をした頭の悪そうな中学生でいっぱいだった。情念も流砂も何もなかった。

警察に着くと、僕は二階の取り調べ室に連れていかれた。小さな窓のある四畳半くらいの広さの部屋だった。窓からは殆ど光が入ってこなかった。隣の建物と近接しすぎているのだろう。部屋の中には机がひとつあり、事務椅子がふたつ、そしてビニール・シートの補助用の椅子がふたつ置いてあった。壁にはこれ以上シンプルには作れまいという感じの時計がかかっていた。それだけだった。他には何もない。カレンダーもかかってないし、絵もかかってない。書類棚もない。花瓶もない。標語もない。茶器セットもない。机と椅子と時計があるだけだった。机の上には灰皿とペン皿が置かれ、端の方に書類ばさみが積んであった。彼らは部屋に入るとコートを脱ぎ、畳んで補助椅子の上に置き、それから僕をスチール製の事務椅子に座らせた。そして僕の向かいに漁師が座った。文学はちょっと離れたところに立って、手帳をぱらぱらと繰っていた。しばらく二人とも何も言わなかった。僕も何も言わなかった。

「ところで、あんた昨日の夜、何してました?」とたっぷりと間を置いてから漁師が口を開いた。考えてみると漁師が口をきいたのはそれが初めてだった。

昨日の夜、と僕は思った。昨日の夜はどんな夜だったろう? 昨日の夜と一昨日の夜の区別がつかない。一昨日の夜とその前日の夜の区別がつかない。不幸なことだが、事実なのだ。僕はしばらく黙って考えていた。思い出すのに時間がかかる。

「あんたね」と漁師が言った。そして咳払いした。「法律的なことなんたらかんたら言い出すとけっこう時間かかりますよ。ただ単に簡単なことを聞いてるだけなんですからね。昨日の夕方から今日の朝まで何してたか。簡単なことじゃないですか。答えてくれたって損はないでしょ？」

「だから今考えてるんですよ」と僕は言った。

「考えないと思い出せないの？　昨日のことですよ。去年の八月のことを尋ねてるわけじゃないです。考える余地もないでしょうが」と漁師が言った。

だからそれが思い出せないんだよ、と言おうかと思ったが言わなかった。たぶんそういう記憶の一時的欠落なんて彼らには理解できないだろう。頭がおかしいと思われるのがおちだ。

「待ちますよ」と漁師は言った。「待つからゆっくりと思い出してちょうだい」そして彼は上着のポケットからセブン・スターを出して、ビックのライターで火をつけた。「あんた、吸う？」

「いらない」と僕は言った。先端的都市生活者は煙草を吸わないと「ブルータス」に書いてあった。でも二人はそんなことにはお構いなく美味そうに煙草を吸った。漁師はセブン・スターを吸い、文学はショート・ホープを吸った。二人ともチェーン・スモーキングに近かった。彼らは「ブルータス」なんか読まないのだ。全然トレンディーじゃない人たちなのだ。

「五分待ちましょう」と文学が相変わらず表情のない平板な声で言った。「その間に何とかちゃんと思い出していただけませんでしょうかね。昨日の夜、何処で何してたか」

「だからね、この人インテリなんだよ」と漁師が文学の方を向いて言った。「調べたら前にも取り調べ受けてた。ちゃんと指紋が登録されてた。学生運動。公務執行妨害。書類送検。こういうのになれてるんだ。筋金入りなんだよ。警察が嫌いなんだ。法律にも詳しい。憲法で保障された国民の権利とかそういうことをちゃんと詳しく知ってる。もうすぐ弁護士を呼べって言い出すよ」

「でも我々は任意同行してもらって、ごく簡単な質問してるだけですよ」と文学がいかにも驚いたという風に漁師に言った。「何も逮捕するとかそういうことを言ってるわけじゃないですよ。よくわからないな。弁護士を呼ぶ理由なんてなにもないでしょう？　どうしてそういうややこしい考え方をするんだろう？　理解に苦しみますねえ」

「だからさ、私は思うんだけど、この人はただ単に警察が嫌いなんじゃないかな。警察と名のつくものがとにかく何でも生理的に嫌いなんだよ。パトカーから交通巡査まで。だからそんなものになんか死んでも協力したくないと思っているんだろうね」と漁師が言った。

「でも大丈夫ですよ。はやく答えれば、はやく家に帰れるんだから。実際的なものの考え方ができる人ならきっとちゃんと応えてくれますよ。それにね、昨日の夜何をしてたかっていう質問されただけで弁護士呼んだって来やしませんよ。弁護士さんだって忙しいんだから。インテリならそれくらいのことわかりますよ」

「まあね」と漁師は言った。「そういうことをきちんとわかっていただければ、お互い時間が節約できるというものだわな。こっちだって忙しいし、この人だって忙しいだろう。長引くとお互い時間の無駄だし、それに疲れる。これが結構疲れるんだ」

かけあい漫才が続いているうちにその五分が過ぎた。

「さて」と漁師が言った。「どうでしょう、何か思い出していただけましたかね？」

思い出せなかったし、思い出そうという気も起きなかった。そのうちにたぶん思い出すだろう。でもとにかく今は思い出せない。記憶が欠落したまま戻ってこないのだ。「どういうことなのか、まず事情が知りたいですね」と僕は言った。「事情がわからないことには何も言えない。事情がわからないうちに、不利なことは言いたくない。それにまず事情を説明してから質問するのが人の礼儀だ。あなたたちのやってることは全然礼儀にかなってない」

「不利なことは言いたくない」と文学が文章を検証するように繰り返した。「礼儀にかなってないだって」

「だからインテリだって言っただろう」と漁師が言った。「ものの見方がひねくれているんだね。警察が嫌いなんだ。朝日新聞をとって『世界』を読んでるんだ」

「新聞なんかとってないし、『世界』も読んでない」と僕は言った。「とにかくどういうわけで僕がここに連れてこられたか教えてくれないうちは何も喋りたくないですね。こづきまわすんなら好きなだけこづきまわしていい。こっちはどうせ暇なんだ。時間なんかいくらでもある」

二人の刑事はちらっと顔を見合わせた。

「事情を教えたら質問に答えてもらえますかね？」と漁師が言った。

「たぶん」と僕は言った。

「この人にはさりげないユーモアの感覚があるね」と文学が腕組みをして壁の上の方を見ながら言った。「たぶん、だって」

漁師が鼻の上に真横についた傷を指の腹でさすった。刃物の傷みたいに見えた。けっこう深く、まわりの肉がひきつっていた。「あのですね」と彼は言った。「私ら、忙しいんですよ。それに真剣なんです。早くこれかたづけてしまいたいんです。私らだって好きでこれやってるわけじゃないです。できることなら夕方の六時には家に帰って、家族と一緒にゆっくりと飯を食べたい。私らあんたに別に恨みもないし、含むところもない。あんたが昨日の夜どこにいて何してたかそれを教えてくれたら、それ以上何も要求しない。やましいことがなかったら教えてまずいこともないでしょう？　それとも何かやましいところがあるから言えないの？」

僕はテーブルの上のガラスの灰皿をじっと眺めていた。

文学が手帳をぱたんと叩いてからポケットにしまった。三十秒ばかり誰も何も言わなかった。漁師がまたセブン・スターをくわえて火をつけた。

「筋金入りなんだ」と漁師が言った。

「人権擁護委員会でも呼ぶ？」と文学が言った。

「あのね、こういうの人権でもなんでもないんだよ」と漁師が言った。「こういうのは市民の義務なんだよ。市民は警察の捜査にできる限り協力せにゃならんって、ちゃんと法律にも書いてあるんだよ。あんたの好きな法律にもちゃんとそう書いてあるんです。どうしてそんなに警察を毛嫌いするんですか？　あんただって警官に道を訊いたことくらいあるでしょう？　泥棒が入ったら警察に電話かけるでしょう？　もちつもたれつじゃないですか。どうしてこんな簡単なことで協力してくれないんです。本当に簡単な形式的質問じゃないですか？　昨日の夜、あなたは何処で何してたか？　ややこしいことなしで早く済ませちゃいましょう。そうすれば我々も次に進める。あんたも家に帰れる。万事オーケーです。そう思いませんか？」

「まず、事情を知りたいですね」と僕は繰り返した。

文学がポケットからティッシュ・ペーパーを出し、大きな音を立てて洟をかんだ。漁師は机の引きだしからプラスティックの定規を出して、手のひらをぱたぱたと叩いた。

「あんた、わかってるのかな？」と文学がティッシュ・ペーパーを机の脇のごみ箱に捨てながら言った。「あんたは自分の立場をどんどん悪くしてるんですよ」

「なあ、今は一九七〇年じゃないんだよ。あんたとここで反権力ごっこしてる暇はないの」とうんざりしたように漁師が言った。「ああいう時代はね、終わったんだよ。それで、私もあんたもみんなこの社会にきちっと埋めこまれてるの。権力も反権力もないんだよよ、もう。誰もそういう考え方はしないんだよ。大きな社会なんだ。波風を立てても、いいことなんか何もないのよ。システムがね、きちっとできちゃってるの。この社会が嫌ならじっと大地震でも待ってるんだね。穴でも掘って。でも今ここでつっぱったって何の得もないよ、お互い。消耗だよ。インテリならそういうことわかるでしょうが？」

「まあね、僕らもちょっと疲れていて、口のきき方がいささか荒っぽかったかもしらん。だとしたら悪かった。謝りますよ」と文学が手帳をまたぱらぱらと繰りながら言った。

「でもね、僕らも疲れてるんだよ。働きっぱなしに働いてる。昨日の夜から殆ど寝てない。子供の顔をもう五日も見てない。ろくに飯も食ってない。あんたの気にいらないかもしれないけど、僕らだって僕らなりに社会の為に働いているんです。そこにあんたが出てきてつっぱらかって何も答えてくれない。そりゃあいらいらもしますよ。わかるでしょう？あんたが自分の立場を悪くしてるというのはね、結局僕らも疲れるとどんどん機嫌が悪くなるってことなんだよね。簡単に済ませられるはずのことも簡単に済まなくなってくる。物事がこじれてくる。もちろんあんたが頼れる法律はある。国民の権利もある。でもそういうのを運用するのは時間がかかる。時間がかかるあいだ、あんたは不愉快な目にあうかもしれない。法律というのはすごくこみいっていて、手間がかかるもんだからね、どうしても現場の運用次第というところはあるよね。理解してもらえるかな、そういうの？」

「誤解されると困るけど、別に威してるんじゃないよ」と漁師が言った。「忠告してるんだ、彼は。我々だってあんたを不快な目にあわせたいと思ってるわけじゃない」

僕は黙って灰皿を見ていた。灰皿には何のしるしもついていなかった。ただ古くて汚いガラスの灰皿だった。最初は透明だったのだろうが、今ではもうそうではなかった。白く濁って、隅にはヤニがこびりついていた。何年くらいこの机の上に載っているんだろう、と僕は考えてみた。十年は載ってるな、と僕は想像した。

漁師はしばらくプラスティックの定規をいじりまわしていた。

「いいでしょう」と彼はあきらめたように言った。「事情を説明しましょう。本当は我々にも質問する手順というものがあるんだが、あんたの方にも言い分があるみたいだから、今はそれに従いましょう。今のところは」

そして定規をテーブルの上に置くと、紙ばさみをひとつ取り、ぱらぱらとめくって封筒を手に取り、そこから大型の写真を出して僕の前に差し出すようにして置いた。僕はその三枚の写真を手にとって見た。白黒の実際的な写真だった。それが芸術的な目的で写されたものでないことは一目でわかった。写真には女が写っていた。まず最初は裸の背中を向けてベッドにうつぶせになっている写真だった。手脚が長く、尻がしまっていた。髪が扇のように広がって首から上を隠していた。脚は心持ち広げられ、性器が見えた。手は横にだらんと伸ばされていた。女は眠っているように見えた。ベッドには特徴らしいものはなかった。

二枚目のはもっとリアルだった。女はあおむけにされていた。乳房と陰毛と顔が見えた。手と脚はきちんと気をつけの姿勢になっていた。女が死んでいることには説明の必要がなかった。目が見開き、口もとが妙にこわばって歪んでいた。メイだった。

　僕は三枚目の写真を見た。顔をアップで写した写真だった。メイだった。間違いない。でも彼女はもうゴージャスではなかった。彼女は凍りついた無感動とでもいったようなものを身に纏っているだけだった。首のまわりにごしごしとこすったあとのような筋がかすかについていた。口の中がからからに乾いて、唾がうまく飲み込めなかった。手のひらの皮膚がむず痒くなった。メイ。彼女の素敵なセックス。僕らは朝までかけて楽しく雪かきをし、ダイア・ストレイツを聴き、そしてコーヒーを飲んだのだ。そして死んでしまった。今はもういない。僕は首を振りたかった。でも振らなかった。僕は三枚の写真を重ねて、何事もなかったように漁師に返した。二人は僕が写真を見ている様子をじっと観察していた。それで？　という顔で僕は漁師の顔を見た。

「その女のことは御存じでしょうかね？」と漁師が言った。

　僕は首を振った。「知りませんね」と僕は言った。もし僕が知っていると言えば、当然のことながら五反田君がこれに巻き込まれることになる。彼が僕とメイのリンクであるからだ。でも今ここで彼を巻き込むわけにはいかない。あるいは彼もこの事件にもう既に巻き込まれているかもしれない。それは僕にはわからない。もしそうだとしたら、そして五反田君が僕の名前を出し、僕がメイと寝たことを既に喋っていたとしたら、僕はかなりまずい立場に立たされることになる。僕は嘘の供述をしたことになるからだ。そうなるともう冗談事ではすまない。それは賭だった。でもいずれにせよ僕の方から五反田君の名前を持ち出すわけにはいかないのだ。彼と僕とでは立場が違う。そんなことをしたら偉い騒ぎになる。週刊誌が飛んでくる。

「もう一度ようく見て」と漁師がゆっくりとして含みのある口調で言った。「すごく大事なことだから、もう一度よく見て、それで答えてちょうだい。どう、この女に見覚えある？　嘘だけはつかないで下さいね。私らはプロだから、誰かが嘘をつくと嘘だってちゃんとわかります。警察で嘘をつくと、これはひどいことになります。わかりました？」

僕はもう一度時間をかけて三枚の写真を見た。目を背けたかったが、背けるわけにはいかなかった。

「知らない」と僕は言った。「でも、死んでる」

「死んでる」と文学が文学的に繰り返した。「すごく死んでる。非常に死んでる。全く死んでる。見たらわかる。僕らそれ見ましたよ、現場で。いい女だった。それが裸で死んでた。いい女だったということは一目でわかった。でも死んでしまうとね、いい女かどうかってもうあまり関係ないね。裸なんてのも関係ないね。ただの死人だね。放っておきゃ腐っていく。皮膚が破れてめくれて腐った肉が出てくる。すごい臭いがする。虫がわいてくる。あんたそういうの見たことあります？」

ない、と僕は言った。

「僕ら何回か見たことありますよ。そこまでいくと、いい女だったかどうかもわからない。ただ肉が腐っているだけ。腐ったステーキ肉と同じ。あの臭い嗅ぐとちょっとしばらく飯食えないね。僕らはプロだけど、あの臭いだけは駄目だ。あれには馴れることできないね。それからもっと時間がたつと、今度は骨だけになる。ここまでいくと臭いはない。何も彼も干からびてる。白くて、綺麗なもんです。骨は清潔でいいよね。で、まあ、とにかく、この女はそこまでは行ってなかった。骨までも行ってないし、腐ってもいない。ただ死んでるだけ。ただ硬くなってる。コチコチ。いい女であったこともよくわかる。生きているうちにああいういい女としっぽりやれたらいいだろうね。でも裸を見ていても何も感じない。もう死んでるから。我々と死人というのは全然違うものなんですよ。死人というのはね、石の像と同じなんですよ。つまりね、こう分水嶺があって、そこを一歩でも越えるとゼロになる。完全なゼロになるんです。あとは焼かれるのを待つだけ。でもいい女だった。かわいそうにね。生きていればずっといい女でいられたのにね。誰かが殺したんだ。いけないことだよ。この女の子にも生きる権利があったんだ。まだ二十歳ちょっとだよ。だれかにストッキングで首を絞められた。なかなか急に死ねない。死ぬまでに時間がかかる。すごく苦しい。自分が死んでいくんだってことがわかる。どうして私がこんなところで死ななくちゃならないんだろう、と思う。もっと生きていたいと思う。酸素が少なくなって窒息していくのが感じられる。頭がぼうっとしてくる。小便をしてしまう。なんとか助かろうともがく。でも力が足りない。ゆっくり死ぬ。あまりいい死に方じゃないね。僕らは彼女にそういう死に方をさせた犯人を捕まえたいですね。捕まえなくちゃならんですよ。これは犯罪なんだ。それも非常に悪質な犯罪だ。力のあるものが暴力的に力の弱いものを殺しているんだ。それは許されないことです。そういうことを許していたら、社会の根底が揺らいでしまう。犯人を捕まえて、処罰する。それが我々の義務です。そうしないと、犯人はまた別の女を殺すかもしれない」

「この女は昨日の昼頃に赤坂の高級ホテルのダブル・ルームをリザーブして、五時に一人で入った」と漁師が言った。「あとで夫が来ると言った。名前と電話は偽物。金は先払いだった。六時にルーム・サービスで夕食を一人分とった。その時は一人だった。七時には盆が廊下に出してあった。そしてドント・ディスターブの札が出ていた。翌日の十二時がチェックアウト・タイムだった。十二時半にフロント係が電話したが、誰も出なかった。ドアにはまだドント・ディスターブの札がかかっていた。ノックしたが、返事はなかった。ホテルの従業員が合鍵で鍵を開けた。女が裸で死んでいた。一枚目の写真と同じ格好で。男が来たところは誰も見てない。最上階にレストランがあって、みんなしょっちゅうエレベーターで行ったり来たりしている。出入りが激しい。だからここのホテルはよく密会につかわれている。足がつかない」

「ハンドバッグの中には手掛かりになるものは何もなかった」と文学は言った。「免許証もなし、手帳もなし、クレジット・カードもなし、キャッシュ・カードもなし、何もなし。服にはイニシャルがついてない。あるのは化粧道具と三万円ちょっと入った財布と、避妊ピルだけ。他には何もなし。いやひとつだけあった。財布のいちばん奥のちょっとわかりにくいところにね、名刺が一枚入っていた。あんたの名刺」

「本当に知らない?」と漁師が念を押すように言った。

僕は首を振った。僕だってできることなら警察に協力して、彼女を殺した犯人を捕まえてやりたかった。でも、僕はまず生きている人間のことを考えなくてはならないのだ。

「じゃあ、あんたが昨日何処で何をしてたかを教えてくれますか?　これで我々があんたにわざわざここに来てもらって事情聴取している理由がわかったでしょう?」と文学が言った。

「六時に家で一人で食事して、それから本を読んで、酒を何杯か飲んで、十二時前に寝た」と僕は言った。僕の記憶はやっと回復していた。たぶんメイの死体写真を見たせいだろう。

「その間誰かに会った？」と漁師が質問した。

「誰にも会ってない。ずっと一人だったから」と僕は言った。

「電話はどう？　誰かから電話はかかってこなかったですか？」

　誰からもかかって来なかった、と僕は言った。「九時前後にひとつかかってきたけど、留守番電話をいれてたから出なかった。後で聞いてみたら仕事の電話だった」

「どうして家にいるのに留守番電話にしてたんだろう？」と漁師が訊いた。

「今休暇中なんで仕事の関係者と話がしたくなかったからですね」と僕は言った。

　彼らがその電話の相手の名前と電話番号を聞きたがったので、僕は教えた。

「それで、一人で夕食食べてから、ずっと本を読んでたの？」と漁師が質問した。

「まず皿を片付けて、それから本を読んだ」

「どんな本？」

「信じないかもしれないけど、カフカの『審判』」

　漁師は紙にカフカの「審判」と書いた。どういう字かわからなかったので文学が教えた。僕が予想したとおり彼はちゃんとカフカの「審判」のことを知っていた。

「そして、それを十二時まで読んでいた、と」と漁師は言った。「酒も飲んでいた」

「夕方にまずビール。それからブランディー」

「どれくらい飲みました？」

僕は思い出してみた。「缶ビールが二本。それからブランディーを瓶に四分の一くらい。缶詰の桃も食べましたね」

漁師はそれを全部紙にメモした。缶詰の桃も食べた。「他に思い出せることがあったら思い出してくれますか？　どんな細かいことでもいいから」

僕はしばらく考えてみたが、それ以上何も思い出せなかった。本当に細かい特徴のない夜だったのだ。僕は一人で静かに本を読んでいただけだった。そしてその特徴のない静かな夜にメイは誰かにストッキングで絞め殺されていた。思い出せない、と僕は言った。

「ねえ、真剣に考えた方がいいよ」と文学が咳払いしてから言った。「あんた、今すごく不利な立場にいるんだからね」

「いいですか、僕は何もしてないんだから、不利も何もない」と僕は言った。「僕はフリーランスで仕事をしている人間だから、名刺くらい仕事先で幾らでも配っている。どうしてその女の子が僕の名刺を持っていたのか見当もつかないけど、だからといって僕がその子を殺したことにはならないでしょう」

「全然関係のない名刺ならわざわざ財布の奥に大事に一枚だけ持っていたりしないでしょうが」と漁師が言った。「我々は二つ仮説を持ってる。まず第一にこの女はあんたがたの業界の関係者で、ホテルで男と逢引をして、おそらくはその相手に殺された。相手の男がバッグの中の足がつきそうなものを洗いざらい持っていった。ただし名刺だけは財布のいちばん奥に入ってたんで取り忘れた。第二に、この女はプロだった。売春婦。高級売春。一流ホテルを使うやつ。この手合いは足がつきそうなものはまず身につけていない。それが何らかの理由で客に殺された。金は取られてないから、犯人は異常者かもしれない。この二つの線が考えられる？　どうです？」

僕は黙って少し首を傾けた。

「どちらにしても、あんたの名刺がキイになっている。なにしろ今のところ我々にはそれしか手掛かりがないんだから」と漁師がボールペンの頭でこんこんとテーブルを叩きながら言い含めるように言った。

「名刺なんて名前を印刷しただけの紙きれだ」と僕は言った。「証拠にも何にもならない。それだけじゃ何も立証できない」

「今のところはね」と漁師は言った。彼はずっとボールペンの頭でテーブルを叩き続けていた。「それだけじゃ何も立証できない。実にそのとおりです。今鑑識が部屋と遺留品を調べてます。遺体解剖もしている。明日になればもう少しいろんな事がはっきりします。繋がり具合がわかります。それまで待つしかない。待ちましょう。待っている間にあんたにもっといろいろと思い出してほしい。あるいは一晩かかるかもしらんが、徹底的にやります。じっくり時間をかければ、いろいろと思い出すことも出てくるかもしれない。もう一度きちんと最初からやりましょう。きちんと昨日一日のことを思い出してもらいます。朝からひとつひとつ順番に」

僕は壁の時計を見た。時計はいかにも面白くなさそうに五時十分を指していた。僕はその時突然ユキとの約束を思い出した。

「電話を貸してくれませんか?」と僕は漁師に言った。「五時に人と会う約束してたんです。大事な約束だ。連絡しないとまずいことになる」

「女の子?」と漁師が訊いた。

「そう」と僕は答えた。

彼は肯いて電話を僕の方に向けて差し出した。僕は手帳を出してユキの電話番号を調べてダイヤルを回した。三回目のコールで彼女が出た。

「用事ができて行けないって言うんでしょう?」とユキが先に言った。

「事故なんだよ」と僕は説明した。「僕のせいじゃない。悪いとは思うけどどうしようもないんだ。警察につれてこられて取り調べを受けてる。赤坂署にいる。説明すると長くなるんだけど、とにかく簡単には解放してもらえそうもない」

「警察？　何をしたのよ、いったい？」

「何もしてない。殺人事件の参考人として呼ばれてるんだ。巻き込まれてるんだよ」

「馬鹿みたい」とユキは無感動に言った。

「たしかに」と僕も認めた。

「ねえ、あなたが殺したわけじゃないんでしょう？」

「もちろん僕が殺したわけじゃない」と僕は言った。「僕はいろいろと失敗もするし間違いも犯すけれど、人を殺したりはしないよ。事情を聞かれてるだけだよ。いろいろ質問されてるんだ。でもとにかく君には悪いことをした。そのうちにちゃんと埋め合わせするから」

「本当に馬鹿みたい」とユキは言った。そしてがちゃんと叩きつけるように電話を切った。

僕も受話器を置いて、電話を漁師に返した。二人は僕とユキの話にじっと耳を傾けていたが、特に得るところはなかったようだった。でももし僕が十三歳の女の子とデートの約束をしていたなんて知ったら、彼らはきっと僕に対する疑いを一層深めるだろうなと想像した。きっと異常性欲者か何かだと思うだろう。世間一般の三十四歳の男は十三の女の子とデートしたりはしない。

彼らはそれから僕の昨日一日の行動について微にいり細にわたって詳しく質問し、それを書類にした。便箋のような紙に厚紙の下敷きを敷いてボールペンできちんとした字で書きこんだ。何の意味もない馬鹿馬鹿しい書類だった。時間と労力の浪費だった。そこには僕が何を食べて、何処に行ったかが実に克明に記されていた。僕は夕食に食べたこんにゃくの煮物の作り方まで詳しく説明した。冗談半分でかつおぶしの削り方まで説明した。でも彼らには冗談は通じなかった。彼らはひとつひとつ丁寧にそれを書きとめた。かなり分厚い書類になった。本当に無意味な書類。六時半に彼らは近くの仕出し屋から弁当をとってくれた。あまり立派な弁当とは言えなかった。どちらかと言えばジャンク・フードに近かった。肉だんごとか、ポテト・サラダとか、ちくわの煮物とかが入っていた。味つけも材料もあまり感心できる代物ではなかった。油はしつこくて、味つけは濃かった。漬物は人工着色料を使っていた。でも漁師も文学も同じものをとても美味そうに食べていたので、僕も残さずに全部食べた。緊張して食事も喉を通らないんだろうと思われるのが癪だったからだ。

食事が終わると、文学が薄くて生温いお茶を持ってきてくれた。お茶を飲みながら二人はまた煙草を吸った。狭い部屋の中は煙でいっぱいになっていた。目が痛くなり、上着にまでニコチンの臭いが染み付いていた。お茶の時間が終わると、質問がまた始まった。限りのない無意味さの蓄積だった。「審判」をどのあたりからどのあたりまで読んだかとか、何時頃にパジャマに着替えたかとか、そういうつまらないことだ。僕はカフカの小説のあらすじを漁師に説明してやったが、その内容はあまり彼の興味を引かなかったようだった。そのストーリーは彼にとってあまりにも日常的すぎたのかもしれない。フランツ・カフカの小説は果して二十一世紀まで生き残れるだろうか、とふと僕は心配になった。いずれにせよ、彼は「審判」のあらすじまで書類に書きつけた。どうしてそんなことをいちいち聞いて書類にしなくてはならないのか、僕には全然理解できなかった。実にフランツ・カフカ的だ。僕はだんだん馬鹿馬鹿しくなってうんざりしてきた。そして疲れてきた。頭が上手く働かなくなってきた。それはあまりにも瑣末で、あまりにも無意味だった。でも彼らは辛抱強くあらゆる事象の隙間をみつけてはそれについて質問し、それに対する僕の答えを用紙にこと細かに書きつけていった。時々字がわからなくて、漁師が文学に訊いた。彼らはそういう作業には全然うんざりしていないようだった。おそらく疲れてはいるのだろうが、決して手は抜かなかった。どんな細かいことにもどこかに穴がないかと耳を澄ませ、目を光らせていた。時々どちらかが外に出て、五、六分してから戻ってきた。彼らはタフな人々だった。

八時になると質問する係が漁師から文学に代わった。漁師はさすがに腕が疲れたらしく、立ったまま伸びをしたり手を振ったり首を回したりしていた。そしてまた煙草を吸った。文学も質問に入る前にまず一本煙草を吸った。換気の悪い部屋の中には、まるでウェザー・リポートのステージみたいに部屋じゅうに白い煙がたちこめていた。ジャンク・フードと煙草の煙。僕は外に出て思いきり深呼吸がしたかった。

便所に行きたいと僕は言った。ドアを出て右に行って突き当たって左、と文学が言った。僕はゆっくり小便して深呼吸して帰ってきた。便所で深呼吸するというのも変なものだったし、事実あまり気分の良いものではなかった。でも殺されたメイのことを思うと贅沢は言えなかった。少なくとも僕は生きているのだ。少なくとも僕は呼吸ができるのだ。

便所から戻ると文学が質問を再開した。その夜僕に電話をかけてきた相手について彼は詳しく質問した。どんな関係なのか？　どんな仕事で関わったのか？　どんな用事があってかけてきたのか？　どうして折り返しすぐに電話しなかったのか？　どうしてそんなに長い休暇をとったのか？　それだけの経済的余裕はあるのか？　税金の申告はしているのか？　そんな様々な細かい事を訊いた。僕が答えると彼はそれを漁師と同じように時間をかけて綺麗な楷書で用紙に書き込んだ。そんな作業に本当に意味があると彼らが思っているのかどうか、僕には判断できなかった。そういうのは考えるまでもなく、彼らにとっては日常的な作業なのかもしれない。フランツ・カフカ的に。あるいは彼らは僕をぐったりさせて、それによって真実をひっぱりだそうとわざとこういう下らない事務作業を延々と続けているのかもしれなかった。そしてもしそうだとしたら、彼らは実にちゃんとその目的を達していた。僕はくたくたになって、うんざりして、質問されたことは全部ちゃんと答えるようになっていた。何でもいいから早く終わらせてしまいたかった。

でも十一時になってもその作業は終わらなかった。終わる徴候すら見えなかった。十時に漁師が部屋を出て、十一時に戻って来た。仮眠を取ったらしく、目が少し赤くなっていた。彼は自分がいない間に書かれた書類をチェックした。そして文学と代わった。文学はコーヒーを三杯持ってきた。インスタント・コーヒーだった。おまけに砂糖とクリープまで入っていた。ジャンク・フード。

僕はもううんざりだった。

十一時半に疲れて、眠くて、もうこれ以上は何も喋れない、と僕は宣言した。

「弱ったな」と文学は机の上で指を組んでぽきぽきと乾いた音を立てながらいかにも弱ったように言った。「これすごく急いでるし、捜査にとって重要なことなんです。申し訳ないんですが、できることならこのまま頑張って何とか最後までやってしまいたいんですがね」

「こういう質問が重要だとはとても思えないんですがね」と僕は言った。「正直言って瑣末なことのように思える」

「しかし瑣末なことがあとになって結構役に立つんです。瑣末なことで事件が解決した例はいくつもあります。逆に瑣末なことをおろそかにして後悔した例も幾つかあります。何しろこれは殺人ですからね。人が一人死んでるんです。我々だって真剣なんです。悪いけど我慢して協力してください。正直言いましてね、やろうと思えば重要参考人としてあんたの拘置許可をとることもできるんです。でもそういうことするとお互い面倒が増える。そうでしょう？　いっぱい書類がいる。融通もきかなくなる。だからここはひとつ穏便にやりましょうや。協力してくれれば、そういうあらっぽい措置は取りません」

「眠いんなら、仮眠室で寝たらどうです？」と漁師が横から口を出した。「横になってぐっすり寝たらまた何か思い出すかもしれん」

僕は肯いた。どこでもいい。こんな煙っぽい部屋にいるよりはどこでもましだった。

漁師が僕をその仮眠室に連れていってくれた。陰気な廊下を歩き、もっと陰気な階段を降り、また廊下を歩いた。何もかもに陰惨さがしみついているような場所だった。彼の言う仮眠室というのは留置所のことだった。

「ここは僕には留置所のように見えますがね」と僕はとてもとても乾いた微笑みを浮かべて言った。「もし思い違いじゃなかったらということだけど」

「ここしかないんだ、申し訳ないけど」と漁師は言った。

「冗談じゃないよ。家に帰る」と僕は言った。「明日の朝、また来る」

「いや、鍵はかけないから」と漁師は言った。「ねえ、頼みますよ。今日一日だけ我慢してよ。留置所だって鍵をかけなきゃただの部屋でしょう」

僕はあれこれ押し問答するのがだんだん面倒臭くなってきた。もうどうでもいい、と僕は思った。たしかに留置所だって鍵をかけなきゃただの部屋なのだ。とにかく僕はひどく疲れていて、ひどく眠かった。誰ともうこれ以上話をしたくなかった。口をききたくなかった。僕は頭を振り、何も言わずに中に入って固いベッドに寝転んだ。懐かしい感触だった。湿ったマットレスと安物の毛布、便所の臭い。絶望感。

「鍵はかけないから」と漁師は言ってドアを閉めた。かちゃんというひどく冷たい音がした。鍵を掛けても掛けなくても、ちゃんと冷たい音がするのだ。

僕は溜め息をついて、毛布をかぶった。誰かが何処かで大きな鼾をかいているのが聞こえた。その音はすごく遠くから聞こえるようでもあり、近くのようでもあった。僕の知らないうちに地球がいくつもの行き来できない細かい絶望的な層に分かれていて、その近接した層のどこかからもれ聞こえてくるような感じの音だった。物哀しくて、手が届かなくて、そしてリアルだった。メイ、と僕は思った。そういえば、僕は昨日の夜君のことを思い出していたんだ。その時君はまだ生きていたのか、あるいはもう死んでいたのか、どちらかはわからない。でも僕はとにかくその時君のことを思い出していた。君と寝た時のことを。君の服をゆっくりと脱がせた時のことを。あれは本当に、何というか、同窓会みたいだったよ。世界中のネジが緩んだみたいに僕はリラックスしていた。そういうのって本当に久し振りだった。でもね、メイ、僕が君にしてあげられることは今のところ何もない。悪いけど、何もないんだ。君にもわかっているとは思うけれど、我々はみんなとても脆い人生を送っているんだ。僕としては五反田君をスキャンダルに巻き込むわけにはいかないんだ。彼はイメージの世界で生きている男だ。彼が売春婦と寝て、殺人事件の参考人として呼ばれたなんてことが世間に漏れたら、そのイメージの世界はダメージを受けることになるんだ。番組もコマーシャルも降ろされるかもしれない。下らないといえば下らない。下らないイメージで、下らない世間だ。でも彼は僕を友達として信用して、遇してくれた。だから僕も彼を友達として扱う。それは信義の問題なんだ。メイ、山羊のメイ、僕は君と二人でいてとても楽しかった。君と寝ることができてとても楽しかった。童話みたいだった。それが君にとって慰めになるかどうかは僕にはわからないけど、でも君のことはずっと忘れないで覚えている。我々は二人で朝まで雪かきをしたのだ。官能的雪かき。僕らはイメージの世界で、経費を使って抱き合ったのだ。熊のプーと山羊のメイ。首を締められるのはすごく苦しかったろう。まだ死にたくなんかなかっただろう。たぶん。でも僕には何もしてあげられない。こうすることが本当に正しいのかどうか、正直言って僕にもわからない。でも、僕にはこうするしかないんだ。それが僕の生き方なんだ。システムなんだ。だから僕は口をつぐんで何も言わない。おやすみ、山羊のメイ、少なくとも君はもう二度と目が覚めないで済む。二度と死なないで済む。

おやすみ、と僕は言った。

オヤスミ、思考がこだました。

かっこう、とメイが言った。

22

翌日もだいたい同じようなことの繰り返しだった。朝に我々はまた同じ部屋に集まって三人で黙々とひどいコーヒーを飲み、パンを食べた。それほど悪くないクロワッサンだった。それから文学が僕に電気剃刀を貸してくれた。僕は電気剃刀があまり好きではなかったが、あきらめてそれで髭を剃った。歯ブラシはなかったので、仕方ないから丁寧にうがいをした。そして質問が再開された。下らない瑣末な質問。合法的な拷問。昼までそれがぜんまい仕掛けのかたつむりみたいにだらだらと続いた。昼までに彼らは質問できるだけのことは全部質問してしまった。質問の種もようやく尽きたようだった。

「まあ、こんなところですな」と漁師がボールペンを机の上に置いて言った。

二人の刑事は申し合わせたみたいに同時にふうっと溜め息をついた。僕も溜め息をついた。たぶん彼らは僕をここに留めておくために時間稼ぎをしていたのだろう、と僕は見当をつけた。いくらなんでも殺された女の財布に名刺が一枚入っていたくらいで拘置許可が取れるわけがない。たとえ僕に有効なアリバイがなかったとしてもだ。だから彼らはこんな馬鹿気たカフカ的迷路の中に僕をつなぎとめているのだ。指紋だか遺体解剖だかの結果が出て、僕が犯人かどうかはっきりするまで。下らない話だ。

でもとにかくこれで質問も終わったのだ。僕は家に帰る。そして風呂に入り、歯を磨き、きちんとまともに髭を剃る。まともなコーヒーを飲む。まともな食事をする。

「さて」と漁師が背中を伸ばしてとんとんと腰を叩きながら言った。「そろそろ昼飯にしますか」

「もう質問も終わったようだから、僕は家に帰ります」と僕は言った。

「それがそうもいかんのです」と漁師が言いにくそうに言った。

「どうして?」と僕は訊いた。

「あんたがこうこう述べましたという署名がいる」

「いいですよ。署名しましょう」

「その前にまず内容に間違いないかどうか読んで確かめて下さい。一行一行きちんと。非常に大事なことですから」

僕は三十枚か四十枚はあるぎっしりと書き込まれた事務用便箋をゆっくりと丁寧に読んだ。二百年くらい経ったらこういう文章にもあるいは風俗資料的な価値は出るかもしれないな、と僕は読みながら思った。病的と言ってもいいくらい細かくて、実証的だ。研究者の役には立つだろう。都会で生活する三十四歳の独身男性の生活がかなりありありと浮かび上がってくる。平均的男性、とは言えないにせよ、一応時代の子ではある。でも今警察署の取り調べ室で読んでいるとただうんざりするだけだった。読みとおすのに十五分かかった。でもまあ、これで最後なのだ。これさえ読み終えて署名すれば家に帰れるのだ。読み終えると僕は机の上でとんとんと紙を揃えた。

「いいですよ」と僕は言った。「結構です。内容に異存はないですね。署名します。どこに署名すればいいんですか？」

漁師は指の中でボールペンをくるくると回しながら文学の方を見た。文学はラジエーターの上に置いたショート・ホープの箱をとってそこから一本取り出し、口にくわえて火をつけ、顔をしかめてその煙を眺めていた。僕は何だかひどく嫌な予感がした。馬が死にかけていて、遠くで太鼓の音が聞こえる。

「そう簡単にはいかんのです」と文学がとてもゆっくりとした口調で言った。プロがアマチュアに説明する時の、噛んで含める喋り方だった。「こういう書類はですね、自筆じゃないと駄目なんです」

「自筆？」

「つまり、これをもう一度書き直してもらわなくてはならないんですよ。あなたに。自分の字で。そうしないと法律的には有効じゃないんです」

僕はその事務用便箋の束に目をやった。僕には腹を立てる気力も残ってはいなかった。僕は腹を立てたかった。そしてこういうのは間違ったことだ、と怒鳴りたかった。机だって叩きたかった。君たちにこういうことをする権利はない、僕は法律によって保護された市民なんだ、と。僕は立ち上がってさっさと家に帰ってしまいたかった。正確にはそれを止める権利が彼らにないこともわかっていた。でも僕はあまりにも疲れていた。疲れていて、もう何もしたくなかった。誰にも何も主張したくなかった。何か主張するくらいなら言われたとおりに何でもやってやろうというような気になっていた。その方が楽なように思えた。やわになっている、と僕は思った。疲れてやわになっている。昔はこうじゃなかった。昔はもっと真剣に腹を立てていた。ジャンク・フードだろうが煙草の煙だろうが電気剃刀だろうが、そんなもの気にもならなかった。年をとったんだ。弱気になってる。

「嫌だ」と僕は言った。「もう疲れた。家に帰る。帰る権利がある。誰にも止められない」

文学が唸るような欠伸をするような曖昧な声を出した。漁師は天井を見上げながらボールペンの頭でとんとんと机を叩いた。とんとんとん・とん、とんとん・とんとん・とん、という風にリズムに変化をつけて叩いた。

「そういう風に言われると話がややこしくなるね」と乾いた声で漁師が言った。「よろしい。そういうことならこっちも拘置許可を取る。強制的に拘置して取り調べる。そうなったらこんな風におっとりとはしてないよ。ま、いいや、その方がこっちもやりやすい。なあ、そうだよな？」と彼は文学に訊いた。

「そうですね、その方が却ってやりやすいですね。いいです。そうしましょう」と文学は言った。

「お好きに」と僕は言った。「でも拘置許可が出るまでは僕は自由だ。家にいるから、出たら迎えに来てほしい。何でもいいから家に帰る。ここにいると気が滅入る」

「拘置許可がでるまで暫定的に身柄を拘束できるんだよ」と文学は言った。「そういう法律はちゃんとあるんだよ」

六法全書を持ってきてその法律のあるところを見せてくれと言おうと思ったが、そこで僕のエネルギーも尽きた。むこうがはったりでやっていることはわかっていたが、それに立ち向かうには僕はあまりにも疲労していた。

「わかったよ」と僕はあきらめて言った。「言われたとおりに書きましょう。そのかわり電話をかけさせて」

漁師が電話を僕の方に差し出した。僕はユキにもう一度電話をかけた。

「まだ警察にいる」と僕は言った。「夜までかかりそうなんだ。だから今日もそちらにはいけそうもない。悪いけど」

「まだいるの？」と彼女はあきれたように言った。

「馬鹿みたいだ」と僕は言われる前に自分の方から言った。

「まともじゃないわよね」とユキは言った。物事にはいろんな言い方がある。

「何してるの、今？」と僕は訊いてみた。

「別に何も」と彼女は言った。「ただぶらぶらしてるだけ。寝転んで音楽聴いて、雑誌か何か読んで、ケーキ食べて。そういうの」

「ふうん」と僕は言った。「とにかくここを出られたら電話するよ」

「出られるといいわね」とユキは平板な声で言った。

二人はまた僕の電話の会話をじっと耳を澄ませて聞いていた。でも今回も特に得るところはなかったようだった。

「じゃ、まあ、とにかく昼飯にしよう」と漁師は言った。

昼飯はそばだった。箸ではさんで持ちあげただけで切れてしまうくらいのびたそばだった。病人用の流動食みたいだった。不治の病の匂いがした。でも二人はとても美味そうに食べていたので、僕もそれにならった。そばを食べ終えると、文学がまた生温いお茶を持ってきた。

午後は淀んだ深い川のように静かに流れていった。こつこつという時計の音が部屋に響いているだけだった。時々隣の部屋の電話のベルが聞こえた。僕はただただ事務用便箋に字を書いていた。その間に二人の刑事は交代で休憩を取った。時々二人で廊下に出てひそひそと小声で話をしていた。僕は机に向かって黙々とボールペンを走らせていた。下らない文章を左から右に書き写していた。「私は六時十五分頃に夕食を取ろうと思い、まず冷蔵庫からこんにゃくを取り出し……」。純粋な消耗。やわになってる、と僕は自分に向かって言った。すごくやわになってる。言いなりになってる。何も言い返さない。

でもそれだけじゃない、と僕は思った。確かに少しやわにはなっている。しかし一番の問題は自分に確信が持てないことだ。だから突っ張れないのだ。僕のやっていることは本当に正しいのだろうか？　僕は五反田君をかばったりするかわりに全てを正直に打ちあけて捜査に協力するべきではないのだろうか？　僕は嘘をついている。嘘をつくのは、それがどんな種類の嘘であっても、あまり気持ちの良いものではない。たとえ友達のためであってもだ。自分に言い聞かせることはできる。たとえ何をしてもメイが生き返るわけではないのだ、と。そういう風に自分を納得させることはできる。でも突っ張れない。だから僕は黙って書類を書き写し続けた。夕方までかけて二十枚仕上げた。長時間ボールペンで細かい字を書き続けるのは骨の折れる作業だった。だんだん手首がだるくなってくる。肘が重くなる。右手の中指が痛み始める。頭がぼんやりしてすぐに字を間違える。間違えると線を引いて、そこに拇印を押す。気が滅入ってくる。

夕方にまた弁当を食べた。食欲は殆どなかった。茶を飲むと胃がむかついた。洗面所に行って鏡を見ると、我れながらひどい顔をしていた。

「まだ結果は出ないんですか?」と僕は漁師に訊いてみた。「指紋とか遺留品とか遺体解剖の結果とかは?」

「まだだね」と彼は言った。「もう少し時間がかかる」

十時までかけてあと五枚というところまで何とかやっとこぎつけたが、それが僕の能力の限界だった。これ以上もう一字も書けない、と僕は思った。そしてそう言った。漁師がまた僕を留置所に連れて行った。僕はそこでぐっすりと眠った。歯を磨けないことも、着替えがないことも、もうどうでも良くなっていた。

朝になってまた電気剃刀で髭を剃り、コーヒーを飲み、クロワッサンを食べた。そしてあと五枚と思った。僕は二時間でその五枚を書いた。そして一枚一枚にきちんと署名をし、拇印を押した。文学がそれをチェックした。

「これでもう解放してもらえるんでしょうね?」と僕は言った。

「あともう少しだけ質問に答えてくれれば、帰っていいです」と文学は言った。「大丈夫、簡単な質問です。少し補足したいことを思い出したもので」

僕は溜め息をついた。「そしてそれをまた書類にするんでしょうね、もちろん?」

「もちろんです」と文学は答えた。「残念ながら役所というのはそういう所なんです。書類が全てです。書類と印鑑がなければ、何もないのと同じです」

僕は指の先でこめかみを押さえた。こめかみの中にごわごわとした異物が入っているような気がした。それは何処かから入ってきて、そして頭の中で膨らんだのだ。今となってはもう取り出すことはできない。手遅れですね、もう少し前だったら簡単に取り出せたんですがね。お気の毒です。

「大丈夫ですよ。そんなに時間は取らせません。すぐに終わります」

僕があらたなる瑣末な質問に力なく答えていると、漁師が部屋に戻ってきて、文学を呼び出した。そして長い間二人でひそひそと立ち話をしていた。その間僕は背もたれにもたれて首を上にあげ、部屋の天井の隅に染みのようにこびりついた黒い黴を観察していた。黴はまるで死体写真の陰毛のように見えた。そしてそこから壁のひびわれに沿って、フラスコ画のように滲んだ点が下に向けて連なっていた。その黴にはこの部屋に出入りした数多くの人間の体臭やら汗やらが染み込んでいるように僕には感じられた。そういうものが何十年かかけてこんな陰惨な黴を作り出したのだ。そういえば随分長く外の風景を見てないな、と僕は思った。音楽も聴いていない。ひどい場所だ。ここでは人々があらゆる手段を使って人間の自我や感情や誇りや信念を圧殺しようとする。目に見える傷が残らないように心理的にこづきまわし、蟻の巣のような官僚的迷路を引きずり回し、人が抱く不安感を最大限に利用する。そして太陽の光を遠ざけ、ジャンク・フードを食べさせる。嫌な汗をかかせる。そのようにして黴が生まれる。

僕は机の上に両手を揃えて置き、目を閉じて雪の降りしきる札幌の街のことを思った。巨大なドルフィン・ホテルとそこのフロント係の女の子のこと。彼女は今どうしているだろう？　フロントに立ってあの輝かしい営業的微笑を口許に浮かべているのだろうか？　僕は今ここから電話をかけて彼女と話したかった。下らない冗談を言いたかった。でも僕は彼女の名前さえ知らない。名前も知らないのだ。電話のかけようがない。可愛い女の子だった、と僕は思った。特に彼女が働いている姿が素敵だった。ホテルの精。彼女はホテルで働くことが好きなのだ。僕とは違う。僕は働くことが好きになったことなんて一度もない。僕はとてもきちんとした仕事をする。でもそれを愛したことは一度もない。彼女は仕事そのものを愛している。でも仕事場を離れると彼女はどことなく脆く見える。不安定で傷つきやすく見える。僕はあの時、彼女と寝ようと思えば寝られた。でも寝なかった。

僕は彼女ともう一度話をしたかった。
彼女が誰かに殺されたりしないうちに。
彼女がどこかに消えてしまったりしないうちに。

23

二人の刑事はやがて部屋に入ってきたが、今度はどちらも腰掛けなかった。僕はまだぼんやりと黴を眺めていた。

「あんた帰っていいですよ、もう」と漁師が無表情な声で僕に言った。「御苦労さんでした」

「帰っていい？」と僕は唖然として聞きかえした。

「もう質問が終わったの。おしまい」と文学が言った。

「いろいろと事情が変わったのよ」と漁師が言った。「これ以上あんたをここに置いておけなくなった。だから帰っていいです。御苦労さん」

僕はすっかり煙草臭くなってしまったジャケットを着て、椅子から立ち上がった。何だかよくわけがわからないけれど、何にせよ相手の気が変わらないうちにさっさと帰ってしまった方がよさそうだった。玄関まで文学が送ってくれた。

「あのね、あんたがシロだってことは、昨日の夜にもうわかってたんですよ」と彼は言った。「鑑識と解剖の結果が出て、あんたとは全く繋がりがみつからなかった。残っていた精液の血液型も違ってた。あんたの指紋も出なかった。でもね、あんたは何か隠してたね。だから置いておいたんです。それを吐き出すまでもう少し叩いてみようって。何か隠してることは我々にはわかるんだ。勘ですよ。職業的な勘。あの女が誰か、ヒントくらいは持ってるでしょう？　でも何かの理由でそれを隠している。いけないことだよ。俺たちそんな甘くないよ。プロだから。だいたい人が一人殺されてるんだ」

「悪いけど何を言ってるのかよくわからない」と僕は言った。

「また来てもらうことになるかもしれんですよ」と彼はポケットからマッチを出して、マッチ棒で爪の甘皮を押しながら言った。「やるとなると、我々はしつこいからね。今度は横から弁護士が出てきてもびくともしないくらいびしっと準備してやる」

「弁護士？」と僕は訊いた。

でもその時、彼はもう建物の中に姿を消していた。僕はタクシーを拾って家に帰った。そして浴槽に湯をはって、ゆっくりとそこに身を沈めた。歯を磨き、髭を剃り、頭を洗った。体中が煙草臭かった。ひどい場所だった、と僕は思った。蛇の穴みたいだ。

風呂を出ると僕はカリフラワーを茹で、それを食べながらビールを飲み、アーサー・プライソックがカウント・ベイシー・オーケストラをバックに唄うレコードを聴いた。無反省にゴージャスなレコード。十六年前に買った。一九六七年。十六年間聴いている。飽きない。

それから僕は少し眠った。ちょっとどこかに行って、回れ右して引き返してくるような眠りだった。三十分かそこらのものだ。目が覚めて時計を見ると、まだ一時だった。僕は水着とタオルをバッグに入れて、スバルに乗って千駄ヶ谷の室内プールに行き、一時間みっちりと泳いだ。それでやっと人間らしい気持ちになれた。食欲も少し出てきた。僕はユキに電話をかけてみた。彼女はいた。やっと警察から解放されたんだ、と僕は言った。それはよかったわね、と彼女はクールに言った。昼御飯は食べたかと僕は聞いてみた。食べてないと彼女は言った。朝からシュークリームを二個食べただけ、と彼女は言った。相変わらずひどい食生活だ、と僕は思った。今から迎えにいく、何か食べにいこう、と僕は言った。うん、と彼女は言った。

僕はスバルに乗って外苑を回り、絵画館前の並木道を通って、青山一丁目から乃木神社に出た。日一日と春の気配は濃くなっていた。僕が赤坂警察署に二泊している間にも、風の感触は穏やかになり、木々の葉は目に見えて青みを増し、光は丸みを帯び柔らかくなっていた。都市の騒音さえもがアート・ファーマーのフリューゲル・ホーンみたいに優しく聞こえた。世界は美しく、腹も減っていた。こめかみの奥のいびつな形をしたこわばりもいつの間にか消えていた。

僕が玄関のベルを押すと、ユキはすぐ下におりてきた。彼女は今日はデヴィッド・ボウイのトレーナー・シャツを着て、その上に茶色の揉み革のジャンパーを着ていた。そしてキャンバス地のショルダー・バッグを下げていた。ショルダー・バッグにはストレイ・キャッツとスティーリー・ダンとカルチュア・クラブのバッジがついていた。奇妙な組み合わせだったが、まあ何でもいいのだろう。

「警察は楽しかった?」とユキは訊いた。

「ひどかった」と僕は言った。「ボーイ・ジョージの唄と同じくらいひどかった」

「へえ」と彼女は無感動に言った。

「今度エルヴィス・プレスリーっていうバッジ買ってあげるから、つけかえたら」と僕はショルダー・バッグのカルチュア・クラブのバッジを指して言った。

「変な人」と彼女は言った。いろんな言い方がある。

僕はまず彼女をまともな店に連れていって、ホール・ホイートのパンで作ったロースト・ビーフ・サンドイッチと、野菜サラダを食べさせ、まっとうで新鮮なミルクを飲ませた。僕も同じ物を食べ、コーヒーを飲んだ。美味いサンドイッチだった。ソースがさっぱりとして、肉が柔らかく、本物のホースラディッシュ・マスタードを使っている。味に勢いがある。こういうのを食事というのだ。

「さて、これから何処に行こうか？」と僕はユキに訊いた。

「辻堂」と彼女は言った。

「いいよ」と僕は言った。「辻堂に行こう。でもどうして辻堂なんだろう？」

「パパの家があるから」とユキが言った。「あなたに会いたいんだって」

「僕に？」

「あの人、そんなに悪い人じゃないわよ」

僕は二杯目のコーヒーを飲みながら首を振った。「何も悪い人だなんて言ってない。でも君のお父さんがどうしてわざわざ僕に会いたがるんだろう？　君が僕のことをお父さんに話したの？」

「そう。電話したの。そしてあなたに北海道から連れて帰ってもらったこと話して、今あなたが警察に連れていかれて帰してもらえないで困ってるって言ったの。それでパパが知り合いの弁護士に警察にあなたの事を問い合わせてもらったの。あの人そういうつきあいが広いのよ。かなり現実的な人だから」

「なるほどね」と僕は言った。「そういうことか」

「役に立ったでしょ?」

「役に立ったよ。実に」

「パパは言ってたけど、警察にはあなたをひきとめておくような権利はなかったんですって。帰ろうと思えばあなたはいつでも自由に帰れたのよ。法律的には」

「知ってたよ、そのことは」と僕は言った。

「じゃあ、どうして帰ってこなかったの?　もう帰りますって」

「むずかしい問題だ」と僕は少し考えてから答えた。「あるいは自己を罰していたのかもしれない」

「普通じゃないわね」と彼女は頬杖をついて言った。いろんな言い方がある。

*

僕らはスバルに乗って辻堂まで行った。午後も遅くなっていたので、道路は空いていた。彼女はショルダー・バッグからいろんなテープを出してかけた。ボブ・マーリーの「エキソダス」からスティックスの「ミスター・ロボット」まで、実に様々な種類の音楽が車内に流れた。面白いものもあれば、下らないものもあった。でもそういうのは景色と同じなのだ。右から左にどんどん過ぎ去っていく。ユキは殆ど口をきかずにシートにゆったりともたれて音楽を聴いていた。ダッシュボードにあった僕のサングラスをとって、それをかけ、途中でバージニア・スリムを一本吸った。僕も黙って運転に神経を集中していた。細かくギヤを変え、ずっと先の路面を眺めていた。交通標識をひとつひとつ丁寧にチェックした。

時々彼女のことがうらやましくなった。彼女が今十三歳であることが。彼女の目にはいろんな物事が何もかも新鮮に映るのだろう。音楽や風景や人々が。それは僕が見ているものの姿とはまるで違っているだろう。僕だって昔はそうだった。僕が十三歳の頃、世界はもっと単純だった。努力は報いられるはずのものであり、言葉は保証されるはずのものであり、美しさはそこに留められるはずのものであった。でも、十三歳の時の僕はそれほど幸せな少年ではなかった。僕は一人でいることを好み、一人でいるときの自分を信じることができたけれど、当然ながら大抵の場合一人にはなれなかった。家庭と学校という二種類の強固な枠の中に閉じ込められて、僕は苛立っていた。苛立ちの年だった。僕は女の子に恋をしていて、それはもちろん上手く行かなかった。何故なら恋がどういうものかということさえ僕は知らなかったのだから。僕は彼女と殆どまともに口をきくことすらできなかった。僕は内気で不器用な少年だった。教師や親の押し付けてくる価値観に異議を唱え反抗しようとしていたが、異議申し立ての言葉が上手く出てこなかった。何をやっても手際良く行かなかった。何をやっても手際良く行く五反田君とは全く逆の立場の人間だった。でも、僕は物事の新鮮な姿を見ることはできた。それは素敵なことだった。匂いがきちんと匂い、涙は本当に温かく、女の子は夢のように美しく、ロックンロールは永遠にロックンロールだった。映画館の暗闇は優しく親密であり、夏の夜はどこまでも深く、悩ましかった。それらの苛立ちの日々を僕は音楽や映画や本とともに過ごした。サム・クックやリッキー・ネルソンの唄の歌詞を覚えて過ごした。僕は自分一人の世界を構築し、その中で生きていた。それが僕の十三歳だった。そして五反田君と同じ理科の実験班にいた。彼は女の子たちの熱い視線を浴びてマッチを擦り、ガス・バーナーに優雅に火をつけていた。ボッと。

どうして彼が僕をうらやましがらなくてはならないのだ？

わからない。

「ねえ」と僕はユキに声をかけた。「羊の皮を着ていた人の話を聴かせてくれないかな？何処で君はその人に会ったの？　そしてどうして僕がその人に会ったことを知っているの？」

彼女は顔をこちらに向け、サングラスをとってダッシュボードに戻した。そして肩を小さくすくめた。「その前にまず私の質問に答えてくれる？」

「いいよ」と僕は言った。

ユキはしばらく二日酔いの朝みたいに薄暗くて物哀しいフィル・コリンズの唄にあわせてハミングしてから、もう一度サングラスを手にとってつるをいじった。「あのね、前にあなた北海道で私に言ったでしょう？　これまでにデートしたことのある女の子の中で私がいちばん綺麗だって」

「確かにそう言った」と僕は言った。

「あれ本当なの？　それとも私の機嫌を取るためのものだったの？　正直に言ってほしいんだけど」

「本当だよ。嘘じゃない」と僕は言った。

「何人くらいの人とデートしたのかしら、これまで？」

「数知れず」

「二百人くらい？」

「まさか」と僕は笑って答えた。「僕にはそれほどの人気はない。まったく人気がないというわけでもないけど、どちらかと言うとすごく局地的なんだ。幅が狭くて、ひろがりに欠ける。せいぜい十五人くらいのものじゃないかな」

「そんなに少しなの？」

「みじめな人生なんだ」と僕は言った。「暗くって、湿ってて、狭い」

「局地的」とユキは言った。

僕は肯いた。

彼女はそういう人生について少し考えを巡らせていた。でもうまく理解できないようだった。仕方ない。まだ若すぎるのだ。「十五人」と彼女は言った。

「だいたい」と僕は言った。そしてもう一度三十四年のささやかな人生を振り返ってみた。「だいたいそれくらい。多くてもせいぜい二十人くらいのものだろうな」

「二十人か」とユキはあきらめたように言った。「でもまあとにかくその中で私がいちばん綺麗だったのね？」

「そう」と僕は言った。

「綺麗な人とはあまり付き合わなかったの？」と彼女は訊いた。そして二本目の煙草に火をつけた。交差点に警官の姿が見えたので、僕はそれを取り上げて窓から捨てた。

「けっこう綺麗な女の子ともデートした」と僕は言った。「でも君の方が綺麗だ。嘘じゃないよ。こういう言い方が理解できるかどうかわからないけれど、君の綺麗さは独立して機能してる綺麗さなんだ。他の子とは全然違う。でもお願いだから車の中で煙草吸わないで。外から見えるし、車も臭くなる。前にも言ったように女の子が小さい時から煙草を吸い過ぎると大きくなって生理不順になる」

「馬鹿みたい」とユキは言った。

「羊の皮をかぶった人の話をして」と僕は言った。

「羊男のことね？」

「どうして知ってるの、その名前を？」

「あなたが言ったのよ、このあいだ電話で。羊、男って」

「そうだっけ？」

「そうよ」とユキは言った。

道路は渋滞していて、僕は信号を二回ずつ待たなくてはならなかった。

「羊男の話をして。何処で羊男に会ったの？」

ユキは肩をすぼめた。「私、その人に会ったわけじゃないの。ただふとそう思っただけなの。あなたを見ていて」そして細いまっすぐな髪を指にくるくるとまきつけた。「そういう感じがしたの。羊の皮をかぶった人がいるような。そういう気配がしたの。あなたにあのホテルで会う度に、そういう風に感じたの。だからそう口に出して言ってみたの。それについてとくに何かを知ってるってわけではないの」

僕は信号待ちをする間そのことについてしばらく考えてみた。考える必要がある。頭のねじを巻く必要がある。きりきりと。

「そう思った、ということは」と僕はユキに聞いた。「つまり君にはその姿が見えたっていうことかな、羊男の姿が？」

「うまく言えない」と彼女は言った。「どう言えばいいのかな。その羊男という人の姿が目にありありと浮かぶというんじゃないの。わかるかな？　何かこう、そういうものを見た人の感情がこっちに空気みたいに伝わってくるのよ。それは目には見えないものなの。目には見えないんだけど、それを私は感じて、かたちに置き換えることができるの。でもそれは正確にはかたちじゃないの。かたちのようなものなの。もし誰かにそれをそのまま見せることができたとしても、他の人には何がなんだかわからないと思う。それはつまりね、私だけにしかわからないかたちなの。ねえ、上手く説明なんかできないわよ。馬鹿みたいだわ。ねえ、私の言ってることわかる？」

「漠然としかわからない」と僕は正直に言った。

ユキは眉をしかめながら僕のサングラスのつるを噛んでいた。

「つまり、こういうことなのかな？」と僕は聞いてみた。「君は僕の中にある、あるいは僕にくっついて存在している感情なり思念なりを感じとって、それを例えば象徴的な夢みたいに映像化できるということ？」

「思念？」

「強く考えられたこと」

「そうね、そうかもしれない。強く考えられたこと――でもそれだけじゃない。その強く考えられたことを作り出したもの、そういう物があるの。そのとても強い何か。思いを作り出す力と言えばいいのかしら、そういう物があると私はそれを感じちゃうの。感応するんだと思う。そしてそれを、私なりに、見るの。でも夢のようにではない。空っぽの夢。そう、そういうこと。空っぽの夢なの。そこには誰もいない。何の姿も見えない。ほら、ＴＶのコントラストをすごく暗くしたり、すごく明るくしたりしたときと同じ。何も見えない。でもそこには誰かがいるのね。じっと目を凝らすと。それを感じるの。そこにいるのは羊の皮をかぶった人だって。悪い人じゃない。いや、それは人でさえないって。でも悪いものじゃない。でも見えない。あぶりだした絵みたいに、それはそこにあるの。見えないけれど、わかるの。見えないものとして見えるの。かたちのないかたちなの」彼女は舌打ちした。「ひどい説明」

「いや、君は上手く説明してるよ」

「本当？」

「とても」と僕は言った。「君の言いたいことはわかるような気がする。僕がそれを呑みこむのに時間がかかるだけだ」

町中を抜けて辻堂の海にでると、僕は松林のわきの駐車スペースの白い線の中に車を停めた。車の姿は殆どなかった。少し歩こうと僕はユキに言った。気持ちの良い四月の午後だった。風らしい風もなく、波も穏やかだった。まるで沖の方で誰かがシーツをそっと揺すっているみたいに小さく波が寄せ、そして引いていった。静かで規則正しい波だった。サーファーはあきらめて陸に上がり、ウェット・スーツを着たまま砂浜に座って煙草をふかしていた。塵を焼く焚き火の白い煙が殆ど真っ直ぐに空に向けてたちのぼり、左手には江ノ島が蜃気楼のようにぼんやりとかすんで見えた。大きな黒い犬が思いつめたような顔つきで波打ち際を右から左に向けて小走りに均等な歩調で通りすぎていった。沖合には何隻か漁船が浮かび、その上空を白い渦巻きのように音もなく鷗の群れが舞っていた。海にも春の気配が感じられた。

僕らは海岸の歩行者道路を散歩した。ジョガーや自転車に乗った女子高校生とすれちがいながら、藤沢の方に向けてのんびりと歩き、適当なところで砂浜に座って二人で海を眺めた。

「よくそういうことは感じるの？」と僕は彼女に聞いてみた。

「そんなにしょっちゅうじゃない」とユキは言った。「たまに。たまにしか感じないの。

そういうことを感じる相手ってそんなに沢山はいないの。ちょっとだけ。でもなるべくそういう風に感じることは避けるようにしてるの。何か感じてもなるべくそのことは考えないようにしてるの。何か感じそうになったらぱっと閉じちゃうようにしてるの。だいたいそういう時って感じでわかるから。閉じちゃうと、深くは感じなくてすむの。目を閉じるのと同じ。感覚を閉じちゃうの。そうしたら何も見えない。何かがあることはわかる。でも見えない。そのままじっとしてれば、何も見なくてすむ。ほら映画なんかで怖いものが出てきそうになると目を閉じるでしょう、あれと同じこと。それが通りすぎてしまうまで閉じてるの。じっと」

「どうして閉じちゃうの？」

「嫌だから」と彼女は言った。「昔は——もっと小さい頃は——閉じなかった。学校でもね、何か感じたらそれを口に出してた。でもそうすると、みんなが気持ち悪がるの。つまりね、誰かが怪我しそうだってわかるの。それで、友達に『あの人怪我するわよ』って言うと、結局その人ちゃんと怪我するの。そういうことが何度かあって、それ以来みんな私のことお化けみたいに扱うようになったの。『お化け』って呼ばれたことだってあるのよ。そういう評判が立ったの。それで私すごく傷ついたわ。だからそれ以来もう何も言わないことにしたの。誰にも何も言わないの。見えそうになったら、感じそうになったら、すっと自分を閉じちゃうの」

「でも僕の時は閉じなかったんだね?」

彼女は肩をすぼめた。「なんだか突然だったの。警戒する暇もなかった。突然ふっと、そのイメージみたいなのが浮かんだの。最初にあなたに会った時。ホテルのバーで。私が音楽聴いていて、ロック聴いて……何だっていいのよデュラン・デュランだろうがデヴィッド・ボウイだろうが……うん、音楽をじっと聴いてる時ってそうね。あまり警戒してないの。リラックスしてるの。だから音楽って好きよ」

「予知能力があるっていうことなんだろうか?」と僕は訊いた。「たとえばその、怪我をすることがわかるとか、そういうのは?」

「どうかしら。そういうのとはまた少し違うと思うな。私は予知するわけではなくて、そこにあるものをただ感じとるだけなの。でもなんて言うのかな、何かが起こるには起こるための雰囲気みたいなのがあるでしょう。わかるかな?　たとえば鉄棒をやってて怪我する人って、何かしら油断とか過信とかそういうのがあるでしょう?　はしゃいで調子に乗っているとか。そういう感情の波のようなものが、私にはすごく敏感に感じとれるの。そしてそういう感情の波が、こう、空気の塊りみたいになるの。そしてこれは危ない、と思うわけ。そうすると空っぽの夢みたいなのがふっと出てくるの。それが出てくると……起こるのよ、それが。予知じゃないの。もっとぼんやりとしたものなの。でもそれは起こるの。見えるのよ。でももう何も言わない。何か言うとみんな私をお化けって呼ぶから。ただ見てるの。ここでこの人は火傷するんじゃないか、って。すると火傷するの。でも私には何も言えないの。そういうのって、ひどいでしょう？ 自分が嫌になってしまうの。だから閉じる。閉じちゃえば、自分が嫌にならないで済むし」

彼女はしばらく手に砂をとって遊んでいた。

「羊男は本当にいるの？」

「本当にいるよ」と僕は言った。「あのホテルの中には彼の住んでいる場所があるんだ。ホテルの中にもうひとつ別のホテルがある。それは普通では見えない場所なんだ。でもそれはちゃんとそこに残されている。僕の為に残されているんだ。それは僕の為の場所だからだよ。彼はそこで生きていて、僕といろんな物事を繋げているんだ。それは僕のための場所で、羊男は僕のために働いている。彼がいないと、僕はいろんなものとうまく繋がらない。彼がそういうのを管理してるんだ。電話の交換手みたいに」

「繋げる？」

「そう。僕が何かを求める。何かを繋げようと思う。彼がそれを繋げる」

「よくわからない」

僕もユキと同じように砂をすくって、指のあいだから落とした。

「僕にもまだよくわからない。でも羊男が僕にそう説明してくれた」

「ずっと昔から羊男はいたの?」

僕は肯いた。「うん、昔からいた。子供の頃から。僕はそのことをずっと感じつづけていたよ。そこには何かがあるんだって。でもそれが羊男というきちんとした形になったのは、それほど前のことじゃない。羊男は少しずつ形を定めて、その住んでいる世界の形を定めてきたんだ。僕が年をとるにつれてね。何故だろう? 僕にもわからない。たぶんそうする必要があったからだろうね。年をとって、いろんなものをなくしちゃったから、そうする必要が出てきたんだろうな。生きていくために、そういうものの助けが必要になったんだろう。でも僕にもはっきりとはわからないよ。別の理由があるのかもしれない。それについてずっと考えている。でもわからない。馬鹿みたいだ」

「そのこと、他の誰かに話した?」

「いや、話してない。そんなこと話しても誰も信じないだろうしね。誰も理解しない。それに僕には上手く説明できない。君に話したのが初めてだよ。君になら話せそうな気がしたんだ」

「私もきちんとこういう風に説明したのはあなたが初めて。ずっと黙っていたの。パパもママもある程度知ってはいるけど、私の方から話したことはないの。ずっと小さい時からそういうことは話さない方がいいんだっていう気がしてたの。本能的に」

「話しあえてよかった」と僕は言った。

「あなたもお化け組の一人なのよ」とユキは砂をいじりながら言った。

車を停めたところまで歩いて戻るあいだに、ユキは学校の話をした。中学校がどれほどひどいところだったかということを彼女は話した。

「夏休みからずっと学校に行ってないの」と彼女は言った。「勉強が嫌いなわけじゃないの。ただあそこの場所が嫌いなの。我慢できないの。学校に行くと気分が悪くなってすぐ吐いちゃうの。毎日吐いてたわ。吐くとそのことでまた苛められるの。みんなが苛めるのよ。先生まで一緒になって苛めるの」

「僕が同級生だったら、君みたいな綺麗な子は絶対苛めないけどね」

ユキはしばらく海を眺めていた。「でも逆に綺麗だから苛めるってこともあるんじゃないかしら？　それに私、有名人の子供だし。そういうのって、すごく大事にされるかすごく苛められるか、どちらかなの。そして私はあとの方なの。みんなと上手くやっていけないの。私はいつも緊張してなくちゃならないの。ほら、いつでもすっと心を閉じられるようにしてなくちゃならないでしょう？　でもそういうのって誰にもわからない。私がいつもそういう風にびくびくしてなくちゃいけないという理由がね。びくびくしてると、カモみたいに見えるの。そして苛めるの。すごく嫌らしいやりかたで。信じられないくらい嫌らしいの。すごく恥ずかしいことするの。そんなことできるなんて信じられないようなこと。だって……」

僕はユキの手を握った。「大丈夫だよ」と僕は言った。「そんなつまらないこと忘れなよ。学校なんて無理に行くことないんだ。行きたくないなら行かなきゃいい。僕もよく知ってる。あれはひどいところだよ。嫌な奴がでかい顔してる。下らない教師が威張ってる。はっきり言って教師の八〇パーセントまでは無能力者かサディストだ。あるいは無能力者でサディストだ。ストレスが溜まっていて、それを嫌らしいやりかたで生徒にぶっつける。意味のない細かい規則が多すぎる。人の個性を押し潰すようなシステムができあがっていて、想像力のかけらもない馬鹿な奴が良い成績をとってる。昔だってそうだった。今でもきっとそうだろう。そういうことって変わらないんだ」

「本当にそう思う？」

「もちろん。学校のくだらなさについてなら一時間だってしゃべれる」

「でも義務教育よ、中学校って」

「そういうことは誰か他の人が考えることで、君が考えることじゃない。みんなが君を苛めるような場所に行く義務なんて何もない。まったくない。そういうのを嫌だという権利は君にあるんだよ。大きな声で嫌だと言えばいいんだ」

「でもそれから先はどうなるの？　ずっとこういう事の繰り返しなの？」

「僕も十三の時はそういう風に思ったこともあった」と僕は言った。「こんなままの人生が続くんじゃないかって。でもそんなことない。何とかなる。何とかならなかったら、またそのときに考えればいい。もう少し大きくなれば恋もする。ブラジャーも買ってもらえる。世界を見る目も変わってくる」

「あなたって馬鹿ね」と彼女はあきれたように言った。「あのねえ、最近の十三の女の子はみんなブラくらい持ってるわよ。あなた半世紀くらい遅れてるんじゃない？」

「へえ」と僕は言った。

「うん」とユキは言った。そしてもう一度確認した。「あなた馬鹿よ」

「そうかもしれない」と僕は言った。

彼女はそのまま何も言わずに僕の前に立って車まで歩いた。

24

海岸の近くにあるユキの父親の家に着いた時にはもう日が暮れかけていた。古くて広くて、いやに庭木が多い家だった。その一角には湘南がまだ浜辺の別荘地だったころの面影が残っていた。静かでひっそりとして、春の夕暮れがよく似合っていた。ところどころの庭で桜がもったりと蕾を膨らませていた。桜が咲き終わると、やがて木蓮が花をつけることだろう。そういう具合に色合いと匂いの微かな日々の変化によって季節の移り変わりを感じ取ることができる。そんな場所がまだ残っているのだ。

牧村家は高い板塀で囲まれ、門は屋根のついた昔風の造りだった。表札だけがいやに新しく、そこにくっきりとした字で黒々と「牧村」と書いてあった。ベルを押すとしばらくして二十代半ばの背の高い男が出てきて、僕とユキを中に通してくれた。髪が短く、愛想の良い男だった。僕に対してもユキに対しても愛想が良かった。ユキとは前に何度か会っているらしかった。彼は五反田君と同じような清潔で感じの良い笑い方をした。でももちろん五反田君の方がずっと洗練されていた。彼は僕を奥の庭に案内しながら、自分は牧村先生の手伝いをしているのだと言った。

「自動車の運転手やったり、原稿を届けたり、調べ物をしたり、ゴルフのお供したり、麻雀のおつきあいしたり、外国についていったり、とにかく何でもやりますよ」と彼は特に聞かれもしないのに楽しそうに僕に説明した。「昔風に言えば住み込みの書生というところですね」

「へえ」と僕は言った。

ユキは「馬鹿みたい」と言いたそうだったが、何も言わなかった。彼女もやはり相手を見て物を言うのだろう。

牧村先生は裏庭でゴルフの練習をしていた。松の木の幹と幹の間に緑色のネットを張って、真ん中の的を目掛けて思いきりボールを打っていた。クラブが空を切るヒュッという音が聞こえた。僕が世の中でいちばん嫌いな音のひとつだ。惨めで物哀しく聞こえる。どうしてだろう？　簡単だ。偏見があるからだ。僕がゴルフというスポーツをわけもなく嫌っているからだ。

彼は僕らが入っていくと振り向いてクラブを下に置いた。そしてタオルをとって丁寧に顔の汗を拭き、ユキに「よく、来たな」と言った。彼女は何も聞こえなかった振りをした。目を逸らしてジャンパーのポケットからガムを出し、紙をはがして口に入れ、くちゃくちゃと音を立てて嚙んだ。そして包装紙を丸めて近くの植木鉢の中に捨てた。

「こんにちはくらい言えば」と牧村先生は言った。

「こんにちは」とユキが嫌そうに言った。そしてジャンパーのポケットに手をつっこんだままふらりとどこかに行ってしまった。

「おい、ビール持ってきてくれ」と牧村先生がぶっきらぼうな声で書生に言った。書生は「はい」とよく澄んだ大きな声で返事をして足早に庭を出ていった。牧村先生は大きな咳払いをして地面にぺっと唾を吐き、またタオルで顔の汗を拭いた。そして僕の存在は無視してしばらくの間じっと緑のネットと白い的を睨んでいた。何かを総合し省察するように。僕はそのあいだ苔のはえた庭石をぼんやりと見ていた。

その場の雰囲気は僕には何となく不自然で人工的で、多少馬鹿馬鹿しく感じられた。何処が悪いというのではない。誰が間違っているというのでもない。でもどうも何かのパロディーみたいな感じがするのだ。みんなきちんと自分に与えられた役割を果たしているように見える。作家と書生。でも五反田君ならもっとチャーミングに上手くやれるだろうなと僕は思った。五反田君は何でも上手くやれるのだ。たとえ脚本がまずくとも。

「君がユキの面倒を見てくれたんだって」と先生は言った。

「たいしたことじゃないです」と僕は言った。「ただ一緒に飛行機に乗って帰ってきただけです。何もしてないですよ。それよりも警察のこと有り難うございました。助かりました」

「うん、ああ、いや、そりゃいいんだ。とにかくこれで貸し借りなしだ。気にしなくていい。それに娘が俺に何か頼みごとするなんて希有なことだからさ。別にそりゃいいんだ。俺も警察は昔から嫌いだ。六〇年には俺もひどい目にあった。樺美智子が死んだとき俺は国会の回りにいた。大昔だ。大昔には——」

それから彼は腰を屈めてゴルフ・クラブを拾い上げ、僕の方を向き、クラブで自分の足をとんとんと軽く叩きながら僕の顔を見て、僕の足元を見て、また僕の顔を見た。まるで足と顔の相関関係を捜しているみたいに。

「——大昔には、何が正義で、何が正義じゃないかちゃんとわかっていた」と牧村拓《ひらく》は言った。

僕はあまり熱意をこめないで肯いた。

「君はゴルフやるか？」

「やりませんね」と僕は答えた。

「ゴルフは嫌いか？」

「好きも嫌いも、やったことないですからね」

彼は笑った。「好きも嫌いもないなんてことはなかろう。大体においてゴルフやったことのない人間はみんなゴルフのことが嫌いなんだ。決まってるんだ。正直に言っていいよ。正直な意見が聞きたい」

「好きじゃないですね、正直言って」と僕は正直に言った。

「どうして?」

「何をとっても馬鹿気てるように感じられるんです」と僕は言った。「大袈裟な道具とか偉そうなカートとか旗とか、着る服とか履く靴とか、しゃがみこんで芝を読む時の目付きとか耳の立て方とか、そういうのがひとつひとつ気に入らないんです」

「耳の立て方?」と彼は不思議そうな顔つきで聞き返した。

「ただの言い掛かりです。意味ないです。ただゴルフに付随する何もかもが気にさわるというだけです。耳の立て方のことは冗談です」と僕は言った。

牧村拓はまたしばらく空虚な目で僕の顔を見ていた。

「君は少し変わってるのかな?」と彼は訊いた。

「変わってないです」と僕は言った。「ごく普通の人間です。ただ冗談が面白くないだけです」

やがて書生がビールを二本とグラスをふたつ盆に載せて持ってきた。そして盆を廊下に置き、栓抜きで栓を開け、グラスにビールを注いだ。そしてまた足早にさっと何処かに行ってしまった。

「まあ、飲めよ」と彼は廊下に腰を降ろして言った。

いただきます、と言って僕はビールを飲んだ。喉が乾いていたのでビールはとても美味かった。でも車を運転しているからそれ以上は飲めない。一杯だけだ。

牧村拓の歳が幾つなのか、僕ははっきりとは知らなかったが、たぶんもう四十半ばにはなっているはずだった。それほど背は高くないが、がっしりとした体格のせいで実際よりは大男に見えた。胸が厚く、腕も首も太かった。首はいささか太すぎた。もう少し首が細かったらスポーツマン・タイプに見えなくはなかったのだろうが、顎に直結するようなそのもったりとした太さと耳の下の宿命的な肉の弛みは長い年月にわたる不摂生を表していた。そういうものはどれだけゴルフをやったところで取れないのだ。そして人は年をとっていく。時は取り分をとっていく。僕が昔写真で見た牧村拓はほっそりとして、鋭い目をした青年だった。とくにハンサムなわけではなかったが、何かしら人目を引くものがあった。いかにも前途有望な新進作家という風貌だった。あれは何年前だろう？　十五年か十六年前のことだったろうか？　目つきにはまだ鋭さが残っていた。時々光線や角度によってその目は綺麗に澄んで見えることがあった。髪は短く、ところどころに白髪が混じっていた。たぶんゴルフのせいだろう、よく日焼けして、ラコステのワイン・レッドがよく肌の色にあっていた。もちろん彼はシャツのボタンは全部外していた。首が太すぎるのだ。ラコステのワイン・レッドのポロ・シャツを着こなすのはけっこうむずかしいのだ。首が細すぎると貧相に見える。太すぎると暑苦しく見える。兼ね合いが難しい。五反田君ならきっと上手く着こなすだろうなと僕は思った。おい、よせよ、もう五反田君のことは考えるな。

「君は何か書く仕事をしてるそうだな」と牧村拓は言った。

「書くというほどのことじゃないですね」と僕は言った。「穴を埋める為の文章を提供してるだけのことです。何でもいいんです。字が書いてあればいいんです。でも誰かが書かなくてはならない。で、僕が書いてるんです。雪かきと同じです。文化的雪かき」

「雪かき」と牧村拓は言った。そしてわきに置いたゴルフ・クラブにちらりと目をやった。「面白い表現だ」

「それはどうも」と僕は言った。

「文章を書くのって好きか？」

「今やってることに関しては、好きとも嫌いともいえないですね。そういうレベルの仕事じゃないから。でも有効な雪かきの方法というのは確かにありますね。コツとか、ノウハウとか、姿勢とか、力の入れ方とか、そういうのは。そういうのを考えるのは嫌いではないです」

「明快な答えだな」と彼は感心したように言った。

「レベルが低いと物事は単純なんです」

「ふうん」と彼は言った。そして十五秒ほど黙っていた。「その雪かきという表現は君が考えたのか？」

「そうですね、そうだと思う」と僕は言った。

「俺がどこかで使っていいかな？　その『雪かき』っていうやつ。面白い表現だ。文化的雪かき」

「いいですよ、どうぞ。別に特許をとって使ってるわけじゃないですから」

「君の言わんとすることは俺にもわかるよ」と牧村拓は耳たぶをいじりながら言った。

「ときどき俺もそう感じる。こんな文章を書いて何の意味があるのかと。たまに。昔はこうじゃなかった。世界はもっと小さかった。手応えのようなものがあった。自分が今何をやっているかがちゃんとわかった。みんなが何を求めているかがちゃんとわかった。メディアそのものが小さかった。小さな村みたいだった。みんながみんなの顔を知ってた」

そしてグラスのビールを飲み干し、瓶を取って両方のグラスに注いだ。僕は断ったが、無視された。

「でも今はそうじゃない。何が正義かなんて誰にもわからん。みんなわかってない。だから目の前のことをこなしているだけだ。雪かきだ。君の言うとおりだ」彼はそう言ってまた木の幹と幹との間に張られた緑のネットを眺めた。芝生の上には白いゴルフ・ボールが三十個か四十個落ちていた。

僕はビールを一口飲んだ。

牧村拓は次に自分が何を言うべきかを考えていた。考えるのに少し時間がかかる。でも本人はあまりそのことを気にしていない。みんながじっと彼の話を待つことに慣れているからだ。仕方ないから僕も彼の話が始まるのを待っていた。彼はずっと耳たぶを指でいじっていた。それはまるで新札の束を数えているみたいに見えた。

「娘が君になついてる」と牧村拓は言った。「あれは誰にでもなつくわけじゃない。というか殆ど誰にもなつかない。俺となんかろくに口もきいてくれない。母親ともろくに口をきかないけど、少なくとも母親のことは尊敬してる。俺のことは尊敬してない。全然。馬鹿にさえしている。友達もまるでいない。何ヵ月か前から学校にも行ってない。家に籠もって一人でやかましい音楽ばっかり聴いてる。問題児と言ってもいいくらいだし、実際担任の教師からはそう言われた。他人とうまくやっていけない。でも君にはなついてる。どうしてかな?」

「どうしてでしょうね」と僕は言った。

「気が合うのかな?」

「そうかもしれないですね」

「娘のことはどう思う?」

　僕は返事をする前に少し考えてみた。まるで面接試験をうけているような気がした。正直に言うべきなんだろうなと僕は思った。「難しい年齢です。ただでさえ難しいのに、家庭環境がひどすぎて修復不可能なくらい難しくなっている。誰もその世話をしてない。誰も責任を負おうとしない。話をする相手がいない。彼女の心を開いてやることのできる人間がいない。とても傷ついている。その傷を癒してやることのできる人間がいない。両親が有名すぎる。顔が綺麗すぎる。重い荷物を背負いすぎてる。そしてちょっと普通じゃないところがある。感じやすすぎるというか……ちょっと特殊なものがある。でも本来は素直な子です。きちんとかまってやれば、まともに育つ」

「でも誰もかまってない」

「そういうことですね」

彼は深く長い溜め息をついた。そして耳から手を放し、長いあいだその指先をじっと見ていた。「君の言うとおりだ。まったくそのとおりだ。でもな、俺にはどうしようもないんだよ。まず第一に、離婚したときにきちんと書類交わしてるんだ。俺は一切ユキに構わないっていうさ。しかたなかったんだ。俺もあの頃ずいぶん女遊びしてたからさ、何を言える立場にもなかった。正確に言えば、今こうしてユキに会うのにも本当ならアメの許可がいるんだよ。下らん名前だろう、アメとユキだぜ。まあ、とにかくそういうことになってるんだ。それから第二にさっきも言ったように、ユキは全然俺になついてない。何を言ったって俺の言うことなんて聞きやしない。俺にはだからどうしようもないんだよ。娘のことは可愛いさ、そりゃ。たった一人の子供だもんな。でも駄目だ。手の出しようがない」

そしてまた緑のネットを見た。夕暮れの闇はもうずいぶん深くなっていた。芝の上に散らばった白いゴルフ・ボールは籠いっぱいの関節の骨を撒き散らしたみたいに見えた。

「でもだからといって手をこまねいているわけにもいかないんじゃないですか?」と僕は言った。「母親は自分の仕事で手いっぱいで、世界中とびまわっていて、子供のことを考える暇もない。子供がいることさえしょっちゅう忘れてしまう。金も渡さないで北海道のホテルの部屋に置き去りにして、そのことを思い出すのに三日かかってる。三日ですよ。

東京に連れてかえったら娘は何処にも行かずに一人でアパートの部屋に閉じ籠もって、ロックを聴いて、フライド・チキンやらケーキやらばかり食べて暮らしている。学校にも行かない。友達もいない。そんなのどう考えてもやはりまともじゃないですよ。まあ、他人の家庭のことですからね、こういうのは余計な御世話かもしれない。でもひどすぎる。あるいは僕の考え方というのは、あまりにも現実的で常識的で中産階級的にすぎるんでしょうか？」

「いや、一〇〇パーセント君の言うとおりだよ」と牧村拓は言った。そしてゆっくりと肯いた。「実にそのとおりだ。俺としても一言もない。二〇〇パーセント君の言うとおりだ。そこでひとつ君に相談があるんだ。だからこそわざわざここまで来てもらった」

不吉な予感がした。馬が死んだ。インディアンの太鼓もやんだ。静かすぎる。僕は小指の先でこめかみを搔いた。

「つまりだな、君にユキの面倒を見てもらえないだろうかな」と彼は言った。「面倒を見るといっても大したことじゃない。時々あれと会ってくれるだけでいいんだ。一日に二時間か三時間。そして二人で話をして、まともな飯を一緒に食ってくれればいい。それだけでいいよ。仕事としてちゃんと金は払う。つまり言うなれば勉強を教えない家庭教師みたいなもんだと考えてくれればいい。君が今幾ら稼いでるかしらんが、それに近いものは保証できると思う。そしてそれ以外の時間は君の好きに使えばいい。ただ一日に何時間かユキに会ってほしいんだ。悪い話じゃないだろう？　それについてはアメにも電話して話した。あれは今ハワイにいるんだ。ハワイで写真を撮ってる。ざっと状況を説明したら、アメも君に頼むことには賛成した。あれもあれなりにユキのことは真剣に考えてるんだぜ。ただちょっと人間が変わってるだけなんだ。神経がまともじゃない。才能はあるんだけどな、すごく。頭がときどきポッて飛んじゃうんだ。ヒューズが切れるみたいに。すると何もかも忘れちまう。現実的なことになると、からきし駄目だ。引き算もろくにできない」

「よくわからないですね」と僕は力なく微笑みながら言った。「いいですか、あの子に必要なのは親の愛情なんですよ。誰かが無償で心から自分を愛してくれるという確信なんです。そういうものを僕が彼女に与えることはできないんです。そういうことができるのは親だけなんです。そのことを、あなたもあなたの奥さんもきちんと認識するべきです。それが第一。第二に、あの年代の女の子にはどうしても同じ年代の同性の友人が必要です。シンパシーを感じあえていろんなことをストレートに話しあえる同性の友人、そういう相手がいるだけでずいぶん楽になる。僕は男だし、歳も離れ過ぎている。それにですね、だいたいあなたも奥さんも僕のことなんか何も知らないじゃないですか？　十三の女の子といえばある意味ではもう大人ですよ。とても綺麗で、おまけに精神的に不安定な女の子だ。そんな子を何処の誰だかわからない男に託していいものなんですか？　僕について何を知っているんですか、いったい？　僕はさっきまで殺人に絡んで警察に引っ張られてたんですよ。もし僕が犯人だったらどうするんですか？」

「君が殺したのか？」

「まさか」と僕は溜め息をついて言った。親子で同じ質問をする。「殺してなんかいないですよ」

「じゃあ、いいじゃないか。俺は君のことを信用してる。君が殺してないっていうんなら、殺してないんだろう」

「どうして信用できるんですか？」

「君は人を殺すタイプじゃない。それに少女強姦するタイプでもない。それくらいは見ればわかる」と牧村拓は言った。「それに俺はユキの勘を信じてる。あの子にはね、昔からものすごく勘の鋭いところがあったんだ。普通の勘の鋭さとはちょっと違う。何というかな、時々気持ち悪くなるくらい鋭いんだ。霊媒みたいなところがある。一緒にいると、俺の見えない物をあれが見ているように感じることがたまにある。そういう感じってわかるか？」

「なんとなく」と僕は言った。

「そういうのは母親譲りだと思うんだよ。そういうエキセントリックなところ。ただし母親の方は芸術にそれを集中させている。そうすると、人はそれを才能と呼ぶ。しかしユキはそういう集中させるべきものをまだ持っていない。ただ無目的に溢れてるんだ。桶から水が溢れるみたいに。霊媒みたいなもんだよ。母親の系統の血だな、あれは。俺にはそういうところはあまりない。全然ない。エキセントリックじゃない。だから母親も娘も俺のことなんかろくに相手にしない。俺もあの二人と一緒に暮らすのはいささか疲れた。当分女の顔は見たくない。君にはきっとわからんぜ、あのアメとユキと一緒に暮らすのがどういうことかというのは。アメとユキだぜ、下らん。まるで天気予報だ。でも俺はもちろん二人とも好きだよ。今でもときどきアメに電話して話しする。でもな、二度と一緒に暮らしたいとは思わんよ。あれは地獄だ。俺に作家としての才能があったとしても——あったんだ——あの生活のせいできれいさっぱり消えたよ。正直言って。でも才能のなくなったわりには俺はよくやってきたと自分でも思うけどな。雪かきだ。君の言う有効な雪かきだ。上手い表現だ。何を話していたっけな？」

「僕が信用できるかどうかってことでしたが」

「そう。俺はユキの勘を信用する。ユキは君を信用している。だから俺は君を信用する。君も俺を信用していい。俺はそんな悪い人間じゃない。ときどきろくでもない文章を書くけど、悪い人間ではない」彼はまた咳払いして唾を地面に吐いた。「どう、やってくれないかな？　そのユキの面倒を見ることを？　君の言うことは俺にだってよくわかるさ。そういうことするのは確かに親の役目だ。でもあれはね、ちょっと普通じゃないんだ。さっきも言ったように手の打ちようがないんだ。君しか頼れる相手がいない」

僕は自分のグラスの中のビールの泡をしばらく眺めていた。どうすればいいのか、僕にもよくわからなかった。不思議な一家だ。三人の変人と書生のフライデー。宇宙家族ロビンソンみたい。

「彼女とときどき会うのはかまいません」と僕は言った。「ただし毎日は会えない。僕にもやらなくちゃならないことがあるし、義務的に人に会うのは好きではない。会いたい時に会います。金は要りません。今のところ金には困ってないし、彼女と友達として付き合うからには僕がそれくらいの金は払います。そういう条件でしか引き受けようがないですね。彼女のことは僕も好きだし、会えれば僕としても楽しいでしょうね。でも何の責任も持てませんよ。それはいいですね。彼女がどうなったとしても、最終的な責任は言うまでもなくあなた方にあるんですからね。それをはっきりさせておくためにも金はもらえないですね」

牧村拓は何度か肯いた。耳の下の肉が揺れた。ゴルフではその肉のたるみは取れない。

もっと根本的な生活の転換が必要なのだ。でもそれは彼にはできないだろう。できていればもっと前にやっているはずだ。

「君の言いたいことはよくわかるし、言ってることの筋も通ってる」と彼は言った。「君に責任を押し付けようとしているわけではない。責任なんか感じることはない。我々には君以外に選択肢がないからこうして頭を下げてお願いしてるんだ。責任云々なんてことは何も言ってない。金のことはまたいつかその時になったら考えよう。俺は借りは忘れずにちゃんと返す人間だからな。それだけは覚えておいてくれ。でも今はまあ君の言うとおりかもしれん。君にまかせる。君の好きなようにすりゃいい。金が必要だったら俺のところか、あるいはアメのところか、どちらでもいいから連絡してくれ。どっちも金には困ってない。遠慮しなくていい」

僕は何も言わなかった。

「みたところ君もなかなか頑固そうな男だな」と彼は言った。

「頑固ではないです。僕には僕なりの考え方のシステムというものがあるだけです」

「システム」と彼は言った。そしてまた耳たぶを指でいじった。「もうそういうものはあまり意味を持たないんだよ。手作りの真空管アンプと同じだ。手間暇かけてそんなもの作るよりはオーディオ・ショップに行って新品のトランジスタ・アンプを買った方が安いし、音だって良いんだ。壊れたらすぐ修理に来てくれる。新品を買う時には下取りだってしてくれる。考え方のシステムがどうこうなんて時代じゃない。そういうものが価値を持っていた時代もたしかにあった。でも今は違う。何でも金で買える。考え方だってそうだ。適当なのを買ってきて繋げばいいんだ。簡単だよ。その日からもう使える。AをBに差し込めばいいんだ。あっという間にできる。古くなったら取り換えりゃいい。その方が便利だ。システムなんてことにこだわってると時代に取り残される。小回りがきかない。他人にうっとうしがられる」

「高度資本主義社会」と僕は要約した。

「そうだ」と牧村拓は言った。そしてまたしばらく沈黙の中に沈みこんだ。

あたりはずいぶん暗くなっていた。近くで犬が神経質そうに吠えていた。誰かがつっかえながらモーツァルトのピアノ・ソナタを弾いていた。牧村拓は廊下に座って脚を組み、何事かじっと考えながらビールを飲んでいた。東京に帰って以来どうも奇妙な人間にばかり会ってるな、と僕は思った。五反田君、二人のハイ・クラスの娼婦（一人は死んだ）、二人組のタフな刑事、牧村拓と書生のフライデー。暗い庭を眺めながらぼんやりと犬の声やピアノの音に耳を澄ませていると、現実がだんだん溶解して闇の中に溶けて吸い込まれていってしまうような気がした。いろんな物がその本来の形を失って混ざりあい、意味を失ってひとつのカオスとなる。キキの背中を撫でる五反田君の優雅な指も、雪の降りしきる札幌の街も、「かっこう」と言う山羊のメイも、刑事がぱたぱたと手のひらを叩いていたプラスティックの定規も、暗い廊下の奥でじっと僕を待っている羊男の姿も、何もかもが溶けてひとつになっていった。疲れているんだろうか？　と僕は思った。でも疲れてはいなかった。ただ現実がすうっと溶けていっているだけなのだ。溶けてひとつの丸いカオスの球になっている。まるである種の天体みたいなかたちに。そしてピアノが鳴って、犬が吠えている。誰かが何かを言っている。誰かが何かを僕に言っている。

「なあ」と牧村拓が僕に話しかけていた。

僕は顔を上げて彼を見た。

「君はその女の事を知ってたんじゃないのか？」と彼は言った。「その殺された女の事を。新聞で読んだ。ホテルで殺されたんだろう。身元不明って書いてあった。名刺だけが一枚財布に入ってて、その人物に事情を聞いていると出てた。君の名前は出てなかった。弁護士の話だと君は警察では何も知らないと突っ張っていたらしいが、でも知らないわけじゃないんじゃないか？」

「どうしてそう思うんですか？」

「ただふと、さ」彼はゴルフ・クラブを手にとって刀のようにまっすぐに前にのばしてそれをじっと眺めた。「そういう気がしたんだ。何かをかばっているように俺には感じられる。ふとね。君と話していると、だんだんそういう感じがしてくる。細かいことにいちいちこだわるくせに、大きなことに対しては妙に寛大になる。そういうパターンが見えてくる。面白い性格だ。そういう意味ではユキに似てるよ。生き延びるのに苦労する。他人に理解されにくい。転ぶと命取りになる。そういう意味では君らは同類だよ。今度のことだってそうだぞ。警察は甘くないからな。今度は上手くいったが、次も上手く行くとは限らんぜ。システムもいいが、突っ張ると怪我することが多い。もうそういう時代じゃあないんだよ」

「突っ張ってるわけでもないんです」と僕は言った。「ダンス・ステップみたいなもんです。習慣的なものです。体が覚えてるんです。音楽が聞こえると体が自然に動く。回りが変わっても関係ないんです。すごくややこしいステップなんで、回りのことを考えてられないんです。あまりいろんなことを考えると踏み違えちゃうから。ただ不器用なだけです。トレンディーじゃない」

牧村拓はまた黙ってゴルフ・クラブを睨んでいた。

「変わってる」と彼は言った。「君は俺に何かを連想させる。何だろう?」

「何でしょうね?」と僕は言った。何だろう? ピカソの「オランダ風の花瓶と髭をはやした三人の騎士」だろうか？

「でも俺は君のことが結構気にいったし、君という人間を信用するよ。悪いがユキの面倒は見てくれ。いつかきちんと礼はする。俺は借りは必ず返す人間だよ。そのことはさっき言ったよな？」

「聞きました」

「じゃあそれでいい」と牧村拓は言った。そしてゴルフ・クラブをそっと縁側に立てかけた。「結構」

「新聞には他にどんなことが出てました？」と僕は訊いた。

「他には殆ど何も出てないよ。ストッキングで絞殺された。一流ホテルというのは都会の盲点なんだと書いてあった。名前も何もわからない。身元を調べているとあった。それだけだ。よくある事件だよ。すぐにみんな忘れる」

「そうでしょうね」と僕は言った。

「でも忘れない人間もいる」と彼は言った。

「たぶん」と僕は言った。

日本音楽著作権協会（出）許諾第0412387-558号

"TRAVELIN' MAN"
Jerry Fuller
© Sony ／ ATV Acuff Rose Music
The rights for Japan licensed to Sony Music Publishing (Japan) Inc.

"GOING TO A GO-GO"
MOORE WARREN THOMAS/ROBINSON WILLIAM (JUN)/
ROGERS ROBERT EDWARD/TARPLIN MARVIN
© JOBETE MUSIC CO., INC.
Permission granted by Sony Music Publishing (Japan) Inc.

"SURFIN' U.S.A."
Words by Brian Wilson, Music by Chuck Berry
© Copyright 1958 & 1963 by ARC MUSIC CORP., New York. N.Y., U.S.A. Assigned to Rock'N'Roll Music Company for Japan and Far East (Hong Kong, The Philippines. Taiwan, Korea, Malaysia, Singapore and Thailand) All rights controlled by Shinko Music Entertainment Co., Ltd., Tokyo Authorized for sale in Japan only

ダンス・ダンス・ダンス(上)
村上春樹《むらかみはるき》

© Harukimurakami Archival Labyrinth 2004
2004年10月15日第1刷発行
2025年9月9日第58刷発行

発行者――篠木和久
発行所――株式会社 講談社
東京都文京区音羽2-12-21 〒112-8001
電話 出版 (03) 5395-3510
販売 (03) 5395-5817
業務 (03) 5395-3615

Printed in Japan

講談社文庫
定価はカバーに
表示してあります

KODANSHA

デザイン―菊地信義
製版――株式会社KPSプロダクツ
印刷――株式会社KPSプロダクツ
製本――株式会社KPSプロダクツ

落丁本・乱丁本は購入書店名を明記のうえ、小社業務あてにお送りください。送料は小社負担にてお取替えします。なお、この本の内容についてのお問い合わせは講談社文庫あてにお願いいたします。

本書のコピー、スキャン、デジタル化等の無断複製は著作権法上での例外を除き禁じられています。本書を代行業者等の第三者に依頼してスキャンやデジタル化することはたとえ個人や家庭内の利用でも著作権法違反です。

ISBN4-06-274904-1

講談社文庫刊行の辞

二十一世紀の到来を目睫に望みながら、われわれはいま、人類史上かつて例を見ない巨大な転換期をむかえようとしている。

世界も、日本も、激動の予兆に対する期待とおののきを内に蔵して、未知の時代に歩み入ろうとしている。このときにあたり、創業の人野間清治の「ナショナル・エデュケイター」への志を現代に甦らせようと意図して、われわれはここに古今の文芸作品はいうまでもなく、ひろく人文・社会・自然の諸科学から東西の名著を網羅する、新しい綜合文庫の発刊を決意した。

激動の転換期はまた断絶の時代である。われわれは戦後二十五年間の出版文化のありかたへの深い反省をこめて、この断絶の時代にあえて人間的な持続を求めようとする。いたずらに浮薄な商業主義のあだ花を追い求めることなく、長期にわたって良書に生命をあたえようとつとめるところにしか、今後の出版文化の真の繁栄はあり得ないと信じるからである。

同時にわれわれはこの綜合文庫の刊行を通じて、人文・社会・自然の諸科学が、結局人間の学にほかならないことを立証しようと願っている。かつて知識とは、「汝自身を知る」ことにつきていた。現代社会の瑣末な情報の氾濫のなかから、力強い知識の源泉を掘り起し、技術文明のただなかに、生きた人間の姿を復活させること。それこそわれわれの切なる希求である。

われわれは権威に盲従せず、俗流に媚びることなく、渾然一体となって日本の「草の根」をかたちづくる若く新しい世代の人々に、心をこめてこの新しい綜合文庫をおくり届けたい。それは知識の泉であるとともに感受性のふるさとであり、もっとも有機的に組織され、社会に開かれた万人のための大学をめざしている。大方の支援と協力を衷心より切望してやまない。

一九七一年七月

野間省一

講談社文庫　目録

富樫倫太郎　スカーフェイスIII　ブラッドライン〈警視庁特別捜査第三係・淵神律子〉
富樫倫太郎　スカーフェイスIV　デストラップ〈警視庁特別捜査第三係・淵神律子〉
豊田　巧　警視庁鉄道捜査班〈鉄血の警視〉
豊田　巧　警視庁鉄道捜査班〈鉄路の牢獄〉
砥《と》上《がみ》裕《ひろ》將《まさ》　線は、僕を描《えが》く
砥上裕將　7・5グラムの奇跡
遠田潤子　人でなしの櫻
夏樹静子　新装版　二人の夫をもつ女
中井英夫　新装版　虚無への供物(上)(下)
中村敦夫　狙われた羊
中島らも　僕にはわからない
中島らも　今夜、すべてのバーで〈新装版〉
鳴海　章　フェイスブレイカー
鳴海　章　謀略航路
鳴海　章　全能兵器AiCO《アイコ》
中嶋博行　新装版　検察捜査
中村天風　運命を拓く〈天風瞑想録〉
中村天風　叡智のひびき〈天風哲人　箴言註釈《しんげんちゅうしゃく》〉
中村天風　真理のひびき〈天風哲人　新箴言註釈《しんげんちゅうしゃく》〉
中川一徳　メディアの支配者(上)(下)
中川一徳　二重らせん(上)(下)〈フジテレビとテレビ朝日　欲望のメディア〉
中山康樹　ジョン・レノンから始まるロック名盤
梨屋アリエ　でりばりぃAge
梨屋アリエ　ピアニッシシモ
中島京子　妻が椎茸だったころ
中島京子　オリーブの実るころ
中島京子ほか　黒い結婚　白い結婚
奈須きのこ　空の境界(上)(中)(下)
中村彰彦　乱世の名将　治世の名臣
長野まゆみ　簞笥のなか
長野まゆみ　レモンタルト
長野まゆみ　チマチマ記
長野まゆみ　冥途あり
長野まゆみ　45°〈ここだけの話〉
長野まゆみ　ゴッホの犬と耳とひまわり
長嶋　有　夕子ちゃんの近道
長嶋　有　佐渡の三人
長嶋　有　もう生まれたくない
長嶋　有　ルーティーンズ
永嶋恵美　擬態
永井　均／内田かずひろ 絵　子どものための哲学対話
なかにし礼　戦場のニーナ
なかにし礼　生きる力〈心でがんに克《か》つ〉
なかにし礼　夜の歌(上)(下)
中村文則　最後の命
中村文則　悪と仮面のルール
編／解説 中田整一　真珠湾攻撃総隊長の回想〈淵田美津雄自叙伝〉
中田整一　四月七日の桜〈戦艦「大和」と伊藤整一の最期〉
中村江里子　女四世代、ひとつ屋根の下
中野美代子　カスティリオーネの庭
中野孝次　すらすら読める方丈記
中野孝次　すらすら読める徒然草
中山七里　贖罪の奏鳴曲《ソナタ》
中山七里　追憶の夜想曲《ノクターン》
中山七里　恩讐の鎮魂曲《レクイエム》
中山七里　悪徳の輪舞曲《ロンド》
中山七里　復讐の協奏曲《コンチェルト》

講談社文庫　目録

講談社文庫　目録

法月綸太郎 法月綸太郎の消息
法月綸太郎 雪 密 室〈新装版〉
乃南アサ 不 発 弾
乃南アサ 地のはてから(上)(下)
乃南アサ チーム・オベリベリ(上)(下)
野沢 尚 破線のマリス
野沢 尚 深 紅
野村克也
宮本慎也 師 弟
乗代《のりしろ》雄介《ゆうすけ》 十《じゅう》七《しち》八《はち》より
乗代雄介 本物の読書家
乗代雄介 最高の任務
乗代雄介 旅する練習
橋本 治 九十八歳になった私
原田泰治 わたしの信州
原田泰治
原田武雄 泰 治 が 歩 く〈原田泰治の物語〉
林 真理子 ミスキャスト
林 真理子 ミ ル キ ー
林 真理子 新装版 星に願いを
林 真理子 野 心 と 美 貌〈中年心得帳〉
林 真理子 正 妻(上)(下)
林 真理子 大《お》原《はら》御《ご》幸《こう》〈帯に生きた家族の物語〉
林 真理子 さくら、さくら〈おとなが恋して〈新装版〉〉
林 真理子 奇 跡
林 真理子 みんなの秘密〈新装版〉
林 真理子
見城 徹 過剰な二人
原田宗典 ス メ ル 男〈新装版〉
帚木蓬生 日 御 子(上)(下)
帚木蓬生 襲 来(上)(下)
坂東眞砂子 欲 情
畑村洋太郎 失敗学のすすめ
畑村洋太郎 失敗学実践講義〈文庫増補版〉
はやみねかおる 都会《まち》のトム&ソーヤ(1)
はやみねかおる 都会《まち》のトム&ソーヤ(2)〈乱！ RUN！ ラン！〉
はやみねかおる 都会《まち》のトム&ソーヤ(3)〈いつになったら作戦《ミッション》終了？〉
はやみねかおる 都会《まち》のトム&ソーヤ(4)〈四重奏《カルテット》〉
はやみねかおる 都会《まち》のトム&ソーヤ(5)〈I《イ》N《ン》塀戸《VADES》〉(上)(下)
はやみねかおる 都会《まち》のトム&ソーヤ(6)〈ぼくの家へおいで〉
はやみねかおる 都会《まち》のトム&ソーヤ(7)《怪人は夢に舞う〈理論編〉》
はやみねかおる 都会《まち》のトム&ソーヤ(8)《怪人は夢に舞う〈実践編〉》
はやみねかおる 都会《まち》のトム&ソーヤ(9)〈前夜祭《イブ》 内人《ないと》side〉
はやみねかおる 都会《まち》のトム&ソーヤ(10)〈前夜祭《イブ》 創也《そうや》side〉
半藤一利 人間であることをやめるな
半藤末利子 硝子戸のうちそと
原 武史 滝山コミューン一九七四
原 武史 最 終 列 車
濱 嘉之 警 視 庁 情 報 官〈シークレット・オフィサー〉
濱 嘉之 警視庁情報官 ハニートラップ
濱 嘉之 警視庁情報官 トリックスター
濱 嘉之 警視庁情報官 ブラックドナー
濱 嘉之 警視庁情報官 サイバージハード
濱 嘉之 警視庁情報官 ゴーストマネー
濱 嘉之 警視庁情報官 ノースブリザード
濱 嘉之 ヒトイチ 警視庁人事一課監察係
濱 嘉之 ヒトイチ 画像解析〈警視庁人事一課監察係〉
濱 嘉之 ヒトイチ 内部告発〈警視庁人事一課監察係〉
濱 嘉之 新装版 院 内 刑事《デカ》
濱 嘉之 新装版 院 内 刑 事〈ブラック・メディスン〉

樋口卓治　喋る男
平山夢明　魂《たま》豆《どう》腐《ふ》〈大江戸怪談どたんばたん(土壇場譚)〉
平山夢明 宇佐美まこと ほか　超怖い物件
東川篤哉　純喫茶「一服堂」の四季
東川篤哉　居酒屋「一服亭」の四季
東山彰良　流《りゅう》
東山彰良　女の子のことばかり考えていたら、1年が経っていた。
平田研也　小さな恋のうた
日野　草　ウエディング・マン
平岡陽明　僕が死ぬまでにしたいこと
平岡陽明　素数とバレーボール
ビートたけし　浅草キッド
ひろさちや　すらすら読める歎異抄《たんにしょう》
藤沢周平　新装版 春秋の檻〈獄医立花登手控え(一)〉
藤沢周平　新装版 風雪の檻〈獄医立花登手控え(二)〉
藤沢周平　新装版 愛憎の檻〈獄医立花登手控え(三)〉
藤沢周平　新装版 人間の檻〈獄医立花登手控え(四)〉
藤沢周平　新装版 闇の歯車
藤沢周平　新装版 市塵(上)(下)
藤沢周平　新装版 決闘の辻
藤沢周平　新装版 雪明かり
藤沢周平　義民が駆ける〈レジェンド歴史時代小説〉
藤沢周平　喜多川歌麿女絵草紙
藤沢周平　闇の梯子
藤沢周平　長門守の陰謀
古井由吉　この道
藤田宜永　樹下の想い
藤田宜永　女系の総督
藤田宜永　女系の教科書
藤田宜永　血の弔旗
藤田宜永　大雪物語
藤　水名子　紅嵐記(上)(中)(下)
藤原伊織　テロリストのパラソル
藤本ひとみ　新・三銃士 少年編・青年編〈ダルタニャンとミラディ〉
藤本ひとみ　皇妃エリザベート
藤本ひとみ　失楽園のイヴ
藤本ひとみ　密室を開ける手
藤本ひとみ　数学者の夏
藤本ひとみ　死にふさわしい罪
福井晴敏　亡国のイージス(上)(下)
福井晴敏　終戦のローレライ I～IV
藤原緋沙子　遠花火〈見届け人秋月伊織事件帖〉
藤原緋沙子　春《はる》疾《はや》風《て》〈見届け人秋月伊織事件帖〉
藤原緋沙子　暖《ぬくめ》鳥《どり》〈見届け人秋月伊織事件帖〉
藤原緋沙子　霧の路《みち》〈見届け人秋月伊織事件帖〉
藤原緋沙子　鳴《なる》子《こ》守《もり》〈見届け人秋月伊織事件帖〉
藤原緋沙子　夏ほたる〈見届け人秋月伊織事件帖〉
藤原緋沙子　笛吹川〈見届け人秋月伊織事件帖〉
藤原緋沙子　青《せい》嵐《らん》〈見届け人秋月伊織事件帖〉
椹野道流　亡羊の嘆〈鬼籍通覧〉
椹野道流　新装版 暁天の星〈鬼籍通覧〉
椹野道流　新装版 無《む》明《みょう》の闇〈鬼籍通覧〉
椹野道流　新装版 壺《こ》中《ちゅう》の天〈鬼籍通覧〉
椹野道流　新装版 隻《せき》手《しゅ》の声〈鬼籍通覧〉
椹野道流　新装版 禅《ぜん》定《じょう》の弓〈鬼籍通覧〉
椹野道流　池《ち》魚《ぎょ》の殃《わざわい》〈鬼籍通覧〉
椹野道流　南《なん》柯《か》の夢〈鬼籍通覧〉

堀川アサコ 幻想探偵社
堀川アサコ 幻想温泉郷
堀川アサコ 幻想短編集
堀川アサコ 幻想寝台車
堀川アサコ 幻想蒸気船
堀川アサコ 幻想商店街
堀川アサコ 幻想遊園地
堀川アサコ 殿の幽便配達〈幻想郵便局短編集〉
堀川アサコ 魔法使ひ
堀川アサコ メゲるときも、すこやかなるときも
本城雅人 境界〈横浜中華街・潜伏捜査〉
本城雅人 スカウト・デイズ
本城雅人 スカウト・バトル
本城雅人 嗤うエース
本城雅人 贅沢のススメ
本城雅人 誉れ高き勇敢なブルーよ
本城雅人 シューメーカーの足音
本城雅人 ミッドナイト・ジャーナル
本城雅人 紙の城

本城雅人 監督の問題
本城雅人 去り際のアーチ〈もう一打席！〉
本城雅人 時代
本城雅人 オールドタイムズ
堀川惠子 裁かれた命〈死刑囚から届いた手紙〉
堀川惠子 死刑の基準〈「永山裁判」が遺したもの〉
堀川惠子 永山則夫〈封印された鑑定記録〉
堀川惠子 教誨師
堀川惠子 戦禍に生きた演劇人たち〈演出家・八田元夫と「桜隊」の悲劇〉
堀川惠子 暁の宇品〈陸軍船舶司令官たちのヒロシマ〉
堀川惠子 小笠原信之 チンチン電車と女学生〈1945年8月6日・ヒロシマ〉
誉田哲也 Qros《キュロス》の女
松本清張 黄色い風土
松本清張 殺人行おくのほそ道(上)(下)
松本清張 邪馬台国 清張通史①
松本清張 空白の世紀 清張通史②
松本清張 カミと青銅の迷路 清張通史③
松本清張 天皇と豪族 清張通史④
松本清張 壬申の乱 清張通史⑤

松本清張 古代の終焉 清張通史⑥
松本清張 新装版 増上寺刃傷
松本清張 ガラスの城〈新装版〉
松本清張 黒い樹海〈新装版〉
松本清張 草の陰刻(上)(下)〈新装版〉
松本清張他 日本史七つの謎
松谷みよ子 ちいさいモモちゃん
松谷みよ子 モモちゃんとアカネちゃん
松谷みよ子 アカネちゃんの涙の海
眉村卓 ねらわれた学園
眉村卓 なぞの転校生
眉村卓 その果てを知らず
麻耶雄嵩 翼ある闇〈メルカトル鮎《あゆ》最後の事件〉
麻耶雄嵩 痾
麻耶雄嵩 メルカトルかく語りき
麻耶雄嵩 夏と冬の奏鳴曲《ソナタ》〈新装改訂版〉
麻耶雄嵩 メルカトル悪人狩り
麻耶雄嵩 神様ゲーム
町田康 耳そぎ饅頭

2025年6月13日現在